y Gwyliau

I Ian a Macsen

y Gwyliau

SIONED WILIAM

y Lolfa

Diolch:

I Meleri Wyn James a phawb yn y Lolfa
am lywio'r nofel yn ddiogel drwy'r wasg.

I Macsen am y teitlau.

I Ian am y gefnogaeth barhaol.

Argraffiad cyntaf: 2023
© Hawlfraint Sioned Wiliam a'r Lolfa Cyf., 2023

*Mae hawlfraint ar gynnwys y llyfr hwn ac mae'n
anghyfreithlon llungopïo neu atgynhyrchu unrhyw ran ohono
trwy unrhyw ddull ac at unrhyw bwrpas (ar wahân i adolygu) heb
gytundeb ysgrifenedig y cyhoeddwyr ymlaen llaw*

Llun y clawr: Lily Mŷrennyn
Cynllun y clawr: Sion Ilar

Rhif Llyfr Rhyngwladol: 978 1 80099 355 6

Dymuna'r cyhoeddwyr gydnabod cymorth ariannol
Cyngor Llyfrau Cymru

Cyhoeddwyd ac argraffwyd yng Nghymru
ar bapur o goedwigoedd cynaliadwy gan
Y Lolfa Cyf., Talybont, Ceredigion SY24 5HE
e-bost ylolfa@ylolfa.com
gwefan www.ylolfa.com
ffôn 01970 832 304
ffacs 01970 832 782

1

Safai Casa dei Girasole mewn pentref bychan ar un o'r llethrau hyfryd hynny sy'n gwyrddio dyffryn afon Tiberio yn Umbria, calon werdd yr Eidal. Penderfynodd Tudur ac Elinor Ifans brynu fila yma yn hytrach nag yn ardal fwy twristaidd Toscana, gan fod Umbria heb gael ei darganfod gan y Saeson ar y pryd. Doedd hynny ddim yn wir bellach, wrth gwrs. Atseiniai acenion yr Home Counties o gwmpas tref leol Citta di Castello bob haf, yn enwedig ar ddiwrnodau marchnad.

'DARLING, WE NEED SOME MORE OLIVE OIL AND *PORCHETTA* – YES, I THINK THIS ONE IS THE CHEAPEST STALL, BUT SEE IF YOU CAN GET A BETTER PRICE... REALLY, THEY EXPECT IT, HONESTLY, HAGGLING'S ALL PART OF THEIR CULTURE.'

Bellach, rhaid oedd crwydro i ardaloedd mynyddig Le Marche neu wyrddni coediog Lazio i ddianc rhag yr iaith fain. Denwyd llu o ymwelwyr i ddyffryn Tiberio gan ddarluniau rhyfeddol Piero della Francesca yn Sansepolcro. Dyna ddaeth ag Elinor yno hefyd yn wreiddiol – a chollodd y profiad hwnnw o sefyll o flaen 'La Resurrezione' byth mo'i rym, dim ots faint o weithiau yr aethai hi yno. Hoffai Elinor fod y ffresgo i'w weld hyd yn oed os oedd yr amgueddfa ar gau, gan fod modd gwasgu botwm ar y mur tu allan i oleuo'r ystafell y tu fewn. Syllai'r Crist atgyfodedig allan ar y Via Giacomo Matteotti drwy haenen o wydr cadarn ddydd a nos. Campwaith o berspectif oedd y darlun, yn ôl yr arbenigwyr, gan dynnu sylw, yn fwyaf arbennig, at saernïaeth cyrff blinedig y milwyr yn pendwmpian o flaen y bedd. Ond yr olwg dreiddgar yn llygaid yr Iesu oedd yn siglo enaid Elinor bob tro. Doedd ganddi ddim syniad pam – doedd hi ddim yn gredinwraig, byth yn mynychu'r capel – er iddi gael ei magu mewn mans yng Nghaerfyrddin. Diflannodd ei ffydd ar drothwy Neuadd Pantycelyn yn y saithdegau cynnar. Ond roedd edrych ar ddarlun Piero yn codi rhyw awydd elfennol ynddi, y dyhead am gadernid efallai, rhyw sylwedd yn ei bywyd. Ac er ei bod yn argyhoeddedig fod yr Iesu arbennig yma yn gweld y byd a'i holl frychau yn hollol glir, teimlai Elinor fod yna garedigrwydd hefyd. A maddeuant efallai? Doedd hi ddim yn hollol siŵr, ond hoffai edrych ar y darlun – yn enwedig fin nos ar ôl gorffen pryd o fwyd, pan fyddai'r sgwâr tu fas yr amgueddfa wedi gwagio a'r botwm ar y mur yn datgelu bod yr Iesu yn dal i syllu yn ddiflino i'r tywyllwch.

Tref fach hyfryd oedd Sansepolcro o fewn muriau hynafol a thrwchus. Troellai *corso* o'r fynedfa ar ochr ddwyreiniol y dref, heibio siopau bwyd a dillad hyfryd, tuag at y *piazza* yn y canol. Yn ôl yr arfer cyffredin yn yr Eidal, bob nos am hanner awr wedi pump, llifai torfeydd y *passegiatta* drwy'r strydoedd, teuluoedd cyfan yn crwydro, pawb yn eu dillad gorau, yn cymdeithasu, yn bwyta hufen iâ neu'n sipian Aperol a Prosecco. Câi Elinor ei swyno bob tro gan yr awyrgylch deuluol yn Sansepolcro fin nos, yn ogystal â steil rhyfeddol yr Eidalwyr.

Ac roedd hi wedi syrthio mewn cariad gyda'r Casa dei Girasole o'r eiliad cyntaf iddi ei ganfod drwy dwll yn y clawdd wrth i'r car droelli ar hyd heol wen garegog rhwng y caeau tybaco a blodau'r haul i fyny'r rhiw serth tuag at Monte Santa Maria Tiberina ar un o lethrau ucha'r dyffryn. Roedd gan y Girasole chwech llofft ddwbwl (pob un yn *en suite*), teras ysblennydd a chegin yn llawn o declynnau modern, yn ogystal â lle tân hynafol a stafell gyfan i'r peiriannau golchi a sychu dillad ac i smwddio. Ac er ei bod hi'n grasboeth y prynhawn hwnnw, roedd hi'n gyfforddus braf tu fewn i furiau trwchus y fila oedd wedi hen arfer amddiffyn ei thrigolion rhag eithafion y tywydd, boed hynny yn eira trwm a stormydd rhew y gaeaf neu'n wres llethol misoedd yr haf.

A'r golygfeydd! Amgylchynid y fila gan fryniau gwyrddion yn drwch o goedydd ffawydd ac olewydd a chaeau'n llawn gwinwydd yn gwegian dan bwysau eu ffrwythau porffor. Ar waelod y dyffryn safai rhesi milwrol o flodau'r haul yn troi eu hwynebau melyn tuag at y golau – y *girasole* hynny oedd yn gyfrifol am yr enw.

Hoffai Elinor dreulio'i hafau yn yr Eidal. Roedd hi'n dwli ar y bwyd, y golygfeydd a'r steil oedd yn chwarae gymaint o ran ym mywydau beunyddiol yr Eidalwyr. Gan ei bod yn hollol rugl yn yr iaith, fe ymgartrefodd yn gyflym iawn yn nyffryn Tiberio. Fe ddaeth hi'n gyfaill mynwesol i'r cigydd, y pobydd a'r gwerthwr llysiau gorau yn Citta di Castello. Ac am fanion eraill deallodd yn go sydyn fod y bobol leol yn defnyddio'r *supermercato* anferth ar gyrion y dref oedd yn hafan yn yr haf gan fod iddi system *aria condizionata* ardderchog.

Byddai braidd yn llawn yn Girasole am y bythefnos nesa, meddyliodd wrth iddi eistedd ar y teras un bore berwedig ym mis Awst. Ar y bwrdd o'i blaen yr oedd paned o goffi du wedi ei wneud yn y *bialetti* ar dop y stof, *cornetto* siocled a brynwyd ganddi y bore hwnnw yn y *panetteria* lleol a nodiadur drud yr olwg o'r siop bapur yn Citta. Cododd ei hysgrifbin yn sydyn ac ychwanegu at y rhestr faith o bethau roedd yn rhaid iddi gyflawni y bore hwnnw – hoffai Elinor ddefnyddio nodiadur hen ffasiwn ac ysgrifbin a fu ganddi ers dyddiau coleg, yn hytrach na'r iPad drud a brynwyd iddi gan ei gŵr. Er ei bod hi'n ifanc ei hysbryd ac yn barod iawn i fentro i'r byd digidol pan fo angen, roedd hi'n mwynhau ysgrifennu ei rhestrau dyddiol mewn inc ar bapur drud. Roedd y weithred yn ei phlesio'n fawr, yn rhyw fath o therapi bron, ac roedd y sŵn crafu ar y papur trwchus melyn yn ei sadio a'i chysuro.

Roedd hi wedi trefnu *people carrier* i fynd i Perugia i gwrdd â Meic ac Awen a'u merch Llinos, yn ogystal â Huw, mab Tudur a'i wraig Rhian a'u plant hwythau – Osian oedd yn wyth a Twm oedd yn bump (a hanner Mam-gu!). Gwenodd Elinor wrth gofio mor bwysig oedd yr hanner. Roedd pawb yn cyrraedd tua canol dydd. Byddai'n rhaid cwrdd â Tecwyn hefyd oedd yn dod ar y trên o Firenze. Edrychai Elinor ymlaen at y siwrne hyfryd draw i Arezzo i gwrdd â'i hen ffrind.

Reit, oedd hi wedi meddwl am bopeth? Bwyd addas i ddiwallu anghenion amrywiol y rhai oedd yn dod? Oedd ganddi ddigon o syniadau am dripiau i gadw pawb yn hapus? Byddai'n rhaid iddi edrych ar amseroedd agor yr *outlet* yn Firenze. A'r *Galleria* yn Perugia. Heb sôn am yr amrywiol dai bwyta cyfagos. Hmm, roedd rhai o'r rheini ar gau ar nos Lun, on'd oedden nhw? Gwell iddi ffonio i weld. Roedd ganddi ddigon o eli haul ffactor 50 i'r plant (byddai'n rhaid iddi atgoffa Rhian am bŵer yr haul yma), *plug-ins* ar gyfer y *zanzare* ac roedd hi wedi gosod llyfryn bach (yn ei llawysgrifen orau, roedd hi wedi mwynhau sgrifennu'r rhain) ym mhob stafell wely yn cyflwyno'r Girasole, yn adrodd hanes y fila a'r pentre. Roedd yna gwpwl o ffeithiau defnyddiol hefyd am y ffordd o fyw yn yr Eidal a'r bwyd lleol, yn ogystal â rhybudd bach am y pryfed a'r nadredd yn y tir o gwmpas.

Yfory byddai rhieni Rhian, Meriel a Dylan, yn ymuno â nhw.

Anesmwythodd Elinor fymryn. Wedi cyfnod go gythryblus (yn cynnwys ysgariad a charchar i Dylan) roedd y ddau'n ôl gyda'i gilydd a doedd Elinor ddim wedi eu gweld ers tipyn. Gobeithio nad oedd y ddau yn mynd i yfed cymaint ag arfer. Gallai Meriel yn arbennig fod yn dipyn o lysh weithiau – ac roedd wedi achosi embaras i Rhian, eu merch, ar fwy nag un achlysur, yn llowcio Prosecco fel tase fe'n lemonêd. O leia roedd y cyfnod yn y carchar wedi torri crib Dylan – doedd e ddim (yn ôl bob sôn, beth bynnag) yn rhedeg ar ôl merched o dan ddeg ar hugain bellach.

Torrodd Tudur ar draws ei myfyrdodau gyda phaned ffres o goffi. Gwenodd y ddau ar ei gilydd cyn syllu allan yn fyfyriol ar yr ysblander o'u cwmpas. Brithai ambell gwmwl gwyn bychan yr awyr las ac yng ngwres diwrnod tanbaid arall, dim ond sŵn y *cicala* yn y caeau oedd i'w glywed o'u cwmpas.

Yn y cae drws nesa i'r Girasole, safai Giovanni, eu cymydog, cawr o ddyn yn ei saithdegau cynnar oedd a phryd tywyll a chanddo gorff cyhyrog dyn oedd wedi treulio ei oes yn llafurio yng ngwydd yr haul tanbaid. Myfyrio oedd e, wrth bwyso ar y ffens yn gwylio Elinor a Tudur yn sipian eu coffi, am y newid byd a fu yn y pentref dros y blynyddoedd diwethaf.

Cartref yn cynnal sawl teulu a llu o anifeiliaid oedd y Girasole pan oedd Giovanni'n blentyn. Y gwartheg, y moch a'r geifr ar y llawr gwaelod a'r ffermwyr a'u teuluoedd yn byw blith draphlith ar y lloriau uwchben. Ac nid Girasole oedd ei enw bryd hynny chwaith, ond Casa Portona, yn unol ag enw'r pentref bychan. Roedd pob tyddyn a chartref yn llawn a'r gymdeithas fywiog yn cynnal ysgoldy, pobydd a gof hyd yn oed, gan fod merlod byrgoes yn tramwyo'r llwybrau caregog lan a lawr y mynydd tan yn gymharol ddiweddar.

Helwyr o fri oedd y ffermwyr a fu'n byw yn y topiau dros y canrifoedd, yn dilyn trywydd tyrchod gwyllt a chwningod ac yn defnyddio'u cŵn hela hefyd yn yr hydref i balu am y *tartufo* duon yn y coedwigoedd ffawydd o gwmpas y pentref. Lle hynafol oedd hwn. Ymgartrefodd yr Etrusciaid a'r Rhufeiniaid yma, ac roedd eu holion i'w gweld yn glir os oeddech chi'n gwybod lle i edrych. Ac fe fu beirdd ac ysgolheigion (yn cynnwys y Pliny ifanc), yn ogystal ag amaethwyr, yn troedio'r tir dros y canrifoedd.

Yr Ail Ryfel Byd roddodd y farwol i'r lle mewn gwirionedd. Y bechgyn ifanc na ddaeth adref o'r brwydrau, rhai wedi syrthio yn y gyflafan ond eraill wedi cael blas ar ffordd rwyddach o fyw yn y dinasoedd, oedd yn golygu gwneud tipyn llai o waith a chael llawer mwy o arian i'w ddanfon adre. Cyflymwyd y dirywiad yn y chwedegau pan ddechreuodd ymwelwyr lygadu'r murddunnau gweigion ac fe ddenwyd math newydd o drigolion i ailgodi'r to, yn byw yno dros fisoedd yr haf yn unig. A bod yn deg, yr Eidalwyr ddechreuodd y ffasiwn, yn dianc o'r dinasoedd i chwilio lloches yn anterth gwres yr haf. Ond yna daeth y Prydeinwyr, yn barod i brynu unrhyw fath o adeilad, boed yn feudy, yn gwt mochyn neu'n blasty moethus. Felly Gabrielle a Sebastian oedd biau'r hen ysgoldy bellach a Maggie a Phil oedd yn y popty. A dyna Hugo a Sam yn y tyddyn uchaf yn y pentref a theulu crand o Lundain yn yr efail ond doedd neb byth yn eu gweld nhw er iddyn nhw adeiladu estyniad mawreddog yn y stordy gwenith drws nesa.

A Tudur ac Elinor yn y Casa mwyaf i gyd, wrth gwrs, yr un a fedyddiwyd yn Girasole.

Gwyddai Giovanni fod Elinor yn gwneud ei gorau – yn wahanol i'r rhan fwyaf o'r ymwelwyr roedd hi wedi dysgu

Eidaleg yn rhugl – er nad oedd hi wedi dirnad serch hynny bod gan y bobol leol iaith dafodieithol gyhyrog eu hunain. Ymwelai hi a Tudur â'r fila cyn amled ag y medrent. Ac roedd Giovanni yn falch o'r gwaith a gafodd ganddynt – yn tendio'r Orto, sef yr ardd lysiau, ac yn gofalu am y lle pan nad oedd neb yno.

Tybiai Giovanni nad oedd Elinor wedi meddwl yn rhy galed am y ffaith ei bod hi a'r mewnfudwyr eraill wedi cyfrannu'n helaeth i ddiwedd y bywyd naturiol yma. Ond o leiaf doedd hi ddim wedi ymuno â'r grŵp whatsapp melltigedig (Portona Chums) a sefydlwyd gan yr ymfudwyr. Lle'r oedden nhw'n rhannu 'tips' am y gweithwyr rhataf a'r 'deals' gorau yn yr ardal. Danfonid newyddion gan y criw yn syth yn ôl i Brydain os deuai adeilad newydd ar werth ('Darlings, the goat farm is for sale and it's got so much potential, could fit four beds, a salon and a swimming pool easily and the most glorious views! It would be perfect for Fenella and Malcolm!')

A doedd hi ddim yn cymdeithasu rhyw lawer gyda'r Saeson chwaith, roedd ganddi fwy o ddiddordeb yn y pentref ar waelod y rhiw oedd yn dal i ffynnu – aethai i bob gŵyl saint a Sagra di Pomodoro neu Fungi neu Tartufi, y dathliadau cynaeafol blynyddol. Roedd ganddi fwy o ddiddordeb mewn treulio pnawn gyda'i wraig Lucia yn dysgu sut i wneud *tortelloni* neu *fritto misto* nag yfed Aperol ar derasau Phil a Maggie neu Hugo a Sam. Ond estroniaid oedden nhw i gyd yn y pen draw. Doedden nhw jyst ddim yn deall. Siglodd Giovanni ei ben yn ddiflas a throi am adre.

'Shit, shit, shit! PAM gytunes i ddod ar y blydi gwylie 'ma! Alla'i ddim GODDE hedfan. O god, beth o'dd hwnna? *Turbulence*, ife? Aros di, ma fe'n ocê – ma'r *air hostesses* yn edrych yn itha cŵl. God, fi'n CASÁU hedfan. Wi'n ffaelu aros nes bydd 'y nhra'd i'n sownd ar y ddaear 'to. Dim bo fi'n mofyn cyrra'dd y blydi fila 'ma eiliad cyn bo rhaid. Bydd yr *all new* Huw yn fwy annioddefol nag erio'd yn ei ddillad haf newydd. A bydd e'n mofyn i fi edrych ar ôl y bois tra bod e'n relacso a gwneud ffyc ôl i helpu. Ac yn conan wrth bawb am mor galed ma fe'n gwitho. Fel tasen i gytre bob dydd yn gwishgo ffêspacs ac yn stwffo tsioclets.

'Pethe 'di bod yn wa'th nag arfer yn ddiweddar. Ffaelu cysgu a dim secs. A fi 'di dodi gyment o bwyse mla'n. Ond lle dw i 'di cael munud i redeg neu fynd i'r *gym*? Rhwng magu'r bois, cwcan a phob blydi peth arall sy 'da fi ar 'y mhlât.'

Eisteddai Rhian yn ei sedd anghyfforddus ar awyren sigledig Ryan Air yn meddwl y gwaethaf, heb yr egni i obeithio am y gorau. Gwingai ei meibion, Osian a Twm, naill ochor iddi, yn mynnu ei sylw bob dwy funud, tra eisteddai ei gŵr Huw a'i ben mewn llyfr yn anwybyddu'r synau cwynfanllyd yn llwyr. Ochneidiodd Rhian. Doedd bywyd ddim yn lot o hwyl ar y funud. A doedd y gwyliau ddim yn addo amser gwell i ddod.

'Maami.'

Shit. Odd golwg bell ar Osian. Mond estyn y bag papur mewn pryd wnaeth Rhian.

'Dechre da i'r blydi gwylie, myn uffach i.'

Tua deuddeg, wedi bore o drefnu llofftydd gyda Sofia, y ferch leol a ddeuai i fewn yn ddyddiol i lanhau, gyrrodd Elinor draw i Arezzo i gwrdd â thrên Tecwyn. Doedd injan y car ddim wedi diffodd am fwy na munud yn y maes parcio cysgodol pan welodd hi'r het panama, y siaced hufennog a'r trowsus pinc cyfarwydd yn y pellter.

'Tecs! Fi fan hyn!'

'Elinor! Cariad!'

Sws mawr yn glep ar y ddwy foch, aroglau hyfryd English Fern gan Penhaligon a llond côl o anrhegion.

'Dim byd o beth, Elinor, *bresaola* a *porchetta* a'r mymryn lleiaf o *tartufo* – mae popeth wedi ei bacio mewn iâ ond gwell i ni eu rhoi nhw yn yr oergell mor glou ag y medrwn ni. Ac mae 'da fi ddarn bach o'r *pecorino* 'na wyt ti'n hoffi – mae Giuseppe yn dweud "ciao" gyda llaw! O, jyw, mae e'n neis dy weld di, Elinor!' A chwtsh arall anferth cyn llwytho'r car bach a throi am adref.

Roedd y daith yn ôl yn hyfryd – dau hen ffrind yn cyfnewid newyddion, er nad oeddynt yn barod eto i adrodd yr hyn oedd yn gudd ganddynt. Ond fe ddôi hynny'n hwyrach yn y gwyliau. Gwyddai Elinor yn syth nad oedd popeth yn iawn gyda Tecwyn, ond wnâi hi ddim gofyn nes ei bod hi'n siŵr ei fod yn barod i siarad.

Yfwyd Spremuta D'Arancia bach sydyn yn nhref fach fynyddig Monterchi, y sgwrs yn dal i fyrlymu rhyngddynt. Ac er eu bod yn ymwybodol bod angen cael y nwyddau hyfryd o Firenze i'r oergell yn go sydyn, allai'r ddau ddim peidio ag achub ar y cyfle i weld y Madonna del Parto 'tra bo ni yma!'

Un arall o gampweithiau Piero della Francesca oedd hwn, wedi ei baentio'n uniongyrchol ar wal eglwys fach yn Monterchi yn wreiddiol. Fe symudwyd y ffresgo (a'r mur o'i gwmpas) i amgueddfa, er mwyn ei ddiogelu. Y Mair feichiog, brydferth yn gwegian fymryn dan bwysau'r babi, ei ffrog dynn wedi ei datod yn y blaen ac un fraich yn anwesu'i bola'n ddiolchgar. Er fod Elinor yn dwli ar y murlun, fe'i hanesmwythid hi ganddo hefyd. Roedd yna dristwch efallai, gan na chafodd hi gyfle erioed i fod yn feichiog ond teimlai lawenydd hefyd fod y fath brydferthwch yn bod yn y byd. Doedd dim rheswm amlwg pam nad oedd hi a Tudur yn medru creu babis – ond wnaethon nhw ddim ymchwilio'n rhy ddwfn i'r peth gan fod ishe mam ar Huw, mab Tudur oedd ond yn dair bwydd oed pan gafodd Siân, gwraig gyntaf Tudur, ei lladd mewn damwain car.

O edrych ar fol chwyddedig y Fair swynol hon fe demlai Elinor dristwch na chafodd hi erioed y siawns i fod yn fam fiolegol a dal ei phlentyn ei hun yn ei breichiau. Ac er na chyfaddefodd hi erioed wrth ei gŵr, roedd y tristwch yn dal i fod yno yn ei chalon, yn enwedig o weld mor ddiffygiol oedd rhai rhieni'n gallu bod. Roedd ei gwaith fel ustus yn golygu ei bod yn rhy ymwybodol o lawer o hyn, yn aml roedd y bobol ifanc a safai o'i blaen wedi mynd ar gyfeiliorn gan fod neb yn becso dim amdanyn nhw. Ysai am gael rhoi pryd o dafod i rai o'r rhieni gwael yma a chyngor hefyd am sut i fagu eu plant yn iawn.

Cawsai Tecwyn hefyd ei gyfareddu bob amser gan y Madonna. Fel Elinor, roedd y darlun swynol yn codi ei galon ond teimlai yntau ryw amwyster wrth syllu ar wyneb hyfryd y Madonna. Cymysgaeth o dristwch ac unigedd yn rhan o'r perffeithrwydd. Safodd y ddau mewn tawelwch ar goll yn eu meddyliau. Nhw oedd yr unig ymwelwyr ac roedd hi'n hollol dawel yn yr amgueddfa. Am ennyd doedd yna neb yn bod yn y byd heblaw Elinor, Tecs a Mair y Fam.

O'r diwedd, roeddynt ar yr heol wen lychlyd oedd yn arwain oddi ar y ffordd fawr lan y rhiw at Girasole. A chyn bo hir gwelwyd *people carrier* yn troelli lawr trwy gwmwl o lwch gwyn tuag atyn nhw. Agorodd Elinor y ffenestr er mwyn cael gair gydag Emilio, y gyrrwr tacsis lleol oedd bob amser yn cwrdd â'u gwesteion o'r maes awyr yn Perugia.

Gwrandawodd Tecwyn ar y llifeiriant o Eidaleg rhwng Elinor ac Emilio gyda phleser. Roedd mor browd o'i gyfaill. Cadw'r cartref hyfryd yn Llandaf yn ogystal â'r Girasole, ei gwaith fel ustus a'r myrdd o swyddi gwirfoddol – codi arian i Tenovus a mudiadau er lles ffoaduriaid yng Nghaerdydd. Ac roedd Girasole yn gampwaith celfyddydol ym marn Tecwyn – y cyfuniad o ddodrefn hynafol a modern yn gybolfa chwaethus, y bwyd lleol, tymhorol a'r cyfuniadau diddorol o bobol ym mhob *houseparty*. Dewsiwyd pob dim gan Elinor gyda dychymyg a steil. A chan ei bod hi'n un o'r bobol hynny oedd yn hoffi gosod trefn ar bethau (a phobol) roedd hi'n rhwydd ymlacio yn y Girasole – doedd dim ishe meddwl am ddim gan fod Elinor wedi meddwl am bopeth. Roedd Tecwyn yn edrych ymlaen at ei wyliau yn fawr iawn.

Daeth Tudur allan i'w croesawu yn llawen – roedd yn dwli ar gael cwmni i aros. Er, meddyliodd wrth gario bag (trwm!) Tecwyn lan y grisiau carreg i'w lofft, roedd yna un cwmwl bach ar y gorwel. Ond na, doedd dim ishe meddwl am y peth nes bo rhaid. Yn y cyfamser cafodd fwynhau ebychiadau brwdfrydig Tecwyn wrth iddo weld addurniadau newydd Elinor ('Renzo Piano gynlluniodd y cwpwrdd a'r gwely, ond fe ffeindiodd hi'r bwrdd bach pren mewn *antiquario* lleol, on'd dyw hi'n glyfar?') cyn taflu'r *persiane* pren ar agor i ddangos yr olygfa syfrdanol o brydferth dros y mynyddoedd gyferbyn.

Aeth Elinor drwy'r lolfa a'r drysau dwbwl ac allan i'r teras lle'r eisteddai'r gwesteion eraill. Ar ôl cusanau ac ebychiadau a sicrhau fod gan bawb ddiod oer, a digon o gysgod, fe suddodd Elinor i gadair gyffordus a throi at ei ffrindiau. Roedd y gwyliau wedi dechrau.

'Ma llond tŷ 'na eto.' Gosododd Giovanni y fasged o lysiau ar y bwrdd cyn eistedd yn drwm yn ei gadair esmwyth wrth ymyl y stof. Estynnodd Lucia wydred o Limonata iddo.

'Mwy o waith i ni, 'te, Gio. Falle bydd Elinor ishe gwersi gwneud pasta neu farbeciw yn y goedwig. Oes plant 'na tro hyn?'

'Weles i ddau grwtyn.'

''Na fe, 'te. Cyfle i dangos iddyn nhw shwd i naddu saethau a lle i weld olion tyrchod. Ac o'dd Elinor wedi dwli ar y wâc 'na arweiniaist di draw at y Castello gyda'r lot diwetha, on'd o'dd hi? Mae hi'n talu'n dda, cofia.'

'Wi'n gwbod.' Edrychodd Giovanni lawr ar ei ddwylo gan bigo'r croen sych o gwmpas ei ewinedd.

'Gad rheina fod er mwyn y nefo'dd, mae dy ddwylo di'n ddigon simpyl heb bo ti'n gwneud pethe'n wath.' Eisteddodd Lucia ar ymyl y sedd a rhoi ei braich o gwmpas ysgwydd ei gŵr. 'Grynda, Gio, fe fyddan nhw 'di mynd gytre mewn cachad cleren ac yna fe gawn ni lonydd, gei di weld. Ishe i ni fod yn ddiolchgar iddyn nhw, cofia. S'mo'n ni'n crafu byw fel o'n ni cyn i Elinor ddod 'ma.'

'Ond does braidd neb ar ôl yn y pentre 'ma, Lu.'

'O dere mla'n, mae Armando yn dal i fyw yn y twr ac mae Marcello a Sofia rownd y gornel a Dottore Philippo lawr yr hewl. Ti'n byw ormod yn y gorffennol, Gio.'

'Odw, sbo.'

Roedd ei gŵr yn dal i syllu ar ei ddwylo. Tytian wnaeth Lucia'n ddiamynedd a mynd yn ôl i dylino'r pasta ar fwrdd y gegin. Roedd hi'n gwneud *Tortellini in brodo* i ginio.

'Fi'n gwybod beth godith dy galon di. Mae Salvatore'n galw draw heno.'

'O?'

'Mae 'dag e newyddion i ni, medde fe.'

'Ti'n meddwl… o'r diwedd?'

'Doedd Francesca ddim yn yfed yn y bedydd wythnos diwetha.'

Cododd Giovanni ei ben o'r diwedd. Yn gwenu nawr.

'Falle y caf i alw Nonna arnat ti wedi'r cyfan, 'te…'

'Falle wir.'

Sythodd Lucia ei chefn a dechrau ffurfio peli bach o basta a phorc i'w gosod yn y stoc oedd yn ffrwtian ar y stof. 'Gwell i ti fynd i folchi. Fydd hwn ddim yn hir.'

'Reit.' Dechreuodd Giovanni ei ffordd draw at y baddondy. Trodd cyn cyrraedd drws y gegin.

'Ma hwnna'n gwynto'n ffein, Lucia.'

Gwenodd Lucia ar gefn ei gŵr cyn iddo ddiflannu drwy'r drws.

Wedi eistedd am ryw awr ar y teras, cododd ambell un i ddadbacio a newid. Bu'n rhaid i Rhian fynd i eistedd wrth y pwll am hanner awr tra bod y bois yn nofio – doedd dim modd eu cadw nhw allan o'r dŵr oer a hithau'n dal i fod yn ferwedig. Tra'i bod hi'n disgwyl iddyn nhw gwpla, sylwodd fod Huw yn crwydro o gwmpas y teras yn gweiddi ar ryw druan ar y ffôn. Tynnodd sgrechfeydd Osian ei sylw yn ôl at y pwll lle'r oedd Twm yn trio ei orau i foddi ei frawd mawr. Roedd Twm yn fachgen cryf am ei oed ac yn dwli neidio ar ben ei frawd yn y dŵr, gan fod hwnnw'n eiddil ac yn freuddwydiol ac yn rhwydd i'w boenydio.

Gwaeddodd Rhian, 'Stopia'r dwli 'na nawr, Twm, ti'n gwybod nag yw Osian yn lico fe.' Roedd hwnnw'n gafael yn dynn wrth yr ysgol ar ymyl y pwll gan ei fod wedi ei ddallu am funud gan y cyfuniad o haul tanbaid a chegaid o ddŵr.

Gwasgodd calon Rhian am eiliad, roedd Osian fel hithau yn poeni am bopeth, ai ei bai hi oedd hynny? Gwyddai fod Huw yn meddwl ei fod yn ormod o fabi weithiau. Diolch i'r nefoedd roedd ei dad yn dal i fod yn traethu ar y ffôn ac wedi colli'r ddrama. Ond wrth droi gwelodd Rhian fod Tudur yn rhythu ar Huw wrth iddo ddiflannu i fewn i'r tŷ.

Ma fe'n edrych yn hollol *pissed off*, meddyliodd Rhian wrth sychu Osian gydag un o dywelion pwll gwyrdd Elinor (allai hi ddim peidio â sylwi wrth sychu ei fod yn fwy crand nag unrhyw dywel o eiddo Rhian adre yng Nghaerdydd). Rhoddodd sws sydyn ar flaen trwyn Osian.

'A s'mo'r gwylie wedi dechre'n iawn 'to, odi e, bach?' meddai wrth iddi dynnu crys T Cyw dros ysgwyddau'r bychan. Er fod Osian yn wyth oed roedd Rhian yn dueddol o'i fabanu a chan ei fod yn blentyn oedd yn aml yn chwilio cysur ei fam roedd yn drefniant oedd yn siwtio'r ddau yn dda iawn – ond yn mynd ar nerfau ei dad, gwyddai Rhian hynny. Wedyn, doedd Huw ddim wastod ar gael i helpu, o'dd e? Gwyliodd Rhian wrth i'w thad yng nghyfraith droi tuag at ddrws y fila a golwg bryderus ar ei wyneb. Ys gwn i a oedd yntau'n teimlo run peth â hithau am gael ei garcharu yma am bythefnos gyda'i deulu? Yn hyn o beth doedd Rhian ddim yn iawn, roedd Tudur fel ei wraig yn ymhyfrydu yn nhawelwch a phrydferthwch y Girasole. Yn mwynhau'r gwres, y cymdeithasu a'r bwyd godidog. Ond mi roedd e yn poeni am ei fab ac roedd ei feddwl yn llawn amheuon wrth gerdded i'r fila.

Wrth gasglu'r siwtiau nofio, y fflip fflops, yr adenydd arnofio siâp deinosor a'r tywelion brwnt, sythodd Rhian a sylwi ar y prydferthwch o'i chwmpas – y coed pinwydd tal a thenau wrth ymyl y pwll yn siglo'n osgeiddig yn y gwyntoedd cynnes, y fila a'i cherrig lliw mêl yn sgleinio wrth i belydrau'r haul ei tharo yn anterth gwres y prynhawn.

Falle na fydd pethe cynddrwg, meddyliodd, ma hi'n siŵr o oeri yn y nos ac fe allwn ni ffeindio rhyw fath o drefn i'r bois. Falle caf i amser i ymlacio hefyd os wneiff fy mlydi gŵr i fwy i helpu.

'HUW!' collodd ei thymer yn sydyn, 'alli di gwpla ar y ffôn plis a dod i helpu? Alla i ddim neud POPETH ar ben 'yn hunan!'

Ond chwifio'i law yn ddiamynedd wnaeth Huw a chario mlaen gyda'r sgwrs.

'Yes, yes, OK. But he has to plead guilty or we won't get the deal... I know, but this way he gets a shorter sentence and they won't seize his assets. Can you explain?... Oh yes brilliant, good point, Jules.'

Trodd Rhian nôl at Twm a'i dynnu allan o'r pwll (yn sgrechen nerth ei ben), ond roedd hi mor wyllt gyda Huw am ei hanwybyddu fe dynnodd fymryn yn rhy galed.

'Aw, Mami, ti'n brifo.'

'Sori, bach.' Rhoddodd Rhian gwtsh euog i'w mab gan edrych yn ffyrnig i gyfeiriad ei gŵr.

Roedd hi bron yn amser swper i'r bois a doedd Rhian ddim am achosi trafferth i Elinor, roedd hi'n awyddus i'w setlo yn y gwely cyn pryd yr oedolion. Protestiai Twm yn uchel, 'FI DDIM ISHE MYND MIWN, MAMI!' a sylwodd Rhian ar Awen yn edrych lan yn ddiamynedd o'i llyfr. Penderfynodd Rhian beidio â dweud dim am nawr er mwyn cael y bois mewn i'r fila, ond myn diawl i, fe gele Huw lond ceg yn hwyrach. Sylwodd hwnnw ddim arni'n straffaglio, aeth ymlaen yn egnïol gyda'i alwad ('yeah yeah, good call, good call, Jules') wrth i'w wraig a'i llwyth sgrechlyd basio heibio.

Ond drwy ffenestr ei stafell wely roedd Tudur yn ei wylio.

Hunllef. Ie, blydi hunllef, meddyliodd Rhian a diflannodd yr eiliad o dangnefedd wrth iddi wthio'r bois lan y grisie carreg at eu stafell wely. Ac ma 'da fi bron bythefnos o hyn o mla'n i. Pythefnos o ddilyn y bois o gwmpas i wneud yn siŵr nad y'n nhw'n lladd 'i gilydd neu'u hunen. Pythefnos arall o'r tawelwch crasboeth erchyll 'ma. God, ma'r stafell wely 'ma'n ferwedig! Pythefnos o guddio 'mola a thrio pido stwffo *pizza* a hufen iâ.

Agorodd Rhian y ffenestri gyda chymaint o egni crac y bu bron iddi dorri'r gwydr. Pythefnos o deimlo'n shit ym mhob blydi ffordd, meddyliodd. Ac ma Mam a Dad yn cyrraedd fory. Kill me now!

Trodd at y bois oedd yn edrych yn syn arni'n mwmian dan ei hanadl, a rhoddodd wên lachar iddyn nhw.

'Reit, 'te, bath a bwyd ac wedyn fe gewch chi hanner awr o deledu cyn gwely.' Ond diflannodd y wên wrth iddi fynd drwy ddrws y baddondy.

Ddwy awr yn hwyrach roedd Tudur yn dal i wylio'i fab wrth i bawb wledda o gwmpas y bwrdd bwyd. Doedd Rhian ddim yno gan ei bod hi'n trio cael y bois i gysgu o hyd. Ond roedd pawb arall wedi cael cyfle i orffwys a newid i ddillad llaes a chyfforddus ac yn llowcio Prosecco a gwydrau mawr o Aperol oren. Llwyddodd Rhian i ddweud ei dweud wrth Huw ('ti'n gwneud DIM BYD i helpu. Wi 'di cael digon yn barod, fi sy'n gwneud POPETH') ond pledio galwad ffôn bwysig arall oedd yn RHAID ei gwneud cyn swper wnaeth hwnnw. Darllenodd Huw stori yn glou i'r bois cyn neidio i'r gawod, codi'r ffôn a diflannu drwy'r drws. Unwaith i'r alwad honno ddod i ben aeth Huw i fwynhau *aperitif* ar y teras.

Teimlai Tudur yn grac ond doedd e ddim yn bwriadu gadael i ymddygiad Huw sbwylio'r noson. Edrychodd gyda phleser ar y bwrdd bwyd – roedd Elinor yn wych am addurno, y gwydrau crisial yn sgleinio, sawl tusw o flodau wedi eu trefnu'n gelfydd, canhwyllau lemwn i gadw'r *zanzare* i ffwrdd a gwledd o seigiau blasus, pob un yn cuddio rhag y pryfed o dan glawr rhwyd a raffia lliwgar o'r farchnad yn Citta. Roedd yna gigoedd lleol (salami gyda ffenigl, *prosciutto crudo* a *bresaola*) a ffigys ar blatiau gwyrdd a gwyn o dref fynyddig Deruta. Mewn powlenni amryliw o Siena (hoffai Elinor gasglu crochenwaith lleol), roedd olewydd gwyrdd wedi eu stwffio gyda chaws a'u pobi mewn briwsion bara. Drws nesa iddyn nhw roedd pentwr o flodau *zucchini* wedi eu ffrio mewn cytew ysgafn, i'w gweini gyda saws tomato a tsili.

Gosodwyd basgeidiau o *focaccia* cynnes yn gyforiog o olew olewydd, halen a rhosmari ar y bwrdd hefyd ond gwyddai Tudur fod dau fath o basta cartref i ddilyn (*Tagliatelli con Tartufo* a *Penne al Forno*) felly doedd e ddim yn bwriadu stwffio gormod o fara er mor hyfryd oedd e. Heb sôn, wrth gwrs, am y *Tiramisu* a'r darten bricyll o'r *panetteria* oedd i orffen y pryd. Y cyfan yn flasus, yn wledd i'r llygaid ac wedi ei goginio'n berffaith gan Elinor.

Cododd Tudur i nôl rhagor o win coch o'r gegin a gweld Rhian yn ymlwybro o'r diwedd tuag at y bwrdd bwyd.

'Dere i ishte, bach,' meddai'n uchel yn y gobaith y byddai Huw yn clywed, 'ti siŵr o fod bytu lwgu'. Druan ohoni, sylwodd Tudur nad oedd Rhian wedi cael cyfle i ymbincio a newid fel pawb arall. Ac roedd golwg wedi blino'n lân arni.

'Co wydred o Prosecco i ti, cariad, ac ma 'na ddigonedd o antipasti ar ôl 'ma. Mond y cwrs cynta sy wedi'i weini, felly cymer di dy amser.'

Gwenodd Rhian ar ei thad yng nghyfraith yn ddiolchgar. Roedd hi'n hoff iawn ohono, dyn diymhongar a meddylgar, yn arbenigwr yn ei fyd (Cymraeg Canol), yn dipyn o athrylith mewn gwirionedd ond heb arlliw o hunanbwysigrwydd, byth yn canu ei gloch ei hun. Roedd Rhian wastod yn falch cael eistedd drws nesa iddo wrth y bwrdd bwyd gan ei fod mor rhwydd i siarad ag e am unrhyw destun – nofelau Cymraeg, cyfresi diweddaraf Netflix, erthyglau yn y *Guardian* a hyd yn oed y giamocs diweddara ar *Love Island*. Roedd Tudur yn gredwr mawr mewn cadw'n effro i'r hyn oedd yn gyfoes ac yn boblogaidd. Edrychodd draw ar ei fab i weld oedd e wedi sylwi bod ei wraig wedi cyrraedd y bwrdd o'r diwedd, ond roedd hwnnw'n eistedd drws nesa i Awen, yn gwrando'n astud ar ryw stori gyfryngol – clywsai Meic yn dweud bod 'Bryn Terfel yn hen ffrind wrth gwrs' a sylwodd fod Huw yn ymuno yn frwdfrydig yn y sgwrsio.

Roedd Tudur wedi colli nabod ar ei fab yn y misoedd diwethaf ac wedi sylwi ar ryw newid mawr ynddo. Nid dyma'r Huw fuodd yn ymgyrchu dros y tlawd, yn brwydro yn erbyn y corfforiaethau mawr ac mor ddirmygus o'r 'cyfryngis'. Beth oedd wedi digwydd? O le ddaeth y dillad trwsiadus newydd, y colli pwyse mawr a'r parodrwydd yma i fwynhau'r arwynebol a'r dibwys?

Roedd gan Tudur syniad go dda am yr hyn oedd wedi trawsnewid ei fab, a byddai'n rhaid iddo gael sgwrs anodd gyda Huw cyn bo hir a doedd e ddim yn edrych ymlaen at hynny o gwbwl. Trodd ei sylw yn falch at Awen a Meic, ffrindiau o Gaerdydd oedd yn eistedd gyferbyn. Awdur llyfrau ffuglen poblogaidd oedd Awen oedd wedi cael cryn dipyn o lwyddiant yn ddiweddar yn Saesneg gyda'r hyn a elwir gan y beirniaid yn 'misery sagas'. Roeddent wedi eu lleoli gan amlaf yng nghymoedd de Cymru ar droad y ganrif ddiwethaf ac yn dueddol o ddilyn hanes arwresau ifanc oedd yn crafu eu ffordd allan o dlodi affwysol gan ddefnyddio cyfuniad o brydferthwch rhyfeddol a'r ysbryd ffrwydrol hynny oedd yn fflamio'n feunyddiol yn eu mynwesau deniadol. Roedd y nofel ddiweddaraf, *We Cried Soot for Tears*, wedi gwerthu yn ei miloedd ac wedi gwneud Awen yn ddynes gyfoethog iawn. Wyneb cyfarwydd ar S4C oedd Meic, ei gŵr, ac roedd ei wep agored, hardd wedi ei wneud yn un o ffefrynnau'r sianel ers blynyddoedd lawer erbyn hyn. Roedd ganddyn nhw un plentyn, Llinos, oedd yn eistedd yn bwdlyd drws nesa i'w mam yn sgrolio'n wyllt ar ei ffôn.

Digon pwdlyd oedd yr olwg ar wyneb Awen hefyd. Sylwodd Tudur ei bod hi'n gwthio'i bwyd o gwmpas ei phlât heb ryw lawer o frwdfrydedd. Ond yna estynnodd Huw y botel win coch draw ati a fflachiodd rhyw egni sydyn rhyngddynt wrth i Huw bwyso drosti. Ai dychmygu hwnna wnes i? meddyliodd Tudur o weld bod yr olwg bwdlyd yn ôl ar wyneb Awen wrth i Huw eistedd lawr. Edrychodd draw at Rhian i weld oedd hi wedi sylwi ond roedd hi'n gwrando'n astud ar Tecwyn oedd yn adrodd rhyw hanes am ei fywyd yn Llundain.

Ymunodd Meic yn y sgwrs hefyd. 'O, do, fe fues i yn y Borough yn ffilmio sawl gwaith – capel hyfryd. A dwli ar yr ardal hefyd – y farchnad ac ati. Er, diawch o'dd e'n anodd cael y fan yna – y traffig yn ddiawledig. Ond diolch i'r *sat nav* fe ffindon ni'n ffordd drwy'r *back streets*. A chael digon o le i'r fan, er oedd e'n dipyn o waith i gael y linc byw i Gaerdydd mewn pryd. Fel wedes i wrth y cyfarwyddwr...'

Diawch, oedd pobol y cyfrynge'n boring weithiau. Estynnodd Tudur ei law i arllwys gwydred arall o win coch.

Roedd yr olwg ar wyneb Lucia yn adrodd cyfrolau.

'O, Sal!'

'Ni ar ben y byd, Mam. O'n ni wedi dechre anobeithio.'

'Shwd mae Francesca'n teimlo?'

'Iawn – nawr bod y cyfnod cynta drosodd, o'n ni ddim ishe gweud dim nes i ni gael y sgan deuddeg wythnos. Fe fydd hi lan ma 'da fi fore Sul fel arfer. O'dd hi jyst yn rhy flinedig heno ar ôl diwrnod o waith. Ond o'n i ffaelu aros i weud wrthoch chi!'

'Wrth gwrs! O jyw, Sal. Y'n ni mor falch drostoch chi, on'd y'n ni, Gio?'

Oedd dagrau yn llygaid ei dad? Gwyddai Sal fod ei rieni yn rhyfeddol o falch. Chwarae teg iddyn nhw, ddwedyd yr un gair erioed am wyrion ac roedd eu hapusrwydd nawr yn bleser i'w weld. Ond nawr am y darn arall o newyddion. Doedd Sal ddim yn siŵr sut fyddai hwn yn cael ei dderbyn. Yn arbennig gan ei dad.

Penne al Forno Elinor

Olew olewydd *extra vergine*

1 winwnsyn canolig wedi ei dorri'n fân

2 ddarn garlleg, wedi eu pilo a'u torri'n fân

Llwyaid de dda *peperoncino* (tsili wedi ei sychu) – arlliw o wres yw'r bwriad ond ychwanegwch fwy os y'ch chi ishe mwy

3 tun 400g tomatos – mynnwch rai da. Mae'n werth talu tamaid yn fwy amdanynt gan eu bod yn un o brif gynhwysion y pryd

2 lond llwy fwrdd piwrî tomatos

Halen a phupur

400g *penne* sych

4 pelen caws *mozzarella*

100g caws *Parmigiano*

Llond llaw dail *basilico* ffres

Ffriwch y winwns, y garlleg a'r *peperoncino* mewn llwyaid o olew olewydd am ryw 10 munud, nes fod y winwns wedi meddalu ac wedi lliwio ychydig. Peidiwch â gadael iddyn nhw losgi neu fe fydd y saws yn chwerwi.

Ychwanegwch y tomatos a'r piwrî, yr halen a phupur a gadewch i'r saws fudferwi am ryw 15–20 munud.

Coginiwch y pasta *al dente*, yn ôl y cyfarwyddiadau ar y paced, a'i roi drwy ridyll i gael gwared ar y dŵr coginio, cyn ei arllwys yn ôl i fewn i'r sosban. Yna taenwch y saws tomato i'r sosban a chymysgu'r cyfan yn dda.

Irwch waelod caserol neu dun coginio hirsgwar gyda mymryn o olew cyn arllwys hanner y pasta i fewn iddo. Rhowch hanner y *mozzarella* (wedi ei dorri'n ddarnau) a'r *Parmigiano* (wedi ei gratio) dros y pasta a rhoi hanner y dail *basilico* arno hefyd.

Gwnewch yr un peth gyda gweddill y pasta, y caws a'r *basilico*.

Rhowch mewn ffwrn dwym 200°C/Nwy 6 am ryw 15 munud nes fod y pasta wedi cynhesu drwyddo a'r caws wedi brownio'n dda. Gweinwch gyda salad gwyrdd.

2

Deffrodd Rhian mewn môr o chwys. Drws nesa iddi rhochiai Huw yn hapus yn ei grys T *Extinction Rebellion* a rhoddodd Rhian gic iddo oedd yn fwy mileinig nag yr oedd hi wedi ei fwriadu. Diolch byth, tawodd y synau eliffantaidd wrth iddo rolio ar ei ochr. Pam yn y byd yr oedd hi ar ddi-hun tra bod y plant yn cysgu? Doedd e jyst ddim yn deg. A diawl, roedd hi'n uffernol o dwym yn y stafell 'ma – byddai'n rhaid iddi agor y ffenest, mosgitos neu beidio. Aeth draw yn dawel ac agor y ffenestri gwydr gan wthio'r *persiane* pren naill ochr a mwynhau'r awel fwyn, oeraidd a lifodd i fewn yn syth. Islaw roedd ambell olau i'w weld yn y dyffryn ac roedd yna dinc o oren yn yr awyr o gyfeiriad Perugia. Ond o droi i'r cyfeiriad arall rhyfeddodd Rhian i weld cymaint o sêr yn disgleirio. Doedd dim modd gweld yr un fflach yn nenfwd neon Llandaf. Safodd yna am ryw chwarter awr yn dod ati ei hun, yn gobeithio oeri digon i fynd yn ôl i'w gwely. Dim ond cau'r *persiane* wnâi hi nawr, ddim y ffenestri gwydr, a gadael yr awel i fewn i'r stafell am weddill y noson. Roedd pob mosgito doeth wedi hen glwydo erbyn hyn, meddyliodd yn obeithiol.

Aeth yn ôl i'r gwely a thrio cysgu ond roedd hi'n rhy effro o lawer, yn eironig, gan fod y blinder mwya llethol wedi gafael ynddi ers misoedd. Dim digon o gwsg a gormod o boeni oedd deiagnosis y GP. Gwyddai Rhian fod y doctor yn llygad ei lle, er ei bod hi'n un o'r bobol fwyaf nawddoglyd i Rhian gwrdd â hi erioed. 'Byse'n dda i ni golli mymryn o bwyse, oni fydde fe?

Ydyn ni wedi ystyried ioga neu bilates?' A llygadu'r bloneg o gwmpas bola Rhian yn gyhuddgar.

Gwyddai Rhian ei bod hi'n iawn, wrth gwrs, ond sut oedd newid y patrwm dinistriol, diddiwedd? Treuliai ei dyddiau'n llusgo ar ôl y plant, yn chwilio am egni i gyflawni'r tasgiau mwyaf elfennol. Ond yn y nos, o fewn munudau iddi suddo i'w gwely fel teithiwr diolchgar yn yr anialwch yn canfod ffynnon o lifeiriant crisial, rhuthrai adrenalin drwy ei gwythiennau a'i chadw ar ddi-hun nes i'w chorff blinedig ildio i gwsg arwynebol yn llawn hunllefau yn oriau mân y bore.

Gwaeth fyth, roedd ei doctor yn un o'r rhai hynny nad oedd yn credu mewn dosbarthu tabledi cysgu i'w chleifion 'fel Smarties'. Gwenodd ar Rhian a siglo'i phen wrth ddweud hyn, a theimlai Rhian fel ei dyrnu hi reit ar ei thrwyn. Dim ond tomen o hunanddisgyblaeth a'i stopiodd. Ond o ddifri, doedd ganddi ddim mo'r egni i chwilio am ddosbarth ioga. Heb sôn am yr amser.

Ac ers cael y bois roedd Rhian wedi dechrau poeni am bopeth. Diogelwch y plant, dyfodol y blaned, annibyniaeth i Gymru, beth i'w wisgo fyddai'n cuddio ei bola a'r *stretch marks* ofnadwy oedd yn anrheg iddi gan Twm. Poenai am blesio ei mam yng nghyfraith oedd mor berffaith a llwyddiannus. Poenai am beryglon yr haul ac am beryglon y cemegau mewn eli haul. Poenai am hynt y ffoaduriaid ar arfordir yr Eidal, am Ebola yn yr Affrig, Covid-19 wrth gwrs, am y di-gartref oedd i'w gweld o gwmpas canol Caerdydd, am y blydi Toris ac am Brecsit *the gift that keeps on giving*. Ac roedd hi'n poeni bod yr holl boeni yn amharu ar ei pherthynas gyda'r bois hefyd. Roedd hi ar bigau'r drain drwy'r amser. Hi oedd y *bad cop* yn y teulu, yn annog y ddau i fwyta'u swper neu fynd i'r gwely, i beidio â mynd yn agos at y dibyn, i bwyllo wrth redeg, i wisgo eli haul a het.

Ffatri ofnau oedd ei hymennydd. Yn cynhyrchu ofnau'n ddi-baid, yn brosesiwn tywyll, un yn tyfu ar ôl y llall. Yr ofn yn dechrau'n ronyn bach yng nghefn ei meddwl cyn chwyddo a throi'n syniad, yna'n chwalu'n deilchion a chreu myrdd o syniadau, yn troi a throi, yn tyfu a thyfu nes ei bod hi'n amhosib eu hanwybyddu. Ddoe, fe welodd hi Twm yn mwytho ci bach fu fas i'r fila a chofio'n sydyn bod afiechyd y gynddaredd ar led yn Ewrop. Tyfodd graean bychain yn gerrig swmpus. Beth tase'r ci wedi crafu Twm? Oedd marc ar ei groen? Sut allai edrych heb ddangos i Twm ei bod hi'n poeni? Ond na, roedd popeth yn iawn, doedd dim ishe poeni Twm, roedd ishe cnoad i ledaenu'r clefyd, on'd oedd e? Neu beth os oedd crafad yn ddigon? Mewn salifa oedd y drwg yn lledaenu wrth gwrs. Ffiw. Ond beth os oedd y ci wedi llyfu'i bawennau cyn crafu? A'r drwg wedi aros ar y bawen a mynd i fewn i waed Twm drwy'r grafad. O Dduw mawr. Oedd gan y ci goler? Neu ai anifail gwyllt oedd e? Nefoedd, a ddylai hi fynd â Twm i'r ysbyty? I gael y pigiadau erchyll i atal y gynddaredd ddarllenodd hi amdanyn nhw rywdro? Methodd hi fwyta tamed o ginio. Mond eistedd wrth y bwrdd tra fod yr ofnau'n corddi a'i chalon yn curo'n wyllt. Yn y diwedd, yn gwybod na fyddai'n gallu bwyta na chysgu, fe soniodd wrth Elinor am y ci. A diolch i'r nefoedd roedd honno'n gallu ei chysuro – doedd Elinor ddim wedi clywed am y gynddaredd erioed yn Umbria, roedd bob ci yn cael pigiad yn ei erbyn a doedd dim cŵn gwyllt yn yr ardal yma chwaith gan fod y ffermwyr yn saethu pob ci diethr. Ymlaciodd Rhian. Y cylch dinistriol wedi cau am y tro. Nes i'r ofn nesaf godi ei ben.

Doedd hi ddim am i'r plant etifeddu'r tueddiadau hyn ond

ofnai fod Osian yn gwneud hynny'n barod. Roedd yr holl boeni'n gwneud iddi deimlo fel tase hi wedi colli rhywbeth elfennol yn ei pherthynas gyda'r plant. Yr ymdrechu trwy'r amser i'w hamddiffyn rhag y byd mawr drwg yn dileu popeth arall. Pryd gafodd hi hwyl gyda nhw ddiwethaf? Jyst bod yn sili? Ac roedd Huw yn taeru ei bod hi'n sbwylo nhw hefyd. Falle fod rhyw faint o wirionedd yn hynny, meddyliodd. Doedd ganddi mo'r egni i ymladd gyda nhw weithie ac roedd hi'n rhwyddach i brynu'r crisps neu'r hufen iâ neu ganiatáu iddyn nhw chwarae gemau ar eu sgriniau. O leiaf roedden nhw'n ddiogel bryd hynny.

Trodd ei chorff wrth ei gŵr oedd wedi dechrau rhochian eto a meddwl am y gwyliau erchyll yma oedd yn mynd i fod yn garchar iddi am y bythefnos nesaf. Hi oedd yr oedolyn ieuengaf ymhlith y criw ond hi oedd yn edrych waethaf, roedd hi'n siŵr o hynny. Roedd hi'n casáu'r ffaith fod ei chorff wedi newid ers cael y bois, a doedd ei ffrogie haf ddim yn ei ffitio hi bellach. Cyn dod i'r Eidal, roedd hi wedi prynu cwpwl o dopiau llac o gotwm Indiaidd yn y farchnad yng Nghaerdydd yn y gobaith y bydden nhw'n gwneud y tro ar y gwyliau ac yn cuddio ei phechodau. Yn ystod y blynyddoedd diwethaf roedd hi wedi colli lot o hyder, yn methu dirnad bod ganddi groen hufennog hyfryd a llygaid gwyrdd arbennig o dlws. Yn y drych, dim ond wyneb rhy grwn yn llawn brychau haul oedd yn syllu'n ôl arni. A'r brychau hynny yn crynhoi ar ei gruddiau bob gwyliau er ei bod hi'n gwisgo het drwchus ac yn defnyddio ffactor 50.

Edrychai Elinor yn drwsiadus dim ots pa mor ferwedig oedd y tywydd. Ei chyfrinach, mae'n debyg, oedd dillad drud o Max Mara neu Jaeger (wedi eu torri'n wych wrth gwrs) mewn cotwm ysgafn neu sidan patrymog ac mewn lliwiau fel *classic mint* neu *raspberry crush*. Roedd yn gyfforddus a *chic* ar y diwrnodau mwyaf crasboeth. Tra bod Rhian yn belen chwyslyd o ddiflastod mewn dillad anaddas gan taw ei *go to designer* hi oedd marchnad stryd Bessemer neu George yn Asda.

Peth arall oedd yn poeni Rhian oedd bod Huw wedi colli pob diddordeb ynddi yn y gwely. Prin yr oedd e'n sylwi arni o gwbwl mewn gwirionedd. Ei waith oedd yn hawlio'i sylw drwy'r amser y dyddie hyn ac roedd ei liniadur byth a hefyd o'i flaen, neu'i ffôn symudol yn dynn wrth ei glust. O leiaf yn y gorffennol gallai Rhian faddau tipyn iddo am ei fod yn gweithio mor galed, gan ei fod yn achub rhyw gam ofnadwy neu'n amddiffyn yr amgylchfyd rhag y corfforiaethau rheibus. Ond ers tua blwyddyn doedd yr achosion ddim wedi bod yn rhai mor gyfiawn rhywsut. Llai o amddiffyn y gwan a mwy o amddiffyn buddiannau'r cyfoethog a'r pwerus.

Ar ben hynny roedd Huw wedi dechrau ymddangos yn y llys i ddadlau achosion, yn hytrach na defnyddio bargyfreithiwr. A chyfnewid ei grysau T gwleidyddol yn y gwaith am siwt o M&S i ddechrau ond yn fwy diweddar (ar ôl y colli pwysau mawr) fe ddaeth un siwt o Armani ac un arall o siop ddrudfawr Paul Smith. Allai Rhian ddim cofio eiliad penodol pan groesodd Huw ryw fath o *rubicon* cyfreithiol a chorfforol ond, yn sicr, roedd wedi cyrraedd glannau diarth yn ystod y misoedd diwethaf.

A phrin yr oedd e ar gael i helpu gyda'r bechgyn nawr. Os nad oedd e'n gweithio, roedd e'n codi pwysau yn y *gym* neu'n rhedeg ar hyd lannau afon Taf, yn ei ddillad jogio amryliw fel rhyw Joe Wicks canol oed. Ddoe, yn y maes awyr, tra bod Rhian yn trio yn aflwyddiannus i gadw'r bois rhag rhedeg yn wyllt rownd y rhesi cadeiriau ('beth am gico pob bag coch welwn ni, Osi?'), roedd Huw â'i gefn ati yn syllu allan o'r ffenestri anferth ac yn taranu lawr y ffôn.

'We should ask the judge for a recess, Juliette, because we need the extra data before we present final statements... yes... but unless we get some new stats, Quantum have a good case. Ok... Ok... yes, good call, good call, Jules.'

Edrychodd Rhian o gwmpas yr ystafell a sylweddolodd ei bod yn dechrau gwawrio. Roedd modd gweld y clorwth o gwpwrdd dillad pren tywyll oedd yn dominyddu'r stafell yn hollol glir erbyn hyn. Dodrefnyn drud a phrin ydoedd yn ôl Elinor, ond ymddangosai'n hyll ac yn drwsgl i Rhian, ac yn hala naw math o iselder arni. A bod yn deg ag Elinor roedd hi wedi trio meddwl am bopeth i wneud eu harhosiad yn gyfforddus – dyna oedd un o'r pethau anoddaf am ei mam yng nghyfraith – roedd hi'n rhy feddylgar os rhywbeth, yn gwneud i Rhian deimlo'n fwy o fethiant nag erioed. Roedd dau wely bychan i'r bechgyn, digon o le i storio dillad a phentwr o lyfrau a bocsys o deganau ar fwrdd bach yn y gornel bellaf. A'r *en suite*, wrth gwrs – diolchodd Rhian yn dawel am hwnna. Ers geni Twm, cael a chael oedd hi weithiau i gyrraedd y tŷ bach mewn pryd.

'Wnaethon ni'r *pelvic floor exercises*?' dwrdiodd y tipyn doctor, cyn cynnig ei bod yn prynu '*discreet pads* i arbed damweiniau' a gwneud i Rhian deimlo fel hen gant. Ac ychwanegu rhywbeth arall i'r rhestr faith o bethau i boeni amdanynt.

Damo, cofiodd Rhian yn sydyn am eiriau Elinor yn awgrymu ei bod yn siglo'i hesgidiau cyn eu gwisgo 'gan ei bod hi'n dymor y sgorpion'. Sut yn y byd oedd hi'n mynd i amddiffyn y bois rhag hynny? 'Maen nhw'n hollol ddall,' aeth Elinor yn ei blaen, yn rhy lawen o lawer, teimlai Rhian, oedd mewn gwewyr o ofn wrth feddwl am y creaduriaid afiach. 'Chwilio cysgod maen nhw, a dyw'r pigiad ddim gwaeth nag un picynnen – ond does dim gwerth sbwylo'r gwyliau, o's e? A'r rhai lleia sydd waetha gyda llaw!' Dim mater o sbwylio oedd hi, meddyliodd Rhian yn ddiflas. Jyst ishe goroesi oedd hi. A chael y bois yn ôl i Gymru mewn un darn. Achos wedi iddi drafod y sgorpion, ychwanegodd Elinor fod nyth cacwn ar waelod yr ardd a gwiberod yn y glaswellt hir tu nôl i'r fila. Allai Rhian ddim deall sut yr oedd Elinor yn gallu bod mor ffwrdd-â-hi am yr holl erchyllterau o'i chwmpas.

Tylinodd ei chlustog a throi ar ei hochr. Hyd yn hyn roedd hi wedi llwyddo i osgoi ymweld â'r fila pan ddaethai'r gwahoddiad wrth Elinor a Tudur bob haf, gan ddefnyddio'r esgus bod y bois yn rhy fach. Ond roedd yr esgus yna wedi mynd i swnio'n dila iawn ('mae babis a phlant i gael yn yr Eidal, wyddost di, Rhian') ac eleni bu'n rhaid derbyn y gwahoddiad blynyddol i dreulio pythefnos yn y Girasole gyda'i rhieni yng nghyfraith. Hunllef ferwedig, ddiarth a pheryglus. A drud hefyd, erbyn iddyn nhw dalu am yr awyren i bedwar i Perugia. Meddyliodd yn hiraethus am y garafán yn Nhrefdraeth, am y llwydni cyfforddus. Am y glaw.

Doedd dim gobaith ganddi fynd yn ôl i gysgu nawr. Gallai deimlo ei chalon yn cyflymu, yr adrenalin yn dechrau pwmpio, ei meddyliau yn chwyrlïo yn gylchoedd tyn, pigog o gwmpas y sgorpion a'r gwiberod. Heb sôn am ddyfnderoedd brawychus y pwll nofio. Er fod y ddau fachgen wedi cael gwersi nofio doedd hi ddim yn saff i'w gadael nhw yno ar eu pennau'u hunain. Byddai'n rhaid iddi fod yn wyliadwrus. A doedd Huw ddim yn mynd i fod yn lot o help, roedd hynny'n amlwg.

Ar ben hyn i gyd byddai'n rhaid iddi ddioddef presenoldeb dinistriol ei rhieni. Yn creu embaras iddi ac yn achosi pob math o drafferth i Elinor a Tudur. Trodd y cylchoedd tyn yn ei hymenydd yn gwlwm cnotiog wrth iddi feddwl amdanyn nhw – mor ffuantus a beirniadol ohoni, ac yn gwbwl hunanol. Gafaelodd Rhian yn ei chlustog a'i dylino'n wyllt nawr – jyw, o'dd hwnna'n teimlo'n dda.

'Maaami, fi'n mofyn diod,' daeth llais ei mab hynaf o gornel y stafell a gwelodd ei fod yn eistedd i fyny yn y gwely yn syllu arni'n obeithiol. Cododd Rhian a mynd ato, yn ddiolchgar am y cyfle i feddwl am rywbeth heblaw ei rhieni a'i hofnau hunllefus.

O, god, pryd ddigwyddodd e? Maes B *defo*. Fi ddim hyd yn oed yn cofio enw'r Gog 'na. Elfyn? Euros? Fi mor hwyr, fi wastod ar amser, fi bownd o fod yn... O, god. O'n i jyst ishe fel, cael laff a stwff. Ac o'n i ar y *pill*. Ond wedyn ges i fel, chwd un bore, on'd do fe? Falle bo fi wedi chwydu'r *contraceptive* mas gyda'r *tequila slammers*?

Nid Rhian oedd yr unig un ar ddi-hun yn y bore bach hwnnw yn Casa dei Girasole. Roedd Llinos, unig ferch Meic ac Awen Humphries hefyd wrthi'n gwingo yn ei gwely wrth i'r wawr dorri.

Drws nesa ond un i Llinos roedd Tecwyn yntau ar ddi-hun. Fel hyn oedd hi gan amlaf iddo ef bellach – cwta bump awr o gwsg a gâi hyd yn oed ar y nosweithiau gorau. Doedd dim pwynt aros yn y gwely i droi a throsi. Cododd ac agor y ffenestri a'r *persiane* a syllu'n farus ar yr olygfa ysblennydd y tu allan. Codai tarth trwchus o'r dyffryn islaw gan arwain y llygaid i fyny at y wawr binc oedd yn barod yn frith o'r cymylau bychain gwynion hynny sy'n addo diwrnod arall o heulwen. Gyferbyn, ymwthiai pigyn trionglog Monte Ubaldo tuag at yr entrychion ac wrth i Tecwyn syllu, trodd yr wybren binc yn aur.

Dyma ddechrau ei ail wythnos yn yr Eidal – bu yn Firenze yn mwynhau croeso arbennig Enzo a James (bu James ag ef yn cydweithio yn y National sawl gwaith). A nawr dyma bythefnos arall o'i flaen yn y Girasole mewn stafell hyfryd. Er nad dianc o Lundain mo hyn, roedd yn hoff iawn o'i fflat yn Southwark hefyd – mewn hen warws ar lannau'r Tafwys. Bu'n ddigon ffodus i'w brynu yn yr wythdegau ar ôl ymddangos mewn hysbyseb llwyddiannus am siocled poblogaidd ('a glass and a half of milk in EVERY bar!'). Jyw, jyw o'dd pobol yn talu *silly money* pry'ny, on'd o'n nhw? Ac roedd y fflat yn werth cwpwl o filiynau erbyn hyn.

Hoffai'r cyfarwyddwyr castio ei wallt trwchus llwyd a'i wyneb hardd. Roedd e ar ei orau mewn siwtiau Fictorianaidd melfedaidd neu drowsusau pen-glin y ddeunawfed ganrif. Os oedd yna addasiad o nofelau Jane Austen neu Charles Dickens ar y gweill yna byddai'r ffôn yn siŵr o ganu. Ambell waith câi hyd yn oed ddefnyddio acen Gymraeg, os oedd angen Lloyd George neu Owain Glyndŵr ar ffilm epig Seisnig. Ond nid ffilmiau hanesyddol oedd ei unig fara menyn, cafodd ffi sylweddol yn ddiweddar am chwarae rhan Edward, bwtler Seisnig yr arwr cartwnaidd Cougar Man. Doedd dim gormod o waith i'w wneud, gan amlaf ymddangosai pan fyddai'r arwr mewn perygl a'i achub gyda'r geiriau cyfarwydd, 'May I be of assistance, sir?' wrth i'r set grynu o'i gwmpas, ei acen RSC-aidd orau yn atseinio o gwmpas y llong ofod. Roedd yn falch iawn fod y ffilm honno yn rhan o gyfres gan fod yr amodau gweithio yn Hollywoodaidd o dda – *limousine* yn y bore, criw o hen ffrindiau theatrig i gyd-weithio â nhw a lot o hwyl o flaen y sgrin las.

Un o Geredigion yn wreiddiol oedd Tecwyn ond roedd wedi byw yn Llundain ers yr wythdegau pan gafodd ran fel *spear carrier* gan Theatr Genedlaethol Lloegr. Roedd e'n dwli ar ei fywyd yn Llundain, yn torri ei wallt yn siop hynafol Trumper ar Jermyn Street, yn prynu ei siwtiau yn Saville Row ac yn siopa am ddanteithion yn Fortnum and Mason. Câi goffi yn y Monmouth Coffee House, cinio yn Old Compton Street a swper wedi noson yn y theatr yn yr Ivy. Pentref oedd Llundain iddo ef, yn troi o gwmpas y llefydd hyfryd hyn, gydag ambell joch o Gymreictod yng Nghapel Castle Street ac yn y Ganolfan ar Gray's Inn Road, heb sôn am ei ymweliad blynyddol i chwarae Siôn Corn yn yr Ysgol Gymraeg yn Hanwell.

Roedd yna reswm arall pan fod Tecwyn ar ddi-hun yn oriau mân y bore. Ond doedd e ddim yn barod i feddwl amdano eto. Gwthiodd y mater i gefn ei feddwl a throi am y gawod.

Yn yr Orto drws nesa safai Giovanni, yn myfyrio wrth i'r wawr dorri, yn sawru tawelwch y bore bach. Gwyddai na fyddai hi'n hir cyn i'r loncwyr dorri ar draws ei heddwch. Y blydi Saeson yn eu lycra dwl yn mynnu gweiddi rhyw nonsens wrth ruthro heibio – rhyw fath o Eidaleg oedd e, yn ôl pob sôn, ond ddeallai Gio'r un gair.

'Buooojeeorrnooo, Geeovarnneee!'

Gwelodd un ohonyn nhw'n hastu tuag ato nawr a phlygodd lawr i guddio tu ôl i'r llwyni ffrwythau.

Yn ei gwrcwd dechreuodd ailfeddwl am y gweryl gafodd e gyda Sal neithiwr. Roedd e'n difaru pob gair nawr. Ond wir Dduw, siwd alle fe! Ar ôl cyhoeddi'r newyddion gwych 'na am y babi, beth gododd arno fe i sbwylo popeth!

'Ni am brynu'r Tŷ Capel, Dad. I fyw ynddo fe. Jyst ar y

penwythnose ac yn yr haf i ddechre. Ishe lle i ni ddianc rhag y gwres. Mae'r dyffryn yn llethol ym mis Awst.'

Roedd yna seibiant ofnadwy. Dim ond sefyll â'i geg yn agored allai Giovanni wneud i ddechrau. Yn methu â chredu ei glustiau. Oedd Sal o ddifri? Oedd e wedi sefyll o flaen ei dad a chyhoeddi heb y mymryn lleiaf o gywilydd ei fod am ddychwelyd i'r pentref i fyw rhan amser mewn tŷ haf? Sut allai hyn fod yn wir? Fod ei fab ef ei hun yn ychwanegu at ddinistr y pentref?

Cafodd Sal lond twll o ofn. Roedd ei dad wedi gwelwi a gwelodd fod ei ddwylo'n crynu. Erfyniodd arno'n daer, 'Gweda rywbeth, Dad. Er mwyn y nefoedd.'

O'r diwedd fe ffeindiodd hwnnw'r geirie.

'Ond... y capel, Sal. Fanna briodon ni. Fanna gest di dy fedyddio.'

Roedd ei dad yn hanner sibrwd, oedd yn waeth rhywsut na tase fe'n gweiddi. Hastodd Sal i'w gysuro.

'Ffordd o arbed y Capel yw hwn, Dad – fe fydd modd cynnal gwasanaethau yno. Ni 'di trafod gyda'r plwyf yn barod! Ac fe welwch chi lot mwy ohonon ni a'r babi. Fe fyddwn ni rownd y gornel yn lle bo ni'n gorfod gwneud trip awr a hanner i gyrraedd lan 'ma o'r dyffryn. Fe fyddwn ni'n ôl yn y pentre, yn ysbeidiol i ddechre, wi'n gwbod, ond gobeithio yn y dyfodol y gallwn ni symud i'r pentre i fyw...'

'Pa bentre, Sal? Do's braidd neb yn byw 'ma! A nawr wyt ti cynddrwg â nhw. Rhag dy gwilydd di!'

'Ond, Dad, os na bryna i'r lle fe aiff e i'r Saeson beth bynnag. Ac fe fyddan nhw'n siŵr o ddigysegru'r Capel. Mae e ar werth, Dad! Mond lwc oedd e mod i wedi gweld yr hysbyseb yn y blydi cylchgrawn Saesneg 'na.'

'Sal...'

'Na, Dad, os na bryna i fe, fe ddaw mwy o Saeson eto!'

Gwyddai Giovanni yn ei galon fod Sal yn iawn. Roedd y cylchgrawn *Umbrian Passions* wedi dod â chymaint o'r diawled i'r pentref yn y blynyddoedd diwethaf. Yn troi pob adfail, pob twll a chornel yn dŷ haf. Roedd y syniad o golli'r capel bach yn ddychrynllyd.

Eisteddodd yng nghysgod y ffa *borlotti* lle na allai neb ei weld. Lucia oedd yn iawn wrth gwrs. Gwyddai hynny. Mi roedd e'n byw ormod yn y gorffennol. Er a bod yn deg â Gio, roedd e'n fwy arloesol nag yr oedd ei fab a'i wraig yn sylweddoli. Roedd wedi sylwi ar y newid yn yr hinsawdd flynyddoedd yn ôl ac roedd wedi dechrau tyfu cnydau llai sychedig oedd yn well am wrthsefyll y gwres mawr oedd wedi dechau dod yn amlach i'r mynyddoedd.

Roedd yn plannu'n gynt yn y gwanwyn nawr ac yn cario'r tymor tyfu ymlaen i ganol yr hydref, pan ddeuai'r glaw. Gwyddai fod *melanzane* a *spinaci* yn tyfu'n well yn y cyfnodau sych a dysgodd i ddyfrhau'n llai aml (ac yn hwyr yn y nos) ond yn fwy trwyadl er mwyn eu hannog i dyfu gwreiddiau dyfnach. Dim ond bob deuddeg diwrnod yr oedd yn dyfrhau'r *pomodoro* a defnyddiai haenau trwchus o wlân geifr a dail pydredig i gadw'r dŵr yn y pridd o gwmpas y planhigion. Roedd wedi adeiladu bocsys pren o gwmpas y cnydau i godi'r tir a chreu cronfa i'r dŵr. Plannai ffa i daenu neitrogen dros y tir a *zucchini* i greu gorchudd gyda'u dail gan eu bod yn tyfu ar draws yn hytrach nag i fyny.

Roedd Lucia ac yntau wedi bod yn ofalus erioed, bu ffarmio'n anodd ar y mynydd caregog hyd yn oed cyn i'r hinsawdd ddechrau chwarae triciau brwnt. Roeddent wedi hen arfer â bod yn ddarbodus gyda dŵr (ailgylchu dŵr y gegin a'r baddondy) ac ailddefnyddio sbarion y gegin i fwydo'r ieir a'r mochyn. Buont yn tyfu *aloe vera* i wneud eli ar gyfer briwiau a pherlysiau i wneud moddion a sebon. Ond nawr roedd hi'n anoddach eto fyth. Fel bod ar faes y gad ym mhob ffordd, meddyliodd Gio. Rhwng yr haul di-baid a'r blydi Saeson.

Ochneidiodd Gio eto. Doedd e ddim am gweryla gyda Sal. O leiaf y byddai'n gweld mwy ohono ef a'i deulu bach.

'Giovarneee! Yooo Hoooo!'

Torrodd lleisiau Maggie a Phil ar draws ei feddyliau. Trodd Giovanni ei gefn arnynt ac estyn ei ffôn. Roedd e am ddal Sal cyn iddo adael am ei waith.

'Helôôô!'

Suddodd calon Rhian pan welodd ei rhieni ar ymyl y teras wrth y bwrdd brecwast. Roeddent wedi hedfan i fewn i Perugia y bore hwnnw ac yn edrych, serch hynny, yn fywiog a thwsiadus, fel hysbyseb ar gyfer gwyliau yn un o gatalogau Saga, y ddau yn 'byw bywyd i'r eitha' yn eu chwedegau.

Roedd Rhian yn falch o weld y ddau yn ôl gyda'i gilydd wrth gwrs – edrychai ei mam yn hapus am y tro cyntaf ers blynyddoedd. Ac efallai na fyddai hi mor barod i droi at y botel chwaith, diolch i'r nefoedd. Ond poen yn y tin fuodd ei thad erioed. Merched ifanc, cyffuriau a chreu sioeau cerddorol cymhleth ar gyfer y teledu oedd ei obsesiwn pan oedd yn gynhyrchydd teledu. Nawr, ioga, iechyd a deiet oedd yn mynnu ei sylw. Roedd ef a Meriel wedi troi'n figan ac yn arfer rhywbeth o'r enw *clean eating* ac mi roeddent yn gredwyr mawr yn syniadau Gwyneth Paltrow. Cliciodd Rhian ei dannedd yn ddiamynedd, roedd ffads dwl ei thad yn siŵr o greu mwy o waith i Elinor, druan.

Trodd yn ôl at y baned hyfryd o goffi yr oedd Tudur wedi ei pharatoi iddi a gadael i Elinor a Tudur sortio'i rhieni.

Beth gâi hi i'w fwyta? Edrychodd ar y wledd o'i blaen ar y bwrdd hir yng nghysgod gwinwydden aeddfed ar ochr y fila. *Cornetto* siocled neu gwstard? Neu ddarn trwchus o'r bara ddaeth y bore hwnnw o siop y pobydd ar waelod y rhiw, oedd yn dal i deimlo'n dwym? Gwelodd fod sawl math o jam cartref ar y bwrdd, yn ogystal â phowlen anferth o ffrwythau tymhorol a lleol. Ac roedd grawnfwydydd a ffwythau sych yno hefyd, yn ymyl pentwr o wyau brown wedi eu berwi ynghyd â phlatied anferth o gigoedd oer. Daeth y cyfan â dŵr i ddannedd Rhian. Aeth y bois yn syth at y *cornetto* siocled, wrth gwrs, ond llwyddodd Rhian i gael bobo fanana (wedi eu prynu yn arbennig i'r plant gan Elinor) i lawr eu corn gyddfau hefyd. Roedd hi newydd dorri pen yr wy mwyaf oren welodd hi erioed (o'r ardd fach drws nesa, lle'r roedd yr ieir yn byw bywyd pleserus iawn yn crafu ac yn pigo) pan suddodd ei chalon fel plwm gan iddi weld bod ei rhieni wedi penderfynu creu mwy o embaras iddi eto. Cyhoeddodd Dylan fod Meriel ac ef wedi dechrau'r arfer o 'gyfarch y dydd' cyn brecwast.

Ac mae'n rhaid i ti wneud e o fla'n pawb, wrth gwrs, meddyliodd Rhian, s'mo ti'n mynd i golli'r cyfle i ddangos i bawb mor ystwyth yw dy *downward dog*.

Ymestynnodd Dylan ei freichiau i fyny tuag at yr haul, ei draed yn soled at ei fat ioga (£140 Manduka Yoga Mat Pro), ei lygaid ar gau. Ar y mat drws nesa (£100 Lululemon), safai Meriel mewn gwisg lycra pinc (£300 Luluemon eto), yn ystum y 'rhyfelwr heddychlon' – un benglin wedi ei phlygu, y goes arall yn syth y tu ôl iddi, ei breichiau yn ymestyn allan mewn safiad cadarn ac ymwthiol. Anadlai'r ddau yn swnllyd gan agor eu cegau bob yn hyn a hyn i wthio'u tafodau allan er mwyn gwneud 'ystum anadl y llew'.

Ac roedd yn rhaid i Rhian gyfadde, roedd y ddau yn edrych yn anhygoel. Canlyniad sesiynau ioga dyddiol a 'dim carbs' yn ôl Dylan a *'clean eating'* yn ôl Meriel. A chan fod y ddau byth a beunydd ar eu gwyliau roedd ganddyn nhw ddigon o gyfle i 'fyw eu bywyd gorau' ys dywedai Meriel yn ddi-baid wrth unrhyw un fyddai'n ddigon anffodus i eistedd drws nesa iddi wrth y bwrdd bwyd.

'Dear god, it's exhausting just watching them,' meddai Awen gan eistedd drws nesa i Tecwyn wrth y bwrdd bwyd. Edrychodd hwnnw draw at yr arddangosfa a rholio'i lygaid. Doedd e ddim yn rhy hoff o Dylan ar y gorau ac roedd Dylan yntau fymryn yn oeraidd tuag at Tecwyn. Cenfigen, mae'n debyg, gan fod Tecwyn wedi ei 'gwneud hi' yn Lloegr tra fod Dylan wedi gweithio yn bennaf i S4C a BBC Cymru. Heb gracio'r 'rhwydwaith' Seisnig erioed. Er, meddyliodd Tecwyn, gan fod safon y gwaith llawn cystal yng Nghymru, doedd hynny ddim yn beth i boeni amdano. Ac roedd 'lot llai o nonsens yng Nghymru hefyd'. Pregethai Tecwyn am hyn yn aml, câi ei wylltio gan gyd-Gymry oedd yn mynnu bod y gwaith yr ochr arall i Glawdd Offa yn fwy safonol nag yng Nghymru. Cymhleth y Taeog, mae'n siŵr, meddyliodd Tecwyn wrth ymestyn am y mêl cyn ei daenu'n haenen drwchus ar dafell o fara menyn. Dechreuodd stwffio'n hapus.

Anadlodd Elinor yn ddwfn wrth eu hymyl, roedd gwynt teim a phinwydd i'w glywed yn glir ar awel y bore. Edrychodd draw at Monte Ubaldo, mynydd mor berffaith o drionglog yr edrychai fel tasai wedi ei lunio gan blentyn. Roedd ganddi ddiwrnod prysur o'i blaen. Brecwast i bawb yn gyntaf – y bara o'r *Panetteri* ar waelod y rhiw a bagied o *cornetti* cwstard neu siocled. Wyau a mêl wrth ei chymdogion, Giovanni a Lucia, a choffi cryf wedi ei rostio mewn siop fach yn Citta. Byddai sawl *bialetti* yn ffrwtian ar y stof drwy gydol y bore.

Doedd ganddi ddim gormod o amser i oedi dros ei brecwast (a rhoi trefn ar Dylan a Meriel) gan fod yn rhaid iddi fynd i'r dref yn gynnar er mwyn cael gafael ar y nwyddau gorau i ginio. A hithau'n ddiwrnod marchnad, byddai parcio'n dipyn o sgrym, hyd yn oed i rywun fel Elinor oedd yn adnabod pob cornel parcio cuddiedig yng nghalon mediefal y dref. Ond am brofiad pleserus oedd crwydro rhwng y stondinau bwyd gan ddilyn yr aroglau sawrus tuag at y lori *porchetta* lle'r roedd mochyn cyfan wedi ei rostio mewn teim, ffenigl a rhosmari ac yn drwch o grisialau halen.

Câi Elinor bleser aruthrol bob tro yr âi i'r farchnad. Dwlai ar y casgliad shwl-di-mwl o stondinau – nicyrs a *Y-fronts* drws nesa i stondin o gawsau lleol a phadelli ffrio a theclynnau gratio *Parmigiano* drws nesa i stondin deganau. Ffrogiau haf o India yn swatio nesa at y stondin llieiniau bwrdd llachar, pob un ohonynt yn gyforiog o orenau neu lemwnau. Roedd hi'n arbennig o hoff o'r stondin llysiau gwyrdd lleol, yn aml wedi eu casglu gan y ddynes oedd yn eu gwerthu o'r caeau gwyllt o gwmpas y dref – nabyddai ddant y llew a spigoglys wrth gwrs ac *arugula, radicchio, cicoria* a *cima di rapa* oedd yn fath o feipen chwerw. Ond roedd sawl bwndel o lysiau gwyrddion oedd yn hollol ddiarth iddi – ac yn llesol iawn yn ôl bob sôn.

Hoffai hefyd giwio wrth y faniau gwyn oedd yn gwerthu *Parmigiano* neu *Pecorino*, a gwylio'r gwerthwyr (wastod mewn cotiau a hetiau gwyn) yn torri darnau o'r olwynion anferth o gaws gyda chyllyll mileinig yr olwg. Yn cynnig darnau i'w blasu drwy wthio'r gyllell tuag ati, cyn lapio'r caws mewn parseli papur cywrain. Roedd yna stondinau'n gwerthu selsig lleol neu *fritto misto*, sef pysgod a llysiau wedi eu ffrio mewn cytew ysgafn a'r *patatine fritte* mwyaf gogoneddus gyda nhw – roedd yr arogleuon yn nefolaidd.

Weithiau, ildiai i demtasiwn a phrynu bag llaw Burberry ffug wrth un o'r Affricanwyr oedd yn eistedd yng nghysgod y Duomo. Gwyddai na allai fynd â'r bag adre ar yr awyren gan ei bod yn drosedd i'w brynu ond roedd mor handi o gwmpas Citta. Teimlai'n well o fod wedi gwneud hynny, gan ei bod yn poeni'n ddirfawr am yr Affricanwyr a'u bywydau bregus. Doedd dim croeso mawr i fewnfudwyr yn yr Eidal. Roedd gan y darn bach yma o'r nefoedd ochr dywyll, deallai Elinor hynny.

Heddiw, heblaw am y *porchetta*, roedd hi'n bwriadu prynu llysiau gwyrdd a chaws gafr lleol o'r llaethdy bach ar y Corso. Doedd dim angen mwy o lysiau gan fod digon ar gyfer y salad yn yr *orto* yng nghefn y fila ac fe fyddai pasta ffres – *ravioli* trwy law Giovanni yn ei disgwyl pan gyrhaeddai adre. Mond prynu tarten *marmellata* a chwpwl o fagiau o ffa coffi fyddai angen ac fe fyddai'r pryd wedi ei drefnu. Yna siesta bach cyn dechrau meddwl am swper! Cafodd Elinor eiliad o hapusrwydd pur wrth feddwl am drefn y dydd – dyma beth oedd nefoedd iddi hi.

Yn y gadair gyferbyn doedd Rhian ddim yn teimlo'n nefolaidd o gwbwl. Ymestynnai diwrnod hir a thwym o'i blaen, oriau o chwysu, pryfed a diflastod. Ac i wneud pethau'n waeth, o gornel ei llygad gallai weld bod Meriel a Dylan yn dal wrthi, bellach mewn *salutation pose* – eu breichiau yn ymestyn tuag at yr haul. Roedd Dylan yn mynnu galw enwau *Sanskrit* yr ystumiau allan yn uchel.

'*Mudra* nesa, Mer, a phaid anghofio dy *prana*. A mla'n i

prasarita er mwyn i ni gael *uttana* teidi. Ac fe orffennwn ni yn *upavistha…*'

'Sting a Trudie Cymru, myn uffach i,' meddai Meic. Edrychodd Awen i fyny yn ddiamynedd ar ei gŵr (a oedd fel pin mewn papur yn ei *chinos* hufennog a'i grys polo pinc Lacoste) cyn estyn am *cornetto* siocled a throi yn ôl at helynt diweddara Daf Dafis. Roedd cymeriad dychmygol Myfanwy Alexander – y plismon cryf, doeth oedd hefyd yn amlwg yn dipyn o ddyn dan y dwfe yn apelio mwy at Awen na'r hyn oedd yn digwydd o gwmpas y pwll. Teimlai Meic yn grac yn sydyn, roedd e wedi paratoi ei hunan ar gyfer fflyrtio diddiwedd ei wraig gyda dynion eraill, oedd yn digwydd ar bob gwyliau, ond roedd y ffordd yr oedd hi'n ei anwybyddu trwy ddarllen wrth y bwrdd bwyd yn ei gythruddo'n llwyr. Diawch, o'dd dag e lot i feddwl amdano fe ar y gwylie 'ma. Estynnodd am baned o goffi a cherdded i ben arall y teras i syllu ar yr olygfa.

Drws nesa i Awen roedd Rhian yn dal i syllu ar ei rhieni. Oedden nhw'n benderfynol o ganfod mwy o ffyrdd o achosi embaras iddi? Roedd wedi sylwi eisoes fod Tecwyn wedi gorfod llyncu chwerthiniad anferth wrth weld eu giamocs. Dechreuodd sugno'r siocled allan o ganol *cornetto* a meddwl am yr amrywiol arteithiau o'i blaen am weddill y dydd. Cael y bois i fyta bwyd Elinor i ddechrau – o'dd *pizza* neu pasta a pesto yn iawn ond teimlai Rhian y fath gywilydd pan fydden nhw'n gwrthod llysiau gwyrdd neu fwydydd yr oedd y plant lleol, yn ôl Elinor, 'yn dwli arnyn nhw'. A honno wedyn yn cynnig cyngor iddi, 'Wyddost di, Rhian, fod yna dric i gael plant i fwyta llysiau – eu torri nhw'n fân a'u cuddio mewn saws tomato cartre – roedd Huw yn dwli arno fe'n blentyn.' A Rhian yn methu esbonio bod Osian a Twm yn gallu dirnad presenoldeb llysiau gwyrdd mewn unrhyw guddfan. ('Mami, mae hwn yn YUK!!!!!!') Teimlai iddi fethu fel rhiant unwaith yn rhagor, gan fod ei phant yn mynnu stico at fwydydd cyfarwydd fel sglodion a nygets ffowlyn.

Methai Rhian yn lân â deall sut allai Elinor fyw allan yma am wythnosau ar y tro – yn y gwres llethol a'r distawrydd trymedd pan fod pob dim ar gau yn y trefi bach berwedig. Edrychodd arni nawr yn llunio rhestr siopa faith cyn mynd lawr i'r farchnad yn hollol hapus ei byd.

Roedd y bois yn joio ar eu sgriniau yng nghysgod y winwydden. A fyddai cyfle iddi hi gael ymlacio nawr? Darlleniad bach sydyn yn y cysgod? Edrychodd yn obeithiol ar nofel gan Guto Dafydd wrth ei hymyl, un o'i hoff awduron. Symudodd yn benderfynol at gadair ar bwys y pwll o dan ambarél fawr. Gwych, roedd yna damaid o awel ac fe fyddai'n gallu cadw llygad ar y bois hefyd o fan hyn.

Agorodd y llyfr. A darllen y paragraff cyntaf bump gwaith. Diawch, o'dd hi'n amhosib canolbwyntio! Allai hi ddim hyd yn oed darllen llyfyr nawr, meddyliodd. Llifodd dagrau hunandosturiol i lawr ei gruddiau a throdd ei hwyneb er mwyn eu cuddio.

Syllodd Meriel ar ei merch yn chwysu o dan yr ambarél. Am olwg ar rywun! Bagiau duon o gwmpas ei llygaid a mwy o floneg nag erioed ar ei bola. Dim mymryn o golur, ei gwallt yn llwyn sych a chnotiog a, gwd god, o'dd ganddi rych mawr rhwng ei haeliau yn barod. A hithe mor ifanc! 'Na beth odd yn digwydd os odd rhywun yn hala pob munud yn gwgu ar y byd. A'r topiau blodeuog Indiaidd 'na! Lle roedd rhywun hyd yn oed yn ffeindio dillad fel'na erbyn hyn?

Estynnodd Meriel am wydred o sudd oren ffres, powlen o salad ffrwythau a iogwrt figan probiotig. Setlodd wrth y bwrdd. Ystyriodd ei merch wrth fwyta. Gallai awgrymu lot o bethe i'w helpu hi. *Au pair* bach neis i ddechre (doedd dim ishe talu lot – roedd y merched 'na o Albania jyst yn hapus i gael bod 'ma), torri'r mwng o wallt, cwrs pilates yn y lle neis yng Nghyncoed i sifftо'r bola 'na a diwrnod mas i brynu dillad teidi yn John Lewis. Rhoddodd Meriel sesiwn Colour Me Beautiful mewn siop newydd yn Canton i Rhian fel anrheg penblwydd y llynedd – roedd hi'n hollol amlwg i Meriel taw 'Autumn' oedd Rhian – pam felly oedd hi'n mynnu gwisgo lliwiau 'Spring' drwy'r amser? Ond aeth Rhian ddim ar gyfyl y lle, er fod Meriel wedi bwcio sesiwn agored. 'Alli di fynd unrhyw bryd, cariad, fe alla i warchod y bois.' Yn ei thymer, torrodd Meriel ei banana'n ddarnau mân. A beth am y pentwr yna o lyfrau Gwyneth Paltrow a'r Hemsleys a roddodd hi i'w merch yn ddiweddar? Doedd hi ddim wedi agor y cloriau! Doedd hi jyst ddim yn trio. Wel, falle y câi hi, Meriel, gyfle i roi trefn arni y gwyliau hwn.

Gwenodd ar ei gŵr oedd yn eistedd gyferbyn yn mwynhau ei fowlen o ffrwythau. Diolch byth fod Elinor wedi cofio am eu hanghenion deiet, roedd hi wedi addo pasta heb gliwten hyd yn oed! Gorffennodd ei myfyrdod. Nofiad fach mewn awr. A chyfle wedyn i gael mymryn o liw, fyddai'n edrych yn wych gyda'i bicini newydd pinc. Falle deuai cyfle iddi 'gael gair' gyda Rhian cyn bo hir.

Aeth y diwrnod yn ei flaen. Cinio o dan y winwydden ar y teras wedi i Elinor ddychwelyd o'r farchnad a phawb ond Rhian yn llowcio gwin Rosé.

'S'mo fe'n cyfri ar eich gwyliau,' meddai Huw wrth iddo estyn gwydred i Awen, 'a dyna yw pwynt y teras yn y prynhawn, ontyfe – lle bach neis i gysgu!'

Blydi, Huw, meddyliodd Rhian yn sur – roedd yn ddigon rhwydd iddo fe ddweud hynny. Hi fyddai'n gorfod aros yn sobor i sortio'r bois. Gwelodd Tudur yn edrych arni'n sydyn a throdd i ffwrdd er mwyn cuddio'i hembaras.

Roedd hyd yn oed Meriel a Dylan yn yfed – yn ôl bob sôn roedd Gwyneth Paltrow yn dwli ar Rosé. Ceisiodd Tecwyn feithrin rhyw fath o ddiddordeb wrth i Meriel esbonio hyn iddo. Ond blydi hel, meddyliodd wrth wenu arni'n ffals, fi'n gwybod mod i wedi bod yn y Rada ond mae hwn yn uffern o straen. Nid bod Meriel wedi sylwi, aeth ymlaen â'i llith am Ms Paltrow a'r canhwyllau arbennig hynny oedd wedi ennill tipyn o enwogrwydd rai blynyddoedd yn ôl. Teimlai Tecs fymryn yn sâl erbyn diwedd y pryd ar ôl gwrando ar ei disgrifiadau manwl o'r canhwyllau a'u harogl arbennig.

Ar ôl y gwin, hepian wrth y pwll wnaeth y rhan fwyaf o'r criw. Tra fod Rhian wrth gwrs yn belen o nyrfs yn gwylio'r bois yn chwarae cuddio yn y llwyni bychan drws nesa i'r teras. O gofio geiriau Elinor am y gwiberod a'r *scorpione* dechreuodd Rhian boeni am yr hyn allai fod yn cuddio yn y llwyni.

'Bois – mas o'r llwyni 'na, plis, dewch i chware ar y teras yn y cysgod, 'na fechgyn da. Na, wi o ddifri, mas nawr! Mae'n beryglus fanna, bois.' Daeth pwl arall o ofon drosti a chododd ei llais. 'DEWCH MAS NAWR!!'

Gwelodd Rhian fod Huw, Awen ac Elinor oedd yn eistedd ar bwys y pwll yn edrych arni'n syn. Cododd Huw ar ei draed a dweud, 'Reit, bois, pwll amdani, 'te! Os nad yw hwnna'n rhy beryglus hefyd, Mami?'

Blydi hel, meddyliodd Rhian. Wi 'di cael mwy na digon o hyn, s'mo Huw yn mynd i fod yn *good cop* y tro hyn. Wi'n mynd i ddangos iddo fe a'r bois bo fi'n gallu cael hwyl hefyd.

'Syniad ffab, Dadi! Fe awn ni gyd fewn i'r pwll,' meddai gan drio swnio'n frwdfrydig.

Atebodd Huw 'O, jyw, mae oes y gwyrthiau wedi cyrraedd, bois! Mae Mami'n mynd i nofio!'

'Yay, Mami,' gwaeddodd Osian, oedd yn deall rhywsut fod hyn yn beth mawr i'w fam, gan wneud i Rhian deimlo eto fod Osian yn rhy sensitif o lawer.

'Hahahaha, Mami, mynd i nofio pofio nofio pofio,' roedd Twm wedi neidio i'r pwll yn barod, gan dasgu dŵr dros gafftan Awen. Dihangodd Rhian i nôl ei siwt nofio a gadael i Huw ymddiheurio. O, y teimlad nefolaidd pan suddodd Rhian i fewn i'r dŵr oer hyfryd! Roedd tamaid o gysgod dros y pwll nawr o dan y coed *cipresso* ac fe edrychodd Rhian ar eu topiau'n siglo yng ngwyntoedd y prynhawn.

'Sgwlwch arna i, Dad!' Roedd Twm yn gallu cyrraedd gwaelod y pwll yn rhwydd, gan ddal ei anadl a gwibio o dan y dŵr yn gyflym. Cadwai Osian at y darn bas gan nofio o un ochr i'r llall yn dawel, yn trio magu'r hyder i blymio'n ddyfnach.

'Ha, fi'n gallu nofio'n bellach na ti, Osi. Sgwla, Dadi!'

'Go, Twm!' Roedd Huw yn y pwll nawr yn rasio'i fab ieuengaf, yr ysfa gystadleuol yn gryf yn y ddau. Am eiliad neu ddwy roedd popeth yn well, y plant yn hapus a Rhian yn medru ymlacio.

Yna, wrth i Twm ddringo allan o'r pwll, er mwyn neidio'n ôl i fewn, sylwodd Rhian ar glaish go fawr ar ei ochr.

Beth ddiawl? 'Shwd gest di hwnna, Twm?' Gwasgodd gwregys dynn o ofn o gwmpas calon Rhian yn syth. Byddai'n rhaid iddi gael golwg mwy manwl arno. Ddylai plentyn iach ddim cleisio fel'na? O fewn eiliadau roedd Rhian wedi mynd o deimlo'n dangnefeddus yng nghysgod y coed i ddychmygu deiagnosis erchyll a salwch ofnadwy. A'r meddyliau'n troi ac yn cynyddu. Lle ddiawl gele hi afael ar ddoctor prynhawn 'ma? O, god, roedd yn rhaid iddi gael gwybod. Twm bach. O, am glaish ofnadwy. Roedd ei chalon yn curo nawr wrth iddi wthio drwy'r dŵr at ei mab.

'Twm, dere 'ma am funud, bach, wi jyst ishe gweld...'

Fe dynnodd hi Twm allan o'r dŵr yn sgrechen a'i droi ar ei ochr.

'Mami, beth ti'n gwneud?'

'Rhian, beth ddiawl?'

Ac o droi Twm fe welodd Rhian nad claish oedd yno o gwbwl ond lliw y siwt nofio oedd wedi gadael staen ar y croen. Wrth iddi rwbio fe gododd y staen yn llwyr. Roedd yn diflannu'n rhwydd! O, diolch i'r nefoedd! Arafodd ei hanadl a'i chalon ac eisteddodd yn drwm ar ochr y pwll. Diflannodd Twm yn syth yn ôl i'r dŵr, yn falch i gael mynd o afael ei fam. Bu bron iddi grio. Caeodd ei llygaid am eiliad a gweld wedi iddi eu hagor fod Elinor yno yn edrych arni.

'Ti'n ocê, bach?'

'Sori, odw. Ges i bach o sioc, o'n i'n meddwl bod claish ar ochor Twm, ond staen oedd e, 'na gyd. Wi'n teimlo bach yn sili nawr. Ond o'n i'n poeni am wel, am... am...' methodd Rhian ffurfio'r geiriau, roedd rhyw ofergoel ynddi yn meddwl y byddai llefaru ei hofnau yn eu gwneud nhw'n real.

'Rhian, paid â bod yn *drama queen*, mae'r crwt yn iawn' gwaeddodd Huw, cyn neidio i fewn i'r pwll gyda Twm yn sgrechen yn hapus yn ei freichiau.

'Odi, wrth gwrs.'

'Stedda fan hyn am funud, bach.'

'Ie, diolch, Elinor. Af i gael bath mewn munud.'

'Iawn, bach. Ti'n siŵr dy fod di'n ocê.'

'Odw, sori, fi'n iawn. *Honestly.'*

Jyw, meddyliodd Elinor, mae nerfau Rhian yn rhacs. Mynd i'r pen eithaf mor sydyn. Dyw hynny ddim yn iawn. Edrychodd ar gefn ei merch yng nghyfraith yn diflannu i'r fila gan obeithio ei bod yn iawn. A gweld bod Osian hefyd yn edrych yn bryderus ar ôl ei fam.

Yn y bath dechreuodd Rhian grio. Ges i gyment o ofon, meddyliodd. O'n i'n meddwl bod Twm fel y crwt 'na yn yr ysgol fuodd mor dost. 'Na pam banices i, ontyfe? Ond dyw e ddim yn iawn mod i fel hyn. Wi'n mynd o un creisis i'r llall. Mae 'di mynd yn ffordd o fyw nawr. Ond shwd alla i stopo? Yr holl banics 'ma. O'n i'n meddwl bod melanoma gydag Osian wythnos diwetha nes i fi weld taw hôl siocled oedd ar ei groen... Fi'n caru nhw gyment alla i ddim â delio gyda'r syniad bod unrhyw beth yn bod arnyn nhw. Ond alla i jyst ddim mynd mlaen fel hyn.

Ocê fi'n styc 'ma ac ocê wi'n casáu'r blydi fila. Rhy dwym, gormod o beryglon bla bla bla. Ond ma'r plant yn amlwg yn mwynhau a Huw hefyd. O, god, Huw. Huw. Mor fyr ei dymer, mor barod i ddianc wrtha i – defnyddio'i waith fel esgus. A wedyn y *mentionitis* 'na. Rhyw Juliette ar ben bob stori. Ife hi sy 'di bod yn ffono'r *landline* fel rhyw *teenager* o'r saithdegau yn ddiweddar? Neb yno byth, ond fi'n siŵr mod i 'di clywed rhywun yn anadlu y tro diwetha. Come on – what a *cliché*! Ond os ofynna i iddo fe amdani – odw i wir am glywed yr ateb? Beth os wedith e – ocê, Rhian, wi wedi cael digon a wi ishe difórs. Beth weden i wedyn?

Un peth ar y tro, *for god's sake.* Y panics 'ma am y bois gynta, wedyn Huw. Falle Googla i fe a gweld os alla i ffindo help ar lein. Beth 'sen i'n dechre gyda Mumsnet? Mae hwnna 'di helpu yn y gorffennol. Ma 'na ddigon o fame mor niwrotig â fi ar hwnnw. A falle bod 'na gyngor am shwd i ddelio â'r ofnau yn rhywle – pobol yn postio lincs ac yn y blaen. Cododd Rhian o'r bath a mynd i chwilio'i ffôn.

Diolch i'r nefoedd, gorffennodd y prynhawn yn gynt na'r disgwyl gan i Elinor awgrymu y dylai Osian a Twm ddod allan i swper gyda nhw hefyd, fel bod dim rhaid i neb warchod. Aeth hi'n rhuthr wyllt felly i gael y bechgyn yn barod gyda Rhian yn eu lluchio nhw i fewn i'r bath ac yn chwilio am ddillad mymryn yn fwy parchus i'w gwisgo mewn bwyty. Tra fod Rhian yn eu sortio, meddyliodd am yr hyn welodd hi ar fforwm Mumsnet.

'O'dd gyment o fame fel fi! Rhai'n waeth na fi! Ond gwell i fi beidio darllen gormod am eu hofnau nhw neu fe fydda i nôl lle ddechreues i. *Terror Scrolling*. Ond ys gwn i os fydde'r llyfr 'na o'dd un o'r mame'n sôn amdano fe'n help? Gwerth trio eniwê. *Free Yourself From Anxious Thoughts*. Wel. Cweit.' Torrodd Osian ar draws ei meddyliau.

'Ti'n ocê, Mami?'

Teimlai Rhian yn euog yn syth. Ddylai Osi ddim fod yn poeni amdani. Rhuthrodd i'w gysuro. 'Odw, bach. Paid ti â phoeni am ddim byd,' meddai gan roi cwtsh i'r ddau. Gwingodd Twm o'i breichiau'n syth. Ond arhosodd Osian yn y cwtsh.

'Heno ni'n mynd i gael hwyl, Osi,' meddai Rhian eto. 'Bwyd lyfli ac os y'ch chi'ch dau'n bihafio wrth y bwrdd fe gewch chi hufen iâ.'

'Yay! Hufen iâ hufen iâ hufen iâ,' dechreuodd Twm fownsio'n wyllt ar y gwely. Gafaelodd Rhian ynddo'n glou. Doedd hi ddim am ddifrodi un o antîcs Elinor, roedd honna'n broblem y gallai ei datrys yn syth am unwaith.

'Bant â ni, 'te.' Ac fe aeth y tri lawr at y ceir oedd yn eu disgwyl ar y buarth. Teimlai Rhian damed yn well wrth iddi gau'r *persiane* ond gwyddai taw cadoediad bregus oedd hwn.

Arweiniodd Elinor y rhes o geir lan i ben mynydd cyfagos at dref fach Monte Santa Maria Tiberina. Ac erbyn saith o'r gloch, eisteddai'r criw i gyd o gwmpas bwrdd hir dan gysgod gwinwydden yn edrych allan ar yr olygfa swyngyfareddol dros y dyffryn islaw. Roedd arlliw o awel wedi dechrau codi, gallai Rhian ei deimlo'n anwesu ei bochau chwyslyd wrth iddi edrych i lawr dros y muriau hynafol ar ymyl y teras. Diolch i'r drefn roedd Elinor wedi llwyddo i archebu pasta a saws tomato i'r plant – pryd y gwyddai Rhian y byddau'r ddau fach yn bwyta heb gonan.

A dweud y gwir roedd rhieni Rhian yn ymddwyn yn fwy plentynnaidd na'r bois – yn gofyn am fwydydd nad oedd ar y fwydlen ac yn ffysian am gynhwysion, yn gweiddi *'sono allergico'* i gyfeiriad Aldo, y perchennog rhadlon ac amyneddgar, oedd wedi hen arfer ag anghenion bwyd dwl y Brits gan ei fod wrthi nawr yn cynnig bwydlen figan i Dylan a Meriel. Yn Saesneg.

Gwenodd Elinor arno'n ddiolchgar. Sibrydodd yntau wrthi mewn Eidaleg taw nid bwyd oedd ishe ar y ddau ond cardfwrdd â mymryn o domatos, gan beri i Elinor dagu ar ei haperitif. Jyw, roedd Dylan a Meriel yn ddigon i hala Iesu Grist o'i go', ys dywedai ei mam-gu. A druan o Tecwyn. Yn anffodus roedd Meriel wedi gosod ei hun drws nesa iddo unwaith yn rhagor a doedd dim modd iddo ddianc nawr. Clywodd Elinor y geiriau, *'clean eating'* a *'bowel cleansing'* a bu'n rhaid iddi gladdu ei hun yn y fwydlen rhag i Tecs ei gweld yn chwerthin.

'Is the milk OAT? You see WE DON'T EAT DAIRY. It's POISON for us.' Roedd Dylan yn dal i weiddi'n swnllyd i gyfeiriad Aldo ond ar ôl i hwnnw ei ddarbwyllo bod ganddo gaws figan ar y ffordd, dechreuodd ef a'i wraig lwytho'r bwrdd gyda phlatiau anferth yn gwegian o dan bwysau'r saig gyntaf sef *Antipasti Della Casa* – cigoedd a chawsau lleol a bara cartref godidog. Llwyddodd Elinor i gael sgwrs gyda Rhian oedd yn edrych fel tase hi'n dechrau ymlacio o'r diwedd er fod ei llygaid yn crwydro yn aml at ei gŵr oedd yn eistedd gydag Awen ar ochr arall y bwrdd. Ond fe gafodd Elinor wên ganddi wrth iddi flasu'r bwyd, gan wneud i Elinor feddwl, wel, pam nag y'n ni'n gweld hwnna'n fwy amal ar wyneb fy merch yng nghyfraith?

Yn y man, daeth bwrdd o Saeson i eistedd drws nesa iddyn nhw, dau deulu go fawr gyda haid o blant swnllyd. Edrychodd Osian a Twm yn obeithiol i gyfeiriaid bachgen a merch tua'r un oedran â nhw oedd yn raso'n wyllt o gwmpas y bwyty. Rhyfeddodd Rhian wrth weld mor ddihidans oedd y rhieni wrth i'r crwt daro coes Aldo tra'i fod yn cario basned anferth o basta draw at y bwrdd.

'Oh, it's so sweet the way Italians love children, they don't mind them running around at all!' ebychodd un o'r mamau. Ond roedd wyneb Aldo yn awgrymu nad oedd hyn yn hollol wir a diolchodd Rhian am y canfed tro ei bod wedi cofio sgriniau'r ddau fach oedd yn eu cadw'n ddedwydd wrth y bwrdd. Aeth y sgwrs Seisnig yn ei blaen ac fe ffeindiodd Rhian ei hun yn methu peidio â gwrando.

'So I said how much for the tablecloth and it was something ridiculous like five euros but he wouldn't budge! Not like it used to be here, I mean you could always knock a few euros off everything in the past. It's not been the same since Brexit. I mean, I thought it was a good idea at the time, but not if it's going to mess up our holidays.'

'Oh, I know and I think they're very bitter about it here. I mean have you seen how much they're charging now at the Piero museum in Arezzo? I mean it's crazy – and they know many of us come here SPECIFICALLY to see his work. I'm sure they charge us more than the locals.' Yna, wrth i'w phlentyn wagio powlen o fwyd ar y bwrdd, 'No, darling, please don't throw the pasta at the waiter.'

'Well, we were seriously thinking of buying here. There's a lovely old schoolhouse for sale in our village – no central heating, of course, and would need a lot of doing up. Do you know Gaby and Rupert? They live in the next valley and they know a great project manager – English, of course, James. He advertises in *Umbrian Passions* – do you know about that? Great way of keeping in touch with the expats. Oh and I must put you on our local whatsapp group. We started it because it worked so well for us in Anglesey. Anyway James is BRILLIANT at managing the locals who are incredibly cheap and do some very fine work, although he'll fly some Poles in for you if necessary. Best of all it's a marvellous business opportunity, the locals don't even TRY to restore these lovely old houses.'

Sylwodd Rhian fod Meic yn gwrando arnyn nhw hefyd ac fe wenodd arni, 'Dyn yw dyn ar bum cyfandir,' meddai wrthi gan siglo'i ben. Hoffai Rhian e damed yn fwy yn sydyn.

'Un o le wyt ti'n wreiddiol, Meic?' holodd wedi ennill mymryn o hyder o'i weld yn gwenu arni.

'O Rydaman, ond wedi ymgartrefu yng Nghaerdydd ers ache nawr. Mae Llinos yn un o blant y cyfrynge, sy'n grêt mewn sawl ffordd wrth gwrs, wedi cael pob cyfle. Ond weithie dwi'n meddwl ei bod wedi colli mas, alle hi fod wedi cael magwraeth fferm, mwy naturiol Gymraeg. Sai'n gwybod, falle taw fi sy'n sentimental...'

'Oes 'na fagwraeth fwy naturiol Gymraeg i gael erbyn hyn?' synfyfyriodd Rhian, 'mae'r we wedi newid hynny, on'd yw e?' Fe aeth y sgwrs rhyngddynt yn ei blaen yn rhwydd, roedd Meic wedi hen arfer â'r gelfyddyd o wrando a theimlai Rhian fod ganddo wir ddiddordeb ynddi. Teimlad braf am unwaith, meddyliodd yn drist.

Ar ôl y prif gwrs (*Tagliata con Pomodoro*, sef stecen mor dyner roedd yn torri fel menyn gyda salad tomato, a thatws wedi eu coginio yn y ffwrn mewn halen a rhosmari), llwyddodd Tecwyn i ddianc wrth Gwyneth Paltrow a'i chanhwyllau ('mae'r arogl yn realistig iawn, Tecs, wir i ti,') a thynnu cadair rhwng Elinor a Rhian. Cyfaddefodd Rhian yn swil ei bod hi wedi gweld Tecwyn yn yr RSC yn Stratford ar drip ysgol – a'i bod wedi ei chyfareddu gan ei befformiad fel Falstaff. Ebychodd Tecwyn ei fod yn teimlo'n hen yn sydyn ond gwelodd fod Rhian yn hollol ddiffuant, yn amlwg yn cofio'i berfformiad yn dda.

''Sen i'n dwli cael y cyfle i daclo Prospero nawr,' atebodd Tecwyn. 'Ma fe'n eironig taw chwarae rhan bwtler Seisnig mewn ffilm hollol blentynnaidd ddaeth â'r math 'ma o ddewis i fi, y cyfle o'r diwedd i ragori yn y theatr, achos bo 'da fi *cachet* masnachol nawr.'

'Mi ddylet ti chwarae Prospero, byset ti'n wych. Ti'n deall sut i ynganu'r farddoniaeth – ac mae eisiau profiad a dyfnder emosiynol i berfformio Shakespeare.' Sylwodd Elinor fod Rhian wedi bywiogi drwyddi wrth iddi sgwrsio gyda Tecs.

Blydi hel, meddyliodd honno, fi'n joio'n hunan! Ac ma'r bwyd 'ma'n ffab. A'r olygfa *amazing* 'na. Ac ma'r bois yn lico'u bwyd a'u sgrins.

Diolchodd Rhian i Meic a oedd symud yn agosach ati â'r

botel win coch yn ei law. 'Ie, plis, ga i lased arall, diolch yn fawr! Huw, ti'n sy'n gyrru, ife?' Gwenodd Rhian yn hapus wrth weiddi draw at ei gŵr. Edrychodd Huw yn ôl yn frou. Roedd e wrthi'n adrodd rhyw stori fawr a doedd e ddim yn lico neb yn torri ar ei lif pan oedd e'n traethu. Sylwodd Rhian fod Awen yn syllu arno'n llawn edmygedd. A bod Huw yn edrych nôl arni hi'n frwdfrydig hefyd.

Suddodd Rhian yn ôl i'w chragen. Gadawodd i'r llwyn o wallt orchuddio'i hwyneb. Doedd blydi Huw byth yn edrych arni hi fel'na nawr. Heb wneud ers oes pys. Cymerodd Rhian lymaid mawr o win. Aeth Huw ymlaen.

'Beth bynnag, o'dd pethau'n edrych yn go dynn arnon ni, o'dd rhaid i fi dynnu'r stops mas i gyd i berswadio'r rheithgor. A do'dd y blydi barnwr ddim lot o help – stico at bob rheol, er bod e'n gallu gweld taw trio achub cam anferth o'n ni...' Pwysodd Awen ymlaen i wrando, gan edrych i fyny arno drwy ei hamrannau.

'Wel, fe lwyddes i i newid 'u meddylie nhw. Ac fel wedes i ar *Y Byd ar Bedwar*, yn y rhaglen ddogfen wnaethon nhw am yr achos, o'dd na egwyddor pwysig yn y fantol. Ac mae'n rhaid i rywun sefyll lan dros y bobol, ond o's e? Nid bod pawb yn cytuno gyda fi ar y pryd, wrth gwrs, ond withe mae'n rhaid i chi nofio yn erbyn y llif.'

'Waw.' Roedd Awen yn dal i wrando'n astud ar Huw yn traethu. Yfodd Rhian fwy o win.

Ystyriodd Elinor, wrth edrych ar ei llysfab, ei fod wedi bod yn ymddwyn yn wahanol iawn yn ddiweddar. Yn manteisio ar bob cyfle i fod ar y teledu, yn cyfri'i hunan yn bach o seléb nawr falle? Sylwodd fod yna ryw arlliw brasterog amdano fe wrth iddo draethu. Ac roedd yn dwli ar ei lais ei hunan. Gwelodd fod afiaith cynharach Rhian wedi diflannu, eisteddai yn magu glased arall o win coch, yn edrych yn bur ddiflas.

O'r diwedd, roedd hi'n bryd talu'r bil, a gymerodd fwy o amser na ddylai fod wedi gwneud, gan fod Dylan a Meriel ddim yn gweld 'pam ddylen ni dalu am y cig fwytodd pawb arall'. Wedi setlo, fe gerddodd y criw yn ôl drwy'r pentref bychan. Yn y sgwâr canolog, eisteddai nifer o bobol yn gwrando ar fand lleol. Sylwodd Rhian fod y tymheredd wedi gostwng o'r diwedd. Teimlai'n gysurus am y tro cynta y diwrnod hwnnw. Rhedai haid o blant o gwmpas y ffynnon o flaen y llwyfan ac ymunodd y bois yn y chwarae wrth i Elinor awgrymu eu bod yn eistedd am eiliad i fwynhau'r awyrgylch.

'A grappa bach efallai,' gwenodd Tudur.

'Ie, plis, *grappas all round*,' gwaeddodd Rhian oedd wedi penderfynu taw meddwi oedd yr unig beth i'w wneud gan fod Huw yn dal i eistedd gydag Awen. Gallai ei glywed e nawr yn esbonio rhyw fanylion cyfreithiol iddi ac roedd hi'n dal i edrych fel tase hi'n mwynhau gwrando.

God knows pam, meddyliodd Rhian.

'Ac un i fi plis.' Meic oedd yn siarad. Eisteddodd drws nesa i Rhian gan wenu. Oedd e wedi sylwi ar Huw ac Awen? Doedd e ddim yn edrych fel dyn oedd yn poeni, meddyliodd Rhian. Ond wedyn falle ei fod e wedi arfer â hyn? *God* oedd ishe drinc arall arni a diolchodd fod Tudur wedi mynd mewn i'r caffi i ordro tra bod y lleill yn eistedd. Closiodd Huw ac Awen at ei gilydd eto, 'Felly beth ddigwyddodd yn y pen draw, Huw?'

Twll eu tine nhw, meddyliodd Rhian, roedd yr alcohol wedi meddalu'r boen erbyn hyn a'i chwmpasu mewn niwl braidd yn hyfryd. Llwyddodd, serch hynny, i atal rhag yngan y geiriau yn uchel. Trodd ei sylw yn hytrach at yr awyrgylch hyfryd yn y sgwâr. Sylwodd fod yr Eidalwyr yn defnyddio lot fawr o olau melyn i oleuo'u hadeiladau, yn enwedig y rhai hynafol. Roedd hi bron fel golau ddydd yno heno a'r llewyrch yn datgelu mor hardd a llawn steil oedd y teuluoedd Eidalaidd wrth iddyn nhw sipian eu diodydd.

Daeth y perchennog allan yn cario potel o grappa cartref (yn syth o'r rhewgell ac yn orlawn o rawnwin duon), roedd ef wrth gwrs yn un o ffans mawr Elinor ac fe aeth hi'n sgwrs frwdfrydig rhyngddynt. Gwelodd Rhian fod y bechgyn wrth eu boddau yn rhedeg mewn cylch gyda'r plant eraill.

'Mae'r Eidal yn lle gwych i blant.' Meic oedd yn siarad.

'Odi, sbo. Wi jyst yn ffeindio hi'n anodd relacso. Er ma'r grappa 'ma'n help,'

'Fe ddei di erbyn diwedd y gwylie. Shwd hwyl wyt ti'n ei gael gyda'r nofel gyda llaw? Wi'n dwli ar waith Guto Dafydd.'

Aeth y sgwrs am lyfrau ymlaen ond o gornel ei llygad gallai Rhian weld bod Huw ac Awen yn dal i sgwrsio'n eiddgar dros y botel Grappa.

Porchetta

1.3kg/3lb bola porc heb asgwrn

1 llwy de Halen Môn neu halen tebyg

2 lwy de pupur du wedi ei falu'n ffres

4 darn rhosmari ffres wedi eu torri'n fân

5 darn garlleg wedi eu torri'n fân

1 llwy fwrdd hadau ffenigl

1 llwy fwrdd olew olewydd

Gyda chyllell finiog, torrwch nifer o dyllau bach yn y cig.

Cymysgwch yr halen, y pupur du, y rhosmari, y garlleg a'r hadau ffenigl gyda'r olew i wneud past. Rhwbiwch y past ar y cig a'i rolio'n dynn. Clymwch gyda chordyn pwrpasol a'i goginio.

Rhowch mewn tun coginio a thaenu tamaid mwy o grisialau halen dros y croen. Rhostiwch am 35–40 munud ar dymheredd uchel (220°C/Nwy 7) yna gostyngwch y tymheredd i 160°C/Nwy 3 am awr arall.

Codwch y gwres nôl i 220°C/Nwy 7 am 20 munud arall i galedu'r croen. Gwnewch yn siŵr fod y cig wedi ei goginio'n drwyadl.

Os ydy'r sudd ohono'n binc rhowch yn ôl yn y ffwrn am 10 munud arall neu nes fod y sudd yn rhedeg yn glir wrth i chi brocio'r cig.

Torrwch yn sleisys a'u cyflwyno mewn rholiau gwyn ffres gyda salad.

3

Yɴ ʜᴡʏʀᴀᴄʜ ʏ noson honno deffrodd Rhian yn sydyn
– roedd Osian wrth ei hymyl yn mwmian ei fod wedi
gwlychu'r gwely. Daliai Huw i rochian yn hapus drws nesa
iddi, roedd e'n fyddar pan oedd angen codi i sorto'r bois
ganol nos. Ochneidiodd wrth feddwl am y rigmarôl o'i
blaen: newid Osi a rhoi molchad sydyn iddo fe, tynnu'r dillad
gwlyb oddi ar y gwely a ffeindio rhywle i'w cadw nhw tan
y bore, ail-wneud y gwely (diolch i'r nefoedd bod dillad sbâr
yn y cwprdd), wedyn trio'i gorau i gael y crwt nôl i gysgu. A
gwyddai'n iawn, ar ddiwedd hyn i gyd, y byddai hi ar ddi-hun
am oriau gan ei bod hi'n ffeindio hi bron yn amhosib i fynd
yn ôl i gysgu wedi deffro yn y nos. Ac roedd ganddi uffern o
hangofer yn barod. Ei cheg yn sych a'i phen yn curo. Oedd
hi wedi pacio parasetamol? Neu jyst Calpol? Falle bydde swig
o hwnna'n gwneud y job yn iawn. Doedd hi ddim wedi arfer
ag yfed cymaint.

Cododd, gan dynnu'r dillad gwely gyda hi yn y gobaith
o ddeffro'i gŵr rhochlyd. Ond troi'n ôl ar ei ochr yn hapus
wnaeth Huw, fel mochyn bach dedwydd yn ei grys T Rapanui
pinc. Rhoddodd Rhian gic arall iddo fe.

'Beth?'

'Osi 'di gwlychu'r gwely. Alli di helpu fi plis?'

'Beth, eto?' Roedd Huw yn eistedd i fyny nawr yn rhwbio'i
lygaid. Edrychodd ar ei fab. 'Ti bach yn hen nawr, Osi, nag
wyt ti? Yfest ti ormod o lemonêd cyn mynd i'r gwely?'

'Huw, ti ddim yn helpu.'

'Fi jyst yn gweud, Rhian. Ishe i ti fod yn fwy gofalus, Osi, 'na gyd.'

'Paid â siarad dwli, Huw, smo'r crwt yn gallu helpu.'

'Fi'n sych drwy'r nos, on'd 'dw i, Dadi.' Yn anffodus roedd Twm wedi deffro nawr a gwelodd Rhian fod gwefus isa Osian yn dechre crynu.

'Huw, setla di Twm a newid y gwely, af i ag Osi i'r bath.'

Roedd Rhian yn teimlo dros ei mab hyna. Bu'n hwyr iawn yn sychu yn y nos, yn wahanol i Twm oedd yn sych ddydd a nos yn ddwy a hanner. A gwyddai Rhian fod Osian yn teimlo'r peth i'r byw. Ar y cyfan roedd e lot yn well ebyn hyn, ond roedd mynd ar wyliau wastod yn ei ypsetio. Eisteddodd Osian yn y dŵr gyda Rhian ar erchwyn y bath.

'Odi popeth yn iawn, Osi?'

'Beth ti'n meddwl?'

'Wel, wyt ti'n poeni am unrhyw beth?'

'Fi'n iawn.' Roedd Osi'n seboni ei draed ac yn osgoi edrych ar ei fam.

'Popeth yn ocê yn yr ysgol?'

'Odi…' Ond doedd Osian ddim yn edrych yn hapus. Sylwodd Rhian fod dagrau'n cronni yn ei lygaid.

'Beth sy'n bod, bach?'

'Dim byd.'

'Osi? Der mla'n, bach. Gweda wrtha i.'

O'r diwedd atebodd Osian. 'O, Mami, mae pobol yn wherthin ar 'y mhen i yn y gwersi chwaraeon. Maen nhw gyd mor stiwpid!' Diferodd dagrau mawr i lawr gruddiau Osian.

'Beth? O, Osi, bach, pam?'

'Achos bo fi'n ffaelu dala pêl. A ffaelu whare rygbi. Na ffwtbol. Na'r gemau stiwpid arall maen nhw gyd yn dwli arnyn nhw. Ond fi'n well na pawb arall yn maths a darllen ond does neb yn cyfri hwnna! Fi 'di darllen bob Harry Potter a *Dark Materials* a fi ond yn wyth!'

Bu bron i galon Rhian dorri'n ddwy. Rhoddodd ei breichiau o gwmpas ysgwyddau ei mab a dweud, 'Fi'n gwybod, bach, ac mae Mr Evans yn dweud bod ti ar dop y dosbarth ac y'n ni mor browd ohonot ti. Pam na gaf i air bach gyda Mr Evans ac esbonio beth sy 'di bod yn mynd ymlaen...'

'Plis, Mami, na, paid, bydd e mor embarasing.'

'Bydd e'n iawn, pwdin, fydd neb yn gwybod bo fi wedi gweud gair. Pwy sy'n wherthin arnat ti?'

'Sai'n gweud.'

'Osh, shwd alla i dy helpu os na wedi di?'

'Bydda i'n iawn, Mami, plis paid â gweud unrhyw beth.'

'Ocê, bach,' atebodd Rhian, gan wybod yn iawn y byddai ar y ffôn gyda Mr Evans ar ddiwrnod cynta'r tymor nesa.

Cododd Osian o'r bath a sychu'i hun, gan rwbio'i lygaid. Doedd e ddim ishe i Twm na'i dad i weld ei fod wedi bod yn llefain. Torrodd hyn galon Rhian eto ond gwyddai na fyddai gwneud mwy o ffws yn helpu Osian nawr. Ond, o, *god*, hi oedd ar fai am hyn, ontyfe? Bod Osi mor sensitif. Ei dynwared hi oedd e.

Aeth y ddau nôl i'r stafell lle'r oedd Huw yn darllen stori i Twm ac wedi newid gwely Osian (rhyfedd o fyd). Cwtsiodd Osi lan drws nesa iddyn nhw nes i'r stori ddod i ben. Ac o'r diwedd aeth y bechgyn nôl i gysgu a dechreuodd Huw rochian unwaith yn rhagor.

Llwyddodd Rhian i hepian rhywfaint ond roedd y ddau fach ar ddi-hun eto erbyn hanner awr wedi chwech. A Rhian yn teimlo fel hen gant. Doedd ganddi ddim dewis ond straffaglio lawr gyda nhw i'r gegin i ffeindio brecwast gan fod Huw yn dal i gysgu'n dynn – er iddi ei siglo ac ymbil arno i godi. Syrthio'n ôl i gysgu wnaeth e'n syth, yn mwmian rhywbeth am angen cwsg cyn y *conference call.*

Neidiodd y plant ar y pacedi o rawnfwydydd siwgraidd yng nghegin Elinor – *Choco Crackies* gyda llun mwnci hapus ar flaen y bocs oedd y ffefryn (roedd mwy o siwgr a siocled na grawnfwyd, yn nhyb Rhian). Stwffiodd y ddau fach y cwbwl i'w cegau, yn tasgu sblashys siocledaidd a llaethog ar draws eu crysau T a nhwthe'n delwi o flaen Cyw (diolch i'r nefoedd bod teledu Elinor yn derbyn S4C), y ddau fach wrth eu boddau'n dilyn hanes Jen a Jim, *LotiBorloti* a *Llan-Ar-Goll-En*. Llwyddodd Rhian i gau ei llygaid am funud neu ddwy ar y soffa, y gerddoriaeth a'r sgrechfeydd yn diflannu wrth iddi syrthio i lesmair hyfryd.

'Jyw, ti lan yn gynnar, bach,' meddai Elinor mewn syndod pan ddaeth hi i fewn i'r gegin hanner awr yn ddiweddarach. Roedd Rhian yn llawn embaras, nid yn unig am ei bod yn hepian o flaen y teli drws nesa i'r ddau anghenfil siwgraidd ond am ei bod heb ddelio chwaith gyda dillad gwely gwlyb Twm, oedd mewn pentwr drewllyd ar ganol llawr y gegin. Ond twtian yn wengar wnaeth Elinor.

'Dim problem o gwbwl, Rhian fach. 'Na beth yw gwerth peiriant golchi *state of the art*, ac fe fyddan nhw'n sychu mewn chwinciad yn yr haul 'ma.'

Gwyddai Rhian fod profiadau Elinor fel mam wedi bod yn dra gwahanol i'w rhai blinderus hithe. Roedd Huw yn dair erbyn i Elinor ddechrau ei fagu, pan briododd hi Tudur. Etifeddodd blentyn oedd wedi ei hyfforddi gan nani brofiadol iawn i gysgu drwy'r nos a bwyta pob dim oedd ar ei blât. Ac roedd wedi diosg ei gewynnau hefyd. Hoffai Rhian ei mam yng nghyfraith yn fawr iawn ond weithiau teimlai fod Elinor yn ei beirniadu heb ddeall yn iawn mor anodd oedd magu dau fachgen bach egnïol fel Osi a Twm. Yn anffodus roedd hi yn llygaid ei lle, yn breifat roedd Elinor yn feirniadol ohoni, yn methu deall pam fod cyn lleied o drefn gan Rhian. Roedd hi'n dwli ar y bois, wrth gwrs, ond roedd Twm mor wyllt ac Osian mor sensitif a theimlai Elinor fod y ddau wedi cael eu sbwylio'n rhacs gan fam oedd yn rhy flinedig i'w disgyblu nhw. Wrth gwrs roedd ganddi syniad go dda o'r math o bwysau oedd ar ysgwyddau Rhian yn feunyddiol, yn enwedig o weld bod Huw mor anystyriol ohoni hi a'r plant ers cyrraedd y Girasole. Ac roedd hi wedi sylwi hefyd ar yr iselder ysbryd a'r ofn oedd wedi gafael yn Rhian. Dynes y gwneud oedd Elinor – doedd hi ddim yn un i eistedd o gwympas yn hel meddyliau ac roedd hi'n ysu nawr am gael ymyrryd ym mywyd Rhian. Ond sut?

'Falle gall Huw godi bore fory i ti gael *lie-in* bach, Rhian,' meddai wrth stwffio'r dillad i fewn i'r peiriant golchi.

'Ie, wir,' atebodd Rhian gan feddwl ie, *good luck with that,* Elinor. Doedd yr *all new Huw* ddim yn debygol o wneud hynny, ddim gyda'i *conference calls* a'i *Zooms* gyda blydi Jules.

Awgrymodd Elinor eu bod nhw i gyd yn mynd am dro i'r siop fara ar waelod y rhiw – 'Allwn ni fynd yn y cysgod drwy'r goedwig, mae hi'n dawel yn y bore bach fel hyn, a ddim yn rhy dwym eto chwaith'.

Blydi hel, ishe mynd nôl i'r gwely sy arna i, ddim mynd ar ryw *hike* lawr y mynydd, meddyliodd Rhian. Ond er mawr syndod iddi roedd Elinor yn iawn. Lle swynol tu hwnt oedd y goedwig a hithe mor gynnar yn y bore. Rhedodd y ddau grwt yn hapus ar hyd y llwybr caregog, yn llawn o'r egni rhyfeddol 'na sy'n byrlymu mewn plant mor ifanc. Ffeindiodd Osian gwilsyn porciwpein ar y llwybr ac esboniodd Elinor fod nifer ohonyn nhw'n byw yn y goedwig a bod lot fawr o dyrchod gwyllt yno hefyd oedd yn hoffi twrio am y mes a'r cnau ffawydd oedd o'u cwmpas ym mhobman. Roedd hi'n dawel braf o dan ganopi'r coed, er fod yna ambell dderyn yn dal i ganu roedd yr amser nythu wedi peidio ac yn aml dim ond sŵn traed y cerddwyr ac ebychiadau hapus y plant oedd i'w clywed. Gwelsant ambell gwningen yn y pellter, eu cynffonnau gwyn yn fflachio o dan gysgod gwyrdd y coed.

Ac roedd y siop fach yn fendigedig – yn llawn aroglau sawrus bara newydd ei bobi. Torthau gwyn ac iddynt grwstyn trwchus melynfrown, pitsas bach caws a thomato a thartenni jam cwrens duon neu farmalêd oedd ar gael yno y bore hwnnw ac roedd y bois yn mofyn tamed o bopeth. Eisteddodd y ddau fel angylion bach yn stwffio'r pitsas tra bod Elinor yn sgwrsio gyda Maddalena, perchennog y siop, yn archebu danteithion i frecwast yr oedolion a thorth o fara ddoe er mwyn iddi gael gwneud salad Panzanella i ginio. Gwyliodd Rhian gyda chryn bleser ar fynd a dod y menywod a'u basgedi siopa. Yn nôl bara newydd ei bobi cyn mynd ymlaen i'r siopau bach eraill i weld beth oedd yn dda heddiw ac yn werth ei brynu. Yn eu dwylo nhw roedd bob pryd bwyd yn rhywbeth i'w ddathlu a'r cynhwysion bob amser yn ffres ac yn ffein.

Sylwodd taw dim ond gwragedd oedd i'w gweld yn siopa. Yn y caffi bach drws nesa eisteddai sawl dyn yn sipian *espresso* – ond symudodd yr un ohonyn nhw i helpu eu gwragedd. Dyn yw dyn ar bump cyfandir, myn uffach i, meddyliodd Rhian, gan feddwl am eiriau Meic yn y bwyty. A dw inne'n chware'n rhan wrth fagu dau dywysog bach arall fan hyn. Edrychodd ar Osian a Twm, ar goll o dan haenen drwchus o saws tomato, yn begian nawr am ddarn o darten jam. A fi'n whare gwas bach fel arfer. Cyflwynodd Maddalena ddau ddarn mawr o darten i'r bois, fel tase hi'n cynnig offrwm. A chyn bo hir, fe orchuddiwyd y stecs coch ar eu hwynebau gan staen porffor y jam cwrens duon.

Ac eto roedd y gwragedd mor fodlon eu byd. Teimlai hithau mor anniddig, yn methu setlo i ddim, yn gwch heb angor yn cael ei daflu o un ewyn hallt i'r llall. Yn hwylio o greisis i greisis. Mor wahanol i'r menywod siriol o'i chwmpas. Ac roedd Elinor yn debyg iddyn nhw, dim rhyfedd ei bod yn hapus yn eu cwmni.

Roedd Rhian yn dwli ar ei meibion ond roedd hi wedi colli nabod arni hi ei hun ers i'w byd ddechrau troi o'u cwmpas. Ac roedd hi'n poeni y byddai hi'n edrych yn y drych un diwrnod a gweld bod 'na neb yno yn edrych yn ôl arni.

Yn y caffi drws nesa eisteddai Gio yn sipian *espresso*, yn hanner gwrando ar y sgwrsio rhwng Massimo ac Alfredo, dau hen gyfaill oedd yn byw ar ffermydd cyfagos ond yn ymweld â'r caffi bach yn ddyddiol i yfed *espresso* a rhoi'r byd yn ei le.

'Gredi di byth, Gio, mae'r diawl wedi cael caniatâd i adeiladu bythynnod gwyliau nawr.' Alfredo oedd yn siarad.

'Do, wir, ar y llecyn gwyrdd na ar bwys yr hen ffynnon,' ategodd Massimo.

'Pwy?' Roedd Gio'n glustie i gyd nawr.

'Giuseppe. Smo ti 'di bod yn gwrando, Gio?'

'Sori. Pa dir wedest di?'

'Y llecyn gwyrdd 'na, nesa at y ffynnon a'r cae tybaco isa.'

'Beth, hwnna sy gyferbyn â fi?' Roedd Gio'n gegrwth. 'Blydi diawl. Fydd e mas o'i olwg e ond fe fyddai i'n gorfod edrych arnyn nhw drwy'r amser. Shwd gas e ganiatâd? A pham na geson ni glywed am hyn?'

'Cil-dwrn yn y man iawn, gwboi.' Cododd Alfredo ei ysgwyddau a'i aeliau mewn ystum o ffug syndod.

'Beth gododd arno fe? O'n i'n meddwl bod e'n un ohonon ni? Yn teimlo 'run peth am yr holl ddieithried 'ma.'

'Ishe ceiniog a dime i ail-wneud y to, glywes i,' atebodd Alfredo, 'pydredd yn y walie hefyd.'

'Well i ti gael gair 'dag e, Gio – falle gall e ffindo lle arall i godi nhw, ma digon o dir 'da'r diawl.'

'Rhy hwyr, Massimo,' pwysodd Alfredo nôl yn ei gadair, 'popeth wedi setlo, yn ôl y sôn.'

Cododd Gio heb ddweud gair a throi am yr *Ape* bach oedd wedi ei barcio tu fas y caffi. Ystyriodd Alfredo a Massimo eu cyfaill wrth iddo yrru i ffwrdd. Roedd y car bach glas mor isel ac agos at y ddaear gallai yrru'r bryniau serth cyfagos heb y mymryn lleiaf o drafferth a gwyddent y byddai Gio'n cyrraedd tir Guiseppe cyn pen dim.

'Dyw e ddim yn hapus.'

'Nagyw, gwlei.'

'Ond wedyn dyw Gio byth yn hapus, odi e? Byw gormod yn y gorffennol.'

'Odi, sbo.'

'Ma hwnna'n llecyn pert, cofia.'

'Odi, pert iawn.'

Aeth y ddau mlaen i sipian eu coffi gan wylio'r teledu di-sain ar wal y caffi bach.

Wrth gerdded yn ôl o'r popty, sylwodd Elinor ar dawelwch ei merch yng nghyfraith. Ond sut allai hi ofyn oedd 'popeth yn iawn' heb ei phechu? Ystyriodd Elinor hyn yn ddwys ond am unwaith methodd ffeindio'r geiriau ac fe gerddodd y ddwy yn ôl drwy'r goedwig heb dorri gair.

Nôl yn y fila a hithe wedi twymo nawr, treuliodd y bois y

diwrnod yn neidio i fewn ac allan o'r pwll. A hithe mor ferwedig roedd hi wedi gwisgo'r ddau mewn siwtiau haul lycra a hetiau oedd yn gwneud i Rhian feddwl am filwyr y Foreign Legion (cofiai iddi weld fersiwn ddoniol ohonyn nhw mewn hen ffilm *Carry On* rhywdro), ac roedd eli haul yn drwch ar y darnau o groen oedd yn dal i fod yn y golwg, gan fod eu crwyn hwythau mor wyn ag un eu mam. Roedd Rhian yn fwy paranoid nag erioed ers iddi gael pregeth am bŵer yr haul gan Elinor ('mae'n dwym iawn yma eleni, Rhian, byddwch yn wyliadwrus') ac felly roedd hi wedi cymeryd pob gofal posib. Er fod Huw wedi siglo'i ben a dweud 'bach o *overkill*, so ti'n meddwl, Rhian?'

Allai hi ddim ymlacio tra eu bod nhw yn y pwll, ond nid yn unig oherwydd y perygl o foddi neu losgi, neu bod un ohonyn nhw ishe gwneud pi-pi. Gwaeth na hynny fyddai iddyn nhw sblasio Awen eto (roedd hi wedi gwneud môr a mynydd o'r peth ddoe, yn ôl Huw) wrth iddi orwedd (mewn bicini drud yr olwg) ar ymyl y pwll. Drws nesa iddi eisteddai Huw, mewn tryncs nofio newydd i Rhian (o le ddaeth rheina?) yn falch o'r cyfle i ddangos ei *six-pack* newydd. Ac roedd yntau hefyd yn edrych i fyny yn frou o'i ddogfennau cyfreithiol pan fyddai ei feibion ar eu mwyaf croch.

Ar ochr arall y pwll yn cuddio o dan ambarél eisteddai Llinos yn esgus darllen un o *Vogues* Awen. Yn meddwl am ei dyfodol:

'Wi'n mynd i roi llun ar Insta. Y pwll yn y cefndir a'r oren ar ewinedd fy nhraed yn edrych yn ffab. Ddim yn dangos fy mola *though*. Ddim eto eniwê.

Mynd i warchod Osi a Twm heno. Bydd e'n *cool* i edrych ar ôl nhw. Fel *experiment sort of thing*? Rhywbeth i wneud, eniwê. God mae pawb mor blydi hen rownd y pwll 'ma! Rhian yn ocê,

I suppose, ond mae hi'n edrych yn fel *stressed*. Ishe *makeover* arni hi, *for sure*. O leia mae hi'n siarad gyda fi yn normal. Fel *adult*.

Ei gŵr hi'n dwat, *though*. Fflyrtio gyda Mam. Pam mae hi wastod yn gwneud hyn? Ddim yn deall pam nad yw Dad yn gwneud mwy o ffys. Jyst yn gadael iddi fod mor *embarassing*!

Eniwê, fi'n mynd i drio cael tan. Bola brown yn edrych yn *amazing*. Mae popeth yn edrych yn well gyda tan.' #hotrays #sick toes #deepbluepool

Mwynhau'r haul oedd Tecs hefyd. Roedd hi'n fendigedig yma. Ymestynnodd yn hapus ar ei wely haul. Ond wrth feddwl, gwell iddo beidio treulio gormod o amser yn torheulo. Fe fyddai problem *continuity* nôl ar set *Cougar Man* – roedd cwpwl o ddiwrnodau o waith ganddo yn syth ar ôl y gwyliau. Arweiniodd hyn at feddwl am y peth arall oedd yn ei ddisgwyl ar ôl y gwyliau. Ond na. Ddim nawr, ddim heddiw. Agorodd yr ambarél uwchben y gwely. Cyfle i ddarllen yn y cysgod a sipian y lemonêd cartre oedd wastod ar gael yn yr oergell. Setlodd ar y gwely ac agor ei lyfr.

Yn eu cadeiriau esmwyth allai Elinor a Tudur ddim peidio â sylwi taw Rhian oedd unwaith yn rhagor yn edrych ar ôl y bois tra fod Huw yn pledio gwaith papur neu alwadau ffôn pwysig. Er ei fod wedi ffeindio'r amser y bore hwnnw i hela clecs wrth y bwrdd becwast gydag Awen, Dylan a Meic. A bod dim sôn am y gwaith nes i Rhian a'r plant ddychwelyd o'r siop fara.

Diolch byth am y pwll 'ma, meddyliodd Rhian oedd yn mwynhau teimlo'n hollol oer am unwaith. Gadawodd i'r dŵr crisial ei hanwesu. Ond, diawl, wi'n edrych fel drychiolaeth yn y siwt 'ma. Mae ishe i fi brynu un newydd falle. Ie, a chwpwl o ffrogie ysgafn hefyd. Mae lot yn dwymach nag o'n i'n dishgwl, ma ishe pethe mwy cŵl arna i. Falle ofynna i i Elinor os allwn ni fynd i siopa heb i Mam gael gwybod. Ma Elinor mor steilish, dwi'n siŵr fydd hi'n gallu helpu. Alla i ddim siopa gyda Mam, mae hi'n rhy feirniadol.

Roedd hi wedi bod wrthi yn barod - yn ôl Meriel, doedd siwt nofio ddu, swmpus Rhian ddim yn 'gwneud cymwynas â hi'. Ie, fe fyddai'n rhaid iddi sleifio allan rywsut heb i'w mam glywed y gair 'siopa'.

Yn ei gadair wrth y pwll roedd Tudur yn myfyrio eto am y newid sydyn yng nghymeriad ei fab a'i bellter wrth ei wraig a'i blant. A nawr, y syndod ei fod yn hapus iawn i wrando ar straeon cyfryngol (a diddiwedd) ei dad yng nghyfraith. Ymddengys fod gan Huw wir ddiddordeb yn yr hyn a ddywedodd Shân Cothi wrth Stifyn Parri neu am yr amser a dreuliodd Dylan gyda Shirley Bassey mewn spa yn Barbados. Ac wrth y bwrdd brecwast y bore hwnnw bu'r ddau yn hel atgofion am y cyfnod pan glymodd Dylan ei hunan i hen goeden er mwyn achub rhandir yng Nghwm Tawe. Ar y pryd roedd Huw yn ddigon dirmygus, cofiodd Tudur. Yn hapus i ymladd y tyrbeins oedd yn bygwth llyncu'r tir ond yn galw enwau fel 'Swampy Cymru' neu 'Mr Needy' ar Dylan. Ond bore 'ma roedd ei agwedd yn dra gwahanol – atgofion melys am ymweliad Iolo Williams â'r ymgyrch, ymddangosiadau Huw ar y cyfryngau a'r rali fawr yn yr hen gaer ar ben y bryn lle bu Huw yn taranu o flaen cynulleidfa fonllefus yn ei grys T Greenpeace.

Poenai Tudur hefyd am y ffordd yr oedd Huw yn neidio i helpu Awen gyda thasgiau bach o gwmpas y pwll (nôl diodydd oer, clustogau ac eli haul) ond yn malio dim am Rhian a'i gwaith diflino yn edrych ar ôl y bechgyn.

Ar ochr arall y pwll, roedd Huw wedi achub ar y cyfle i ddeifio i mewn i'r dŵr er mwyn gwneud 'cwpwl o laps'. Roedd yn hapus iawn i ddangos ei hun yn ei siwt nofio newydd – yn falch iawn o'i gorff nawr ei fod wedi colli dwy stôn. Cafodd ei ysbrydoli gan raglenni'r Hairy Bikers a'u hagweddau *macho* at golli pwysau. Seiclo drwy'r mynyddoedd, coginio fersiynau calori isel o fwyd 'gwrywaidd' (cyrris, *lasagna* ac yn y blaen) a dangos ei hun mewn dillad beicio tynn. Roedd Huw wedi troi yn *alpha male* dros nos. Ac roedd y mantra o fwyta llai a symud mwy wedi gweithio i'r dim. Methai Huw ddeall pam nad oedd e wedi llwyddo i ysbrydoli ei wraig i ymuno yn yr ymdrech, heb ystyried am eiliad taw ei pharodrwydd hi i edrych ar ôl y bois oedd yn gyfrifol am yr amser hamdden oedd yn caniatáu iddo ganolbwyntio ar ei gorff.

Safodd wrth yr ysgol fach oedd yn ymestyn allan o'r pwll ac edrych ar Rhian. Pam oedd hi'n babanu'r 'bois' wrth ffysan gyment? Ma'r cryts yn iawn, meddyliodd. Ac ar ôl yr holl arian 'na wi 'di hala ar wersi nofio drud fe allan nhw nofio'r blydi sianel os o's rhaid. Pam ma hi'n mynnu trin nhw fel hyn?

Deifiodd Huw nôl mewn i'r pwll gan obeithio bod Awen yn ei wylio ac wedi sylwi ar ei gefn syth a'r ffordd yr oedd ei gorff yn trywanu trwy'r dŵr. Roedd e'n mwynhau cwmni menywod pert ac ers iddo golli pwysau a gwella'i wardrob roedden nhwthe'n talu mwy o sylw iddo ef hefyd. 'A beth sy'n bod ar joio bach o gwmni newydd ar wylie?' gofynnodd iddo'i hunan, wrth saethu trwy'r dŵr. 'Fi yma i fwynhau wedi'r cyfan.'

Cododd allan o'r pwll a galw ar ei feibion. Roedd hi'n amser bod yn *superdad*. 'Osi, Twm!' gwaeddodd, gan sefyll yn y pwll yn dangos ei frest a'i freichiau cyhyrog. 'Pwy sy am whare?'

Daeth Twm draw yn syth, yn nofio fel pysgodyn o dan y dŵr cyn neidio fel morlo bach hapus lan i ddal y bêl fawr a daflwyd gan ei dad. Daeth Osian hefyd ar ei ôl yn arafach ac yn fwy pwyllog. Gwd god, meddyliodd Huw, o'dd y crwt fel hen fenyw weithie. 'I ti, Osi,' gwaeddodd, a thaflodd y belen fawr blastig i gyfeiriad ei fab hyna. Ond er ei bod yn bêl go fawr, methu ei dal wnaeth Osian. Nofiodd Twm draw yn syth a'i thaflu yn ôl gan weiddi 'Piggy in the middle, Dadi! Hahaha Osi, ti yw'r mochyn!' Roedd Twm ar ben ei ddigon ond gwelodd Rhian fod Osian yn teimlo'r beth i'r byw.

Gwaeddodd Huw, 'Dere mla'n, Osian, ti ddim yn trio!'

'Odw, Dadi, fi jyst ddim yn dda am ddala pêl.'

'Paid â siarad dwli, jyst tria!'

Ond methu wnaeth Osian eto.

Roedd yn rhaid i Rhian ymyrryd, druan o Osian. Neidiodd i'r pwll gan weiddi, 'Fi yw'r mochyn yn y canol. Dere mla'n, Huw, gad i fi drio dal hi.'

Tytiodd Huw wrth weld Rhian yn maldodi Osian. Roedd yn rhaid i'r crwt ddysgu rhywbryd bod bywyd yn galed ac yn gystadleuol. O leiaf o'dd Twm yn deall. Dechreuodd Osian beswch, roedd e wedi cael llond cegaid o ddŵr wrth neidio a cholli'r bêl unwaith yn rhagor. Torrodd calon Rhian eto wrth wylio'i mab.

Meic achubodd y dydd gan ofyn a gâi ef fod yn fochyn hefyd (roedd ganddo atgof o'i dad yntau yn bihafio fel hyn), ac esgusodd ei fod wedi cwympo'n ddamweiniol i'r dŵr gan beri i Twm ac Osian chwerthin yn uchel.

'Ha, ti'n stiwpid, Meic.' Dechreuodd Twm daflu'r bêl at ei dad gan chwerthin eto ar ben y moch yn y canol oedd yn methu ei dal. Diolchodd Rhian i Meic gyda gwên swil. Roedd Osian wedi ymuno â nhw nawr ac yn gwenu'n hapus hefyd.

Ond ar ochr arall y pwll roedd ei dad yn tampan a daeth y gêm i ben yn gyflym wedi hynny.

Aeth Huw yn ôl i'w wely haul a dechreuodd Rhian feddwl am ffordd o ddod allan o'r pwll heb ddangos gormod o gnawd. Roedd hi wedi gosod un o dywelion hyfryd Elinor wrth ymyl y pwll yn barod, er mwyn iddi allu lapio'i hun ynddo yr eiliad y deuai hi allan o'r dŵr. Edrychodd o'i chwmpas yn wyliadwrus. Roedd pawb o gwmpas y pwll un ai'n cysgu neu â'u trwynau'n dynn yn eu llyfrau. Ffiw! Penderfynodd fachu ar y cyfle i wneud *exit* bach sydyn. Mewn un symudiad chwim, gafaelodd yn y tywel tra'i bod hi'n dal i fod ar ysgol fach y pwll a chuddio'i bola a'i chluniau'n llwyr. *Result! Go*, Rhian!

Roedd brys arni heno hefyd gan fod Llinos wedi cynnig gwarchod Osian a Twm er mwyn iddi gael noson allan yn Citta – roedd Elinor wedi bwcio bwrdd i swper ('tŷ bwyta bach hyfryd, Rhian, jyst oddi ar y *corso*, ac mae'r *Lasagna* yn anhygoel!'). Aeth draw at Huw oedd erbyn hyn yn arddangos ei *six pack* drwy lolian ar ei ochr ar gadair esmwyth ger y pwll, a dechre un o'r sgyrsiau crac sibrydlyd hynny rhwng cyplau priod sy'n amhosib eu cuddio wrth wrandawyr cyfagos.

'Huw, er mwyn y nefoedd, ti ddim wedi gwneud dim byd drwy'r dydd i helpu.'

'Wi *literally* newydd fod yn whare 'da'r bois yn y pwll! A wi 'di bod yn gwitho hefyd. Ma'n amser i fi gael brêc nawr.'

'Pryd gaf i frêc, 'te, Huw?'

'O blydi hel, Rhian, jyst rho bum munud bach i fi, wnei di? Rho nhw yn y bath ac fe ddof i lan mewn munud'

'Ocê, ond fi 'di cael mwy na digon, Huw.'

'Wel, ma hynny'n blydi amlwg, on'd yw e, Rhian?'

'Beth ti'n feddwl wrth hynny?'

'O jyst gad hi. Wela i di lan lofft.' A setlodd Huw nôl yn

yr haul a chodi'i lyfr. Er fod Rhian yn wyllt, doedd hi ddim ishe achosi *scene* o flaen pawb. Felly trodd a gwthio'r bechgyn heibio'i gŵr.

Hwyliodd Awen a Meriel i gyntedd y fila am hanner awr wedi chwech – ill dwy mewn ffrogiau sidan a *chiffon* llaes, ewinedd eu traed a'u dwylo wedi eu paentio'n berffaith mewn lliwiau neon llachar. Aroglai'r ddwy yn gryf o bersawr drutaf Chanel a Gucci, cyfuniad oedd fymryn yn ormod i Tecwyn a ffeindiodd ei hun yn eistedd rhyngddynt yng nghefn car bach Elinor, yn enwedig wrth iddyn nhw rowndio corneli'r heolydd gwynion a hwylio dros yr wyneb anwastad. Bu'n rhaid i Tecwyn sadio'i hun (gan ddefnyddio hen dechneg anadlu o'r RADA) er mwyn cyrraedd Citta di Castello heb chwydu'i berfedd drostynt.

Yn y sedd flaen, roedd Rhian druan yn poeni ei bod yn drewi o'r *fish fingers* a thatws wedi ffrio a baratowyd ganddi i fwydo'r bois. Roedd hyn wedi esgor ar embaras mawr arall yn anffodus gan fod Elinor wedi cynnig *Tortellini in brodo* i'r bechgyn ac wedi synnu'n fawr nad oedden nhw eisiau trio'r cawl a'r pasta cartref. 'Mae plant yr Eidal yn byw ar hwn, wyddost di, Rhian, dw i'n siŵr 'se'r bois yn dwli 'sen nhw jyst yn ei drio.' A Rhian yn teimlo'n fwy o fethiant nag erioed wrth i Twm boeri'r pasta mas ar ei blât fel tase rhywun wedi ei wenwyno, gan weiddi 'Ych a fi! Ma hwn yn pants!'

Doedd hi ddim wedi cael cyfle chwaith i smwddo'r top Indiaidd oedd (gobeithiai Rhian) yn mynd i orchuddio'i bola heb fod yn rhy drwm ar noson oedd yn dal i fod yn boeth iawn, yn enwedig lawr ar waelod y dyffryn lle safai Citta di Castello. Yn anffodus, blodeuodd patsys chwys o dan ei cheseiliau o fewn munudau iddi adael y car. Roedd hi'n ferwedig o hyd yn y dre. Roedd Huw (ar ôl trochi'i hun mewn bath persawrus) wedi gwisgo dillad mwy addas, *chinos* gwyn a chrys llaes gwyn heb goler, mewn cotwm ysgafn. Doedd e, fel y Tywysog Andrew ar y noson anfarwol honno yn Pizza Express Woking, ddim yn chwysu heno. Yn enwedig gan iddo gael teithio lawr i'r dref mewn steil yn Merc Tudur.

Wedi parcio ger y Duomo, cerddodd y criw ar hyd y *corso* at Bar Latino i yfed Aperol a Campari. Lle hyfryd oedd hwn, gydag adeiladau gosgeiddig a hynafol yn cwmpasu'r prif sgwâr urddasol. Yn ôl yr arfer yn nhrefi bychan yr Eidal, melyn oedd lliw y *stucco* ar y rhan fwyaf o'r adeiladau oedd yn disgleirio nawr yng ngolau euraidd diwedd y prynhawn. Yn wir roedd angen sbectol haul i ddiogelu'r llygaid a hithau mor llachar yno, wrth i'r haul fachlud, rhywbeth oedd yn hollol naturiol, wrth gwrs, i'r Eidalwyr hardd o'u cwmpas.

Peth braf oedd eu gwylio yn arfer eu *passeggiata*. Sylwodd Rhian fod pob un ohonyn nhw'n drwsiadus ac yn llawn steil. Y merched tenau llygatddu a'u gwallt hir brown yn sgleinio, pob un mewn dillad smart a chwaethus. Beth ddigwyddodd i'r ystrydeb yna am fenywod Eidalaidd yn tewhau wrth heneiddio? synfyfyriodd Rhian. Doedd dim sôn am hynny yma – roedd pob dynes dros ei hanner cant mewn sgertiau tynn a blowsus smart – a dweud y gwir roedd hi'n anodd ffeindio unrhyw un dros ei bwysau yn unman yn yr Eidal. Gofynnodd i Elinor a oedd hithau wedi sylwi ar hyn.

'Meddwl taw'r traddodiad *slow food* sy'n gyfrifol,' atebodd Elinor. 'Pawb yn coginio *from scratch* – oes, mae 'na basta a sawsiau parod yn yr archfarchnadoedd ond mae'r traddodiad bwyta'n dda yn llawer cryfach yma. Tylino wy a blawd ar fwrdd y gegin i wneud y pasta a choginio'r saws yn hytrach na'i brynu. Mae'r traddodiad bwyd gwerinol, y *cucina povera* yn rhan annatod o fywyd y bobol yma – dim llawer o gig a gwneud y gorau o'r hyn sy'n dymhorol ac yn dda. Ma pobol yn bwyta lot o lysiau yn yr Eidal ac yn eu tyfu nhw hefyd os allan nhw – mae hyd yn oed y fflatiau mwyaf cyffredin yn cynnwys *orto* – gardd fach i dyfu *pomodoro, basilico, melanzane* a *zucchini.*

'Mae plwyfoldeb yr Eidal yn helpu hefyd – pawb yn ymfalchïo yn eu ryseitiau lleol, mae hyd yn oed siâp y pasta yn newid o ardal i ardal. Dyw pobol ddim yn gori o flaen y teli yma chwaith. Yn enwedig yn yr haf pan fo teuluoedd cyfan yn eistedd yn yr ardd neu ar y stryd gyda'r nos yn cymdeithasu. Yn ystod y cyfnod Covid dw i'n meddwl taw'r syniad o ynysu oedd y peth mwyaf anodd iddyn nhw ymdopi ag e – maen nhw'n bobol mor gymdeithasol – roedd bod ar wahân yn gwbwl anaturiol.'

Meddyliodd Rhian eto wrth wrando ar Elinor yn moliannu'r dull Eidalaidd o fyw, am y gwragedd siriol yn y siop fara. A theimlo'n waeth nag erioed am ei methiannau hi fel mam a gwraig. Yn coginio rwtsh wedi ei broseu i'w bechgyn, yn ffaelu dwyn perswâd arnyn nhw i fwyta llysiau a hithau hefyd yn stwffio bwyd afiach nad oedd yn lleol nac yn dymhorol. Syllodd i fewn i'w gwydred Aperol a gadael i'w gwallt syrthio fel llen dros ei gruddiau er mwyn cuddio'r dagrau oedd yn dechrau cronni unwaith yn rhagor.

Aeth Elinor yn ei blaen. 'Mae'r gwragedd gan amla wedi etifeddu ryseitiau wrth eu mamau a'u *nonna* – mam-gu, ryseitiau sy'n ddarbodus ac yn gwneud y gorau o'r hyn sy'n rhwydd i gael gafael arno. Y gyfrinach fawr, wrth gwrs, yw ansawdd y deunydd crai – y cig da wedi ei fagu yn y caeau o gwmpas y pentre, y llysiau yn syth o'r *orto* a'r cigoedd parod, wedi eu paratoi'n lleol, heb weld tu fewn i ffatri neu awyren.'

Blydi hel, ma ishe drinc arall arna i, meddyliodd Awen wrth wrando ar Elinor yn pregethu, a sdim mymryn o ots 'da fi os odi e'n lleol na'n dymhorol. Cododd ei llaw at y ferch oedd yn gweini, ond cyn iddi gael cyfle i ordro daeth Huw i'r adwy a gofyn am *'Aperol per due, per favore?'* gan wenu arni'n llachar. Gwenodd Awen yn ôl, roedd hi'n hoffi dyn awdurdodol. Ac roedd Meic yn rhy brysur yn cyfnewid straeon cyfryngol gyda Dylan a Meriel i sylwi ar yr egni sydyn rhwng y ddau ohonynt.

'Matthew Rhys? Bachgen hyfryd, a llais arbennig wrth gwrs, fi'n cofio pan o'n i'n recordio spesial Dydd Gŵyl Dewi yn yr Eglwys Gadeiriol.' Roedd Dylan yn dwli ar ollwng enwau yn ei straeon. 'Do, wedi bod allan i'w weld e a Keri yn Efrog Newydd sawl gwaith...'

Trodd Tecwyn i ffwrdd wrth Dylan a'i straeon selebaidd a chael cip sydyn ar wyneb Rhian wrth wneud. Penderfynodd wneud ymdrech i godi ei chalon, roedd yntau wedi sylwi ar ymddygiad Huw o gwmpas y pwll yn y fila.

'Rhian, dw i'n deall wrth Elinor dy fod yn dipyn o ddarllenwraig? Beth wyt ti'n meddwl am y busnes agerstalwm 'ma?'

Rhwbiodd Rhian ei llygaid yn gyflym ac esgusodd Tecwyn nad oedd wedi sylwi ar y dagrau a'r trwyn coch. Aeth ymlaen. 'O'n i'n DWLI ar *Babel*, ma ishe gwneud ffilm o'r stori, weden i? Ond ys gwn i os taw ffurf wrywaidd iawn o lenyddiaeth yw'r stwff newydd 'ma?'

'Ym, wel...' dechreuodd Rhian yn araf, 'fe allech chi ddadle bod Manon Steffan Ros yr run mor arloesol gyda *Llyfr Glas Nebo.*'

Gwenodd Elinor wrth weld caredigrwydd Tecs. Ond caledodd ei chalon tuag at ei llysfab oedd yn sylwi dim ar ei wraig. Edrychodd ar Tudur. Doedd e ddim yn edrych yn hapus chwaith.

Nôl yn y fila, a'r ddau fach yn eu gwlâu, safai Llinos yn ei hystafell yn edrych ar ei bola yn y drych. Oedd 'na fymryn o chwydd?

Alla i dynnu un o'r llunie porcyn grêt 'na gyda 'mola babi mawr i. *No clothes*, jyst fi a'r *bump*. Rhoi fe ar Insta. Ethe Mam yn balistic! #noclothesjustbaby #porcynaphrowd #futureme #livingmybestlife

O'dd e'n gwd siarad 'da Mabli. Wediff hi ddim wrth neb. *God, might keep it after all.* Mabli'n meddwl byse fe'n cŵl. Ha! Licsen i weld wyneb Mam. Yr holl *investment* yn y delyn a blydi soddgrwth. *God*, yr Urdd a'r Gerddorfa Genedlaethol. Côr Heol y blydi March! Y tripiau sgio 'da'r ysgol a *three weeks as a chalet girl.* Fydde hi fel, 'Llinos! Dy ddyfodol disglair wedi ei ddinistrio!'

Unmarried mother! Dim Durham Uni. Fi yn, fel, *chillax* ar y soffa gyda'r *bump* a gormod o gywilydd ar Mam a Dad i wahodd unrhyw un i'r tŷ. A fi ddim hyd yn oed yn siŵr pwy yw'r tad!! Classic Llinos! Nhw, fel, *so disappointed* a stwff!

Lyfli darllen stori i'r bois heno, *though*, cwtsio lan ata i yn eu *dinosaur pyjamas*. Mynd i'r gwely fel angylion bach. #coolmama #socute #hopesanddreams

Ar ôl swper hyfryd fe arweiniodd Elinor y criw i far mewn gardd fach guddiedig wrth ymyl y *corso*. Wedi i'r perchennog, Signor Matteo, wneud y ddawns arferol o fawl iddi ('*Signora, bella bella, e tutti amici Gallese! Benvenuto!*'), fe'u harweiniwyd at fwrdd hir i eistedd a mwynhau *grappa* cartre y Signor.

Roedd yr awyr yn felfedaidd. Doedd hi ddim wedi bod yn

noson ry ddrwg wedi'r cyfan ystyriodd Rhian. Ocê, o'dd golwg y diawl arni o gymharu â phawb arall ond roedd y sgwrsio dros y pryd (fe fuodd hi'n ddigon lwcus i gael eistedd rhwng Tecwyn ac Elinor) yn ddiddorol, a'r bwyd yn flasus. Roedd Elinor wedi ordro gwledd i'r bwrdd – y pasta bondigrybwyll i ddechrau – *Lasagna Ricotta e Spinaci* (caws a spigoglys), ac yna *Verdure Grigliate* (llysiau wedi eu coginio dros y tân) a *Costolette di Agnello e Patate al Forno con Rosmarino* (cig oen gogoneddus a thato wedi eu coginio yn y ffwrn gyda garlleg a rhosmari). Cytunodd pawb fod y bwyd yn nefolaidd.

Ond doedd lwc Rhian byth yn para'n hir, roedd yn rhaid i rywbeth darfu ar ei noson. Clywodd lais Huw yn bloeddio o ben draw'r ardd, 'Dere mla'n, Awen, beth am "Islands in the Stream"?'

Roedd Huw ac Awen wedi gafael mewn meicroffôn yr un ac yn chwilio am gân addas ar gyfer y peiriant karaoke.

Suddodd calon Rhian i'w pherfedd.

Elin blydi Fflur a Bryn blydi Fôn, myn uffach i, meddyliodd yn sur. O's 'na rywbeth mwy troëdig na dyn canol o'd yn gwneud ffŵl o'i hunan fel hyn? Nid jyst y karaoke, ond yr holl fflyrtio. Odi e'n meddwl nag ydw i'n gweld?

Edrychodd Rhian draw i weld sut oedd Meic yn ymateb ond doedd hwnnw'n sylwi dim ar antics dwl ei wraig. Edrychai'n hollol hapus yn gwrando ar Dylan yn adrodd rhyw stori ddoniol wrth iddo byffio ar sigâr fawr.

S'da fi mo'r egni i deimlo'n grac, mwydrodd Rhian, wrth fyseddu'r gwydred bach o Limoncello o'i blaen. Smo pethe wedi bod yn iawn ers miso'dd. A do'dd dim lot o dân gwyllt yn y gwely hyd yn o'd cyn dyfodiad y bois, o'dd e? Man y man i fi gyfadde bod yn well 'da fi baned o de a bisged na cael yr *all new Huw* yn whysu drosta i, eniwe. Fe a'i blydi *male grooming kit.* A'r tipyn peiriant rhwyfo 'na fi'n tripo drosto fe drwy'r amser. A'r casgliad *ridiculous* 'na o gryse ffwtbol Cymru. Ha! Heb sôn am y *serums* a'r *exfoliators* a'r *moisturisers*. Sy'n llanw'r bathrwm. Dduw mawr – newydd sylweddoli rhywbeth – ma fe wedi troi mewn i Dad! Fydd hi'n *yogilates* ar ben bob stori nesa.

'Shgwlwch arno fe'n edrych arni, ei dafod e'n hongian mas. Ond wedyn (llyncodd Rhian mwy o Limoncello), ma hi'n werth edrych arni, on'd yw hi? A smo'i bola hi'n edrych fel menyn wedi toddi. *God*, sai'n credu bod bola gyda hi wrth feddwl. Sdim lot o gnawd arni ddi o gwbwl, o's e? O leia mae hi'n canu mas o diwn.' Gwingodd Rhian wrth glywed harmoni trychinebus Elin a Bryn cyn llowcio gweddill y ddiod.

Dechreuodd feddwl am ymddygiad ei gŵr yn ddiweddar – y sgyrsiau beunyddiol gyda blydi Jules am un peth. A phan awgrymodd hi wrth Huw fod e'n talu mwy o sylw i Jules na'i deulu, wel… os do fe, 'te! Gas hi lond ceg o esgusodion, 'ti'n dychmygu pethe, Rhian' a 'paid â siarad dwli, ti'n hollol paranoid'.

Oedd hi, Huw? Oedd hi wir?

Yn y fila roedd Osian a Twm wedi deffro ac wedi ymuno â Llinos ar y soffa i wylio'r teledu. Rhyw sioe gerddorol, bach yn boring ond roedd y bois yn ocê ac roedd hi wedi tynnu *selfie* o'r tri ohonynt a'i roi ar Insta #hanginwivmaboyz

Loads o *likes* yn barod. Pawb yn meddwl bo nhw mor ciwt, meddyliodd yn hapus. Roedd y syniad o fod yn fam yn apelio fwyfwy iddi nawr ac roedd hi wedi joio'r amser ar y soffa. Ond o weld goleuadau ceir yr oedolion yn agosáu wrth iddyn nhw ddringo'r heol wen tuag at y fila gwyddai hefyd y byddai'n well cael y bois nôl i'r gwely whap.

Yn hwyrach y noson honno deffrodd Tecs yn sydyn. Roedd storom anferth wedi codi. Aeth i sefyll wrth y ffenestri agored a gwylio'r sioe, y fflachio fforchiog yn byseddu'r cymylau trwchus uwchben un funud a blanced o olau gwyn llachar yn goleuo'r dyffryn islaw y funud nesa. Gwthiodd ei freichau allan i'r llif o ddŵr. Safodd yna yn gwylio am rai munudau gan fwynhau'r oerfel anarferol.

Panzanella

330g *ciabatta* ddoe

100ml olew olewydd da

1 winwsyn bach wedi ei dorri'n fân

50ml finegr gwin coch

1kg tomatos ceirios wedi eu torri'n eu hanner

1 ciwcymber wedi ei dorri'n giwbiau

50g brwyniaid (*anchovies*) mewn tun

50g *capers*

100g olewydd du (heb eu cerrig) wedi eu torri'n chwarteri

Halen a phupur

Llond llaw o ddail *basilico*

Cynheswch y ffwrn i 180°C/Nwy 4.

Torrwch y bara'n ddarnau bach a'u gorchuddio gyda llwy fwrdd o'r olew. Pobwch am 10–15 munud – cadwch lygad ar y bara rhag iddo losgi a throwch y darnau bob yn hyn a hyn er mwyn iddynt frownio drostynt.

Cymysgwch weddill yr olew, y winwnsyn a'r finegr a'i dywallt dros y tomatos a'r ciwcymber. Ychwanegwch y bara wedi tostio a gweddill y cynhwysion a'u cymysgu. Torrwch y *basilico* yn ddarnau a'u gosod ar ben y salad i'w weini. *Cucina povera*.

4

YBORE NESAF roedd y tymheredd wedi gostwng ar ôl y storom a theimlai'r awyr dipyn yn fwy ffres. Safai Rhian yn llonydd ar y teras, gan fwynhau'r tawelwch – roedd y bois yn bwyta brecwast ac am eiliad roedd popeth yn teimlo'n dda. Sawrodd yr olygfa – y coed pinwydd yn arwain ei llygad i lawr heibio'r caeau o flodau'r haul, tuag at waelod y dyffryn niwlog. Efallai y byddai heddiw yn well diwrnod. Roedd hi'n gallu meddwl yn fwy clir heb i'r gwres llethol bwyso arni. Gobeithiai hefyd y byddai Huw yn fwy o help. Ro'dd e'n ddigon o farn ddoe, yn hala orie ar y blydi ffôn 'na. Trodd yn benderfynol at y bwrdd brecwast. Reit. Roedd hi'n mynd i fwyta'n iach heddi. Digon o ffrwythau ac wy wedi berwi. Dim bara na jam na theisen. Carbs – ych a fi! ys dywedai ei mam. Ac roedd hi'n mynd i fynnu wrth ei llipryn o ŵr ei bod hithe'n cael bach o amser i'w hunan – a darllen mwy nag un paragraff o'i blydi llyfr!

'Byddwn yn cwrdd â Professore Il Dottore Marconi wrth yr adfail!' Torrodd llais Elinor ar draws ei myfyrdodau. Doedd Rhian dim wedi sylwi ar ei mam yng nghyfraith yn eistedd yng nghornel bella'r teras yn mwynhau *cornetti* a choffi du.

'Mae'n gwybod popeth sydd i'w wybod am yr Etrusciaid a'r Rhufeiniaid!' aeth Elinor ymlaen yn hapus, gan chwifio llyfr trwchus am Umbria i gyfeiriad Rhian. 'Bydd rhaid i fi atgoffa pawb i wisgo esgidiau cyfforddus. Mae'n gallu bod yn garegog iawn yno. Dyw'r llwybrau ffurfiol ddim wedi eu gosod yn iawn eto.' Diflannodd Elinor i fewn i'r fila ar frys.

Damo, roedd Rhian wedi anghofio am gynllun Elinor i ymweld ag adfail Rhufeinig cyfagos. Triodd heb lwyddo i ffeindio rhyw lawenydd yn ei chalon wrth feddwl am y bore diflas o'i blaen. Y plant yn conan yn y gwres a hithe yn dalp o nerfau yn eu llusgo nhw o gwmpas y cerrig. Diflannodd tangnefedd y bore bach. Estynnodd am y *cornetto* siocled agosa a dechrau stwffio.

Dyn bychan mewn siwt wen drwsiadus a dici bow pinc oedd Professore Il Dottore Marconi ac roedd yn amlwg ei fod ef, fel pob dyn arall yn Citta di Castello, wedi ei swyno gan Elinor. Fe'i harweiniodd yn dyner o gwmpas y trawstiau a'r pileri dymchweledig gan nodi pob manylyn pwysig am yr adfeilion. Ymhlith y llanast yr oedd lloriau o farmor a mosaic rhyfeddol oedd wedi eu datguddio'n ddiweddar gan un o'r tirgryniadau oedd yn dod yn amlach i'r ardal yn ystod y blynyddoedd diwethaf

Tirgryniadau! Ro'n i wedi anghofio amdanyn nhw! Rhywbeth arall erchyll i boeni amdano, meddyliodd Rhian wrth wylio Osian a Twm yn crwydro'r adfeilion. Osian yn myfyrio'n freuddwydiol, yn dychmygu ei hun yn gadfridog Rhufeinig a Twm yn rasio ac yn dringo fel gafr ysgafndroed ar y blociau anferth o gerrig oedd yn gorwedd blith draphlith ar y llawr. Mater o amser oedd hi cyn bod un o'r ddau yn cwympo neu'n crafu pen-glin ar y creigiau garw. Edrychodd Rhian ar ei horiawr – oedd hi'n amser cinio eto? O leiaf roedd y bois yn aros yn llonydd mewn *café* – fe brynai pitsa neu hufen iâ seibiant teidi iddi.

'Drycha, Rhian, dolffiniaid yn y marmor!' Torrodd geiriau brwdfrydig Elinor ar draws ei myfyrdod, 'Mae hwn yn gyfle unigryw i'w gweld, cyn i'r adfail agor yn ffurfiol fis nesa.

Chaiff y bois ddim y cyfle hyn eto, Rhian.' Oedd yna dinc o feirniadaeth yn llais Elinor o weld y bechgyn yn crwydro'n ddihidans o gwmpas yr adfail?

'Y... ie... gwych,' atebodd yn fecanyddol. Ond o edrych roedd y mosaic yn hynod iawn. A'r dolffiniaid yn greaduriaid bach deniadol tu hwnt. Symudodd Rhian draw i gael gwell golwg arnyn nhw, ond cyn iddi gael cyfle i alw ar y bechgyn, daeth bloedd wrth Twm.

"Mami, maaami, mae Osian wedi cwmpo!' A daeth sŵn y llefen mwya dychrynllyd wrth Osian oedd erbyn hyn yn rhuthro tuag ati, ei ben-glin yn goch a'r gwaed yn llifo lawr ei goes. Doedd dim sôn am Huw, wrth gwrs, felly Rhian ffeindiodd y clwtyn a'r eli antiseptig (oedd wastod yn ei bag llaw) a losin i godi calon ei mab. Edrychodd y Professore arni'n ddiamynedd gan fod llefen Osian wedi tarfu ar ei ddarlith.

Lle ma blydi Huw? meddyliodd Rhian, lle ma'r diawl? Sylwodd ar Elinor yn syllu arni a meddyliodd yn syth taw ei beirniadu oedd honno. Ond roedd Elinor hefyd yn gofyn yr un cwestiwn â Rhian. Lle ddiawl oedd Huw? Ac o ran hynny – lle'r oedd Awen?

Gwthiodd Tecwyn ei hun o gwmpas yr adfeilion gan drio dangos diddordeb yng ngeiriau'r Professore. Roedd wedi bod ar ddi-hun ers tri o'r gloch, wedi methu'n llwyr â mynd yn ôl i gysgu wedi'r storom. Yr amser gwaethaf i fod ar ddi-hun, meddyliodd yn ddiflas. Awr yr hunllefau. Pan fyddai hunandosturi, euogrwydd ac ofnau dienw yn teyrnasu. Roedd hi'n anodd ffeindio'r geiriau i ddisgrifio'r teimlad yn y bola neu ym mêr ei esgyrn ar adegau fel hyn, ond fe'i lloriwyd ganddynt beth bynnag. Roeddynt yn ymwelwyr cyfarwydd, yn gymysg oll i gyd gyda hiraeth am ei ieuenctid ac am y cyfleoedd a gollwyd. Ond nawr roedd ganddo gyfle i newid. I roi taw efallai ar yr edifarhau a'r cuddio. Ond a fyddai ganddo'r cryfder i wneud y penderfyniad cywir?

Roedd wedi sefyll am dipyn yn edrych allan drwy'r ffenestr ar y storom. Saethai'r mellt yn gyson, ac roedd sŵn y taranau byddarol yn seinio o gwmpas y dyffryn islaw. Symudodd o'r diwedd a gadael i ddŵr oer y gawod ei drochi a'i gysuro. Sychodd ei hun a gwisgo dillad nos glân gan adael y ffenestri led y pen ar agor. Aeth i lawr i chwilio paned o de camomeil. Gwyddai y byddai'n sicr o fod ar gael yng nghegin Elinor.

Er mawr syndod iddo doedd y gegin ddim yn dywyll nac yn wag gan fod Huw yn eistedd yno, ei ddwylo'n cofleidio gwydred go fawr o frandi. Cyn i Tecwyn gyrraedd bu Huw yn pwyso a mesur ei lwyddiannau dros y flwyddyn ddiwethaf. Y colli dwy stôn, yr achosion llys llwyddiannus. A nawr y datblygiadau hyfryd diweddar.

Yr unig gwmwl ar yr wybren oedd Rhian, siglodd Huw ei ben yn anghrediniol. Sori, ond beth ddiawl OEDD hi'n ei wneud bob dydd? Yn amal o'dd Rhian jyst yn eistedd yn 'i dagre pan fyddai e'n cyrraedd adre. Wi wedi trio deall, meddyliodd Huw, ond diawch mae'n anodd withe. Do'dd dim tamed o uchelgais ar ôl ynddi, 'na beth o'dd y broblem. Cymerodd Huw lymed arall o frandi drud Tudur. Ac o'dd hi'n amhosib cael sgwrs deidi gyda'i wraig erbyn hyn, o'dd hi mor niwrotig, yn poeni am bopeth. Ac yn dechre llefen os o'dd e'n mynegi unrhyw feirniadaeth.

Bu tro mawr ar fyd Huw ers iddo ddarllen llyfr gafodd ei argymell gan un o'r partneriaid yn y gwaith. Uniaethodd Huw yn syth gyda'r doethinebau yn *The Well Man Inside Me* (*THE US BEST SELLING MOTIVATIONAL BOOK!*) oedd yn pwysleisio pŵer ffitrwydd meddwl a chorff. Pregeth ganolog y llyfr oedd bod llwyddiant yn hollol ddibynnol ar fod yn bositif a dilyn llwybr uniongred eich breuddwyd, heb edrych i'r chwith nac i'r dde. Rhaid oedd dileu'r elfennau negyddol yn eich bywyd. Ac roedd Rhian mor negyddol! Nawr roedd e'n sylweddoli hyn!

Bu Huw yn twyllo'i hun ers misoedd bod ymddygiad ac ofnau ei wraig yn esgus i chwilio cysur mwy positif yn rhywle arall. Ac roedd hyn wedi cyd-daro gyda dyfodiad Juliette, y gyfreithwraig ddawnus gyda'r meddwl chwim a'r llygaid brown a ymunodd â'r cwmni tua'r un adeg ag y darllenodd e'r llyfr. Doedd Huw ddim cweit cynddrwg â Harri'r Wythfed efallai, a luniodd chwyldro crefyddol er mwyn cyfiawnhau ei berthynas gyda merch ifanc brydferth, ond doedd ei gymhellion ddim llawer gwell.

A pheth arall, meddyliodd Huw, doedd Rhian ddim yn laff fel Awen. Digon o *get up and go* ynddi hi. Beth o'dd hi'n ei wneud gyda'r Meic 'na? A gwallt ei chwaer am ei ben. Boi o'dd yn styc yn y closet os buodd un erioed. A do'dd dim rheswm am hynny erbyn hyn. A 'mond cyflwynydd o'dd e, eniwê, ddim hyd yn o'd yn newyddiadurwr. Jyst darllen geirie rhywun arall o'dd e'n gwneud. Ac edrych yn bert. Fel hyn yr oedd meddyliau Huw yn troi wrth iddo lowcio brandi Tudur yn oriau mân y bore. Llonnodd wrth weld Tecs yn nrws y gegin, gan obeitho cael cwmni ond doedd hwnnw ddim ishe ymuno ag ef i yfed. Mofyn paned o gamomeil oedd e (pisio cath, yn nhyb Huw) cyn diflannu'n ôl i'w stafell wely.

Dylyfodd Tecwyn ei ên wrth drio magu diddordeb yn y llawr mosaic o'i flaen. Un rhyfedd oedd yr Huw 'na. Yn fflyrtio gydag Awen ac yn sylwi dim ar ei wraig. A honno'n edrych mor bathetig drwy'r amser. Roedd Tecs yn hoffi Rhian ond doedd yr hunandosturi 'na ddim yn ddeniadol. Ond wedyn, rhesymodd, falle y byddai unrhyw un yn edrych fel'na 'sen nhw'n briod â'r ceilog dandi hurt 'na. Yn dangos ei *abs* a'i *six pack* pob cyfle gaiff e. O wel, rhwng gwŷr Pentyrch a'i gilydd, ys dywedai ei fam.

Dduw mawr, o'dd y Professore'n ddiflas. Gwell oedd gan Tecwyn golli ei hunan mewn oriel yn llawn celfyddyd y Dadeni na llusgo'i hun o gwmpas adfeilion llychlyd. Neu hen eglwysi Cymreig – un o'i hoff lefydd yn y byd oedd yr eglwys hynafol ym Mhennant Melangell. Roedd ganddo atgof cryf o fynd yno'n blentyn a gweld siâp clustiau sgwarnogod wedi eu cerfio o gwmpas yr hen ffynnon ddŵr sanctaidd. Rhaid oedd cael allwedd wrth fferm gyfagos i gael mynediad bryd hynny, cyn iddyn nhw adfer yr eglwys a chanfod olion Melangell. Er ei fod yn lle arbennig o hyd, fe gollwyd rhyw faint o'r rhamant yn yr adfer efallai, myfyriodd Tecwyn wrth edrych heb weld ar y pileri marmor syrthiedig. A doedd dim sôn am y ffynnon clustiau sgwarnog bellach chwaith, ys gwn i beth ddigwyddodd i honno?

'*And here please notice, ze mosaics of most excellent condition,*' roedd y Professore yn ei hwyl erbyn hyn, yn benderfynol o nodi pob manylyn pwysig. Trodd Tecwyn yn ôl at yr adfeilion heb ryw lawer o frwdfrydedd.

Un arall oedd yn crwydro'r adfeilion heb sylwi o gwbwl ar yr hyn oedd o'i chwmpas oedd Llinos. Roedd hi wrthi'n rihyrsio araith fawr i'w chyflwyno i'w rhieni ynghyd â'r newyddion syfrdanol ei bod yn feichiog.

'Ha! Eu hwynebe nhw!! A pan weda i mod i ddim ishe mynd i'r blydi coleg 'na. Geiff Mam, fel, harten! Fi'n mynd i, fel, gael y babi 'ma a gwneud gwell job na nhw. Dim sgrins na teledu.

Mynd â'r babi bobman mewn sling. Alla i wneud *loads* pan mae'r babi'n, fel, cysgu (#snoozinwivmama) ond fe fydda i yno pan fydd e'n deffro. Neu hi wrth gwrs? Oes ots 'da fi? Ddim fel, *really*.

Dim piano na soddgrwth, na'r Urdd. Jyst *childhood*, fel, hapus? Gwneud, fel, *sourdough bread* a teisen gyda'n gilydd? A beics a mynd mas am dro yn y wlad. A dim bod yn *embarassing* drwy'r amser. Dad yn y bydji smyglers 'na. No wê bydda i fel'na. Ddim mas yn yfed *chardonnay* neu shagio rhywun hanner fy oed i. A penblwyddi! *God*, ie. Fi'n mynd i wneud e i gyd – ddim talu rhywun i wneud e. A bod yno i ddathlu, yn lle gadael y cwbwl i'r *au pair*, ddim fel blydi Awen. #organicmama #noplastic #babylove #nohothousing #bakingmybestlife #aupairfreezone

Myfyriodd Llinos ar y pethau hyn wrth iddi grwydro ymysg yr adfeilion yng ngwres y dydd. Lle'r oedd rhai o'r mosaics gorau ddatguddiwyd erioed, yn ôl pob sôn. Ond roedd Llinos yn meddwl am wisgo dyngarîs Lucy and Yak a phrynu stwff cŵl i'r babi. Ac roedd pawb yn mynd i gael gwybod. Doedd dim cywilydd arni hi. Nagoedd. Dim ots beth oedd ei blydi rhieni'n dweud. #okboomers

O'r diwedd, cyhoeddodd Elinor ei bod wedi 'bwcio bwrdd i ni ar deras bach hyfryd, bum munud i ffwrdd'. Diolchodd Tecs i ba bynnag dduw ganiataodd i Elinor fwcio bwrdd i ddeuddeg yn y cysgod ar anterth y tymor twristaidd.

Wedi i bawb setlo wrth y bwrdd, fe gyrhaeddodd Awen a Huw oedd wedi 'taro fewn i'w gilydd wrth chwilio am fferyllfa'. Edrychodd Tecwyn ar wyneb Rhian ond roedd y llenni o wallt coch wedi syrthio o gwmpas ei hwyneb eto ac roedd yn amhosib gweld beth oedd ar ei meddwl.

Suddodd calon Tecs o weld taw Meriel oedd yn eistedd drws nesa iddo fe unwaith yn rhagor. Nid jyst achos ei bod hi'n mynnu siarad am ei deiet a'i blydi ioga ond hefyd am ei bod hi'n parablu yn hanner Cymraeg a Saesneg. Allai Tecwyn ddim deall yr arfer yma oedd wedi mynd yn beth cyffredin iawn yng Nghymru. Ymdrechai Tecwyn i beidio â llygru ei Gymraeg gyda dywediadau Saesneg pan fyddai'n siarad Cymraeg yn Lloegr ond roedd hi'n *code switching* ar ben pob stori yng Nghymru bellach.

Roedd Meriel wrthi'n sôn wrth Elinor am ryw glinig yng Nghyncoed, '*Darling, you've got to see my little man there*, mae'r *treatments* yn hollol *organic* a figan. Ma fe'n *miraculous. I go for the dermabrasion and the peels, skin like a baby's bottom after that. I can put in a good word for you*, symud ti lan y *waiting list*?'

Gwenodd Tecwyn wrth wrando. Doedd e ddim yn meddwl y byddai Elinor yn derbyn y cynnig rhywsut. Gyferbyn ag e eisteddai Meic. Caeodd Tecs ei glustiau i dôn gron Meriel er mwyn ystyried Meic. Roedd pawb yn cytuno ei fod wastod fel pin mewn papur. Yn ddyn hardd. A phawb hefyd wedi penderfynu ei fod yn hoyw ond yn methu cyfadde hynny. Doedd Tecs ddim yn siŵr beth i feddwl. Ond y gwir oedd taw un am y merched fuodd Meic erioed. Ac yn syndod o lwyddiannus hefyd. Bu'n briod ag Awen ers blynyddoedd, ond cyn hynny buodd digon o ferched yn ei wely. Roedd ganddo lond pen o wallt melyn (diolch i Giorgio yn Cut Up and Dye bellach, wrth gwrs) ac roedd yn dal i dybio ei fod yn edrych fel Justin Hayward o'r Moody Blues. Er fod yr *highlights* euraidd yn ffug, roedd ganddo ddigon o wallt ar ôl, yn wahanol i Huw, meddyliodd Meic yn ddiolchgar.

Ac oedd, mi oedd e'n ymwybodol iawn o'r fflyrtio mawr rhwng Huw ac Awen. Roedd Meic wedi hen arfer â gwylio

Awen yn mwynhau'r sylw. Ond gwyddai hefyd taw ato ef y deuai hi adre pob tro. Ac roedd sawl *holiday romance* wedi bod erbyn hyn. Yr unig wahaniaeth ar y gwyliau yma oedd bod gan Meic bethau eraill i boeni amdanyn nhw. Ei waith ar y teledu yn un peth. Gwyddai ei fod yn dechrau mynd yn rhy hen yn llygaid y giwed ifanc o ddarlledwyr. Ac roedd mwy o bobol ifanc aml-ddiwylliannol o gwmpas yn cystadlu am y gwaith. Oedd yn beth da wrth gwrs.

Ond beth am ddeinosoriaid fel fi? meddyliodd wrth osod iâ yn ei wydred o Rosé. Smo nhw'n whilo am fois fel fi nawr – rhai profiadol sy'n dda yn eu gwaith. Ma'r *execs* ifanc 'ma'n lico pobol 'amrwd' – rhai sy'n gwneud camgymeriade, pethe sy'n gwneud iddyn nhw edrych yn 'naturiol' ac yn 'bersonoliaeth'. A nawr roedd y Comisiynydd Rhaglenni wedi gofyn am gyfarfod ym mis Medi ('dim brys o gwbwl, Meic – joia di dy wyliau, siŵr fod ishe brêc bach arnat ti,'). Ta-ta a diolch o'dd ar yr agenda siŵr o fod. Doedd Meic ddim yn ffŵl. Os felly beth nesa?

Wedi cyrraedd nôl i'r fila aeth pawb i ymlacio wrth y pwll. Gorweddai Awen mewn bicini a chafftan blodeuog pinc gan Giorgio Armani, het wellt anferth a sbectolau mawr du o'r math a wisgai'r sêr o bumdegau'r ganrif ddiwethaf fel Gina Lollobrigida neu Sophia Loren. Roedd ei chroen yn frown ac yn llyfn wedi iddi gael sawl sesiwn mewn spa drud yng Nghyncoed wythnos ynghynt. Ond er ei bod yn edrych fel ymgorfforiad o dduwies y pwll, doedd Awen ddim yn hapus ei byd. O dan yr wyneb llyfn botocsaidd, roedd emosiynau Awen yn corddi fel haid o nadredd awchus yn chwilio am brae. Blydi Elinor oedd ar fai, yn gofyn iddi (yn ddiniwed mae'n siŵr ond, *god*, mor *patronising*) oedd 'stori fach arall' gyda hi ar y gweill.

Oherwydd, er fod ei llyfrau'n gwerthu'n wych yn Tesco (ac wedi talu am y cartref *Arts and Crafts* yn Llanbedr-y-fro, sawl gwyliau yn y Caribî a *chalet* yn yr Alpau) roedd Awen yn dyheu am glod. Y math o glod a gâi sgrifennwyr 'llenyddol' fel Hilary Mantel neu Manon Steffan Ros. Y math oedd yn ennyn gwahoddiadau i wyliau llenyddol fel y Gelli neu Jaipur. Lle fyddai pobol ddifrifol mewn sbectols yn gofyn cwestiynau dwys am eich gwaith mewn derbyniadau siampên crand.

Fe geisiodd Awen sgrifennu nofel yn y Gymraeg ar gyfer cystadleuaeth Daniel Owen yr Eisteddfod Genedlaethol ac er mawr siomedigaeth iddi fe gafodd hi feirniadaeth go lym. 'Blydi beirniaid. Sawl un o'r diawled 'na sydd â *chalet* yn St Anton?' Rhwygodd dudalennau cylchgrawn ffasiwn wrth eu troi, yn edrych heb weld ar y bagiau llaw lledr a'r modelau sgerbydol. 'A faint ohonyn nhw sydd â silff lyfrau gyfan yn Tesco,' sgyrnygodd i'w hunan. 'Blydi Daniel blydi Owen!'

Yn anffodus doedd Iaith y Nefoedd ddim yn llifo'n rhwydd ar liniadur Awen. Ac ar ôl ffiasgo'r Daniel ac wedi iddi orffen *Llyfr Glas Nebo* mewn un darlleniad cyffrous a dirdynnol, fe benderfynodd hi nad oedd pwynt trio bellach. Roedd y sylw a gawsai wrth siopwyr ffyddlon yr archfarchnadoedd yn rhywfaint o falm i'r enaid. Roedd ei llyfr diweddar, *We Always Had Bread and Dripping for Dinner*, wedi gwerthu miloedd o gopïau. Ond doedd hynny ddim yn ddigon iddi bellach. Nawr roedd hi'n dyheu am fwy nag arian. A gallu talu'r pwyth yn ôl i'r rhai hynny, fel Elinor, oedd yn meddwl nad oedd ganddi ddawn o gwbwl.

Ond sut oedd cyflawni hynny? Byddai angen iddi sgrifennu nofel allai newid ei delwedd, roedd hynny'n amlwg. Rhywbeth am afiechyd efallai? Neu gyfrinach ofnadwy? Neu a fyddai modd iddi feithrin dull newydd o sgrifennu? Rhyw arddull amgen, uchel-ael. Nofel mewn un frawddeg neu wedi ei sgrifennu am yn ôl, efallai? Neu mewn llais annisgwyl? Mynach cloff o'r ddeuddegfed ganrif? Gofodwr ar blaned ddirgel? Mwydyn? Pendronodd Awen am y pethau hyn wrth i'r haul ddisgleirio ar y pwll glas a'r coedydd bythwyrdd o'i chwmpas.

Aeth y prynhawn crasboeth yn ei flaen, y tawelwch llethol yn disgyn o'u cwmpas fel carthen drom. Roedd hyd yn oed Osian a Twm wedi eu llethu gan y gwres ac yn chwyrnu yn y cysgod nesa i gadair esmwyth Rhian. A hithau'n poeni nawr fod y bechgyn wedi cael gormod o haul - pam oedden nhw'n cysgu ganol dydd? Doedd e ddim fel y bois o gwbwl. Dododd ei llaw ar dalcen Osian. Oedd e'n rhy dwym? Dechreuodd ei meddwl luosi'r ofnau fel arfer a chododd ei ffôn i chwilio cyngor Mumsnet i weld oedd yna famau eraill yn poeni am hyn. Diolch i'r nefoedd roedd yna sawl postiad ar y fforwm sgwrs '7yo SO listless on holiday', 'sunstroke or normal??!!', 'chemicals in sunscreen?', 'MMR before holiday – now 2yo is WITHDRAWN!!! Ac yn y blaen. Treuliodd Rhian ddeng munud yn sgrolio trwy'r gofidion a chael digon o gysur wrth wneud i ddiffodd y ffrwd meddyliau am y tro. Ond roedd Huw wedi sylwi arni'n gosod ei llaw ar dalcenni'r bois.

'Be sy'n bod nawr, 'te? Sleeping sickness? Y Pla? *Honestly*, Rhian, ti'n chwilio am bethe i boeni amdanyn nhw. Gad lonydd i'r cryts,' meddai, cyn deifio i fewn i'r pwll yn ei siorts nofio newydd oedd wedi eu gorchuddio gan frogaod mawr gwyrdd.

Falle ei bod hi'n well gadel iddyn nhw gysgu beth bynnag. Dychwelodd Rhian at ei llyfr gan ddarllen heb weld gair. Gyferbyn â hi eisteddai Elinor yn cwiltio'n hapus yn y cysgod wrth ymyl y pwll, yn ymfalchïo yn y tawelwch a'r gwres. A sŵn di-baid y *cicala*. Methai Rhian â deall sut y gallai unrhyw un fwynhau'r gwres arteithiol hyn. Ond merch y gaeaf fu Rhian erioed – yn dwli yn arbennig ar y cyfnod oedd yn arwain i fyny at y Nadolig. Y gegin yn gynnes, y plant yn hapus i fynd i'w gwlâu yn y nosweithiau tywyll, *Strictly* ar y teli, tân yn fflamio a phopeth yn glyd ac yn gynnes. O, am gael bod yno nawr, meddyliodd, wrth sychu'r chwys o'i thalcen a throi unwaith yn rhagor i orffen y paragraff y bu'n trio ei ddarllen ers hanner awr.

Doedd dim pwynt trio gwneud dim byd yn yr Eidal ar ddiwrnod fel hyn, meddyliodd Tecwyn yn hapus wrth suddo i'r gwely cynfas oedd wedi ei glymu rhwng dwy goeden wrth ymyl y pwll. Roedd popeth ar gau rhwng hanner awr wedi hanner dydd a phump yn Citta beth bynnag, heblaw ambell far ar y sgwâr. Felly doedd dim ishe teimlo'n euog am hepian yma a chymeryd cipolwg ar hunangofiant un o fawrion y theatr Seisnig. Roedd hwnnw'n llawn manylion diddorol am dymer ddrwg cawr theatrig enwog ac ensyniadau maleisus am ambell un arall hefyd. Edrychodd wedyn ar dudalennau agoriadol *Dadeni*, Ifan Morgan Jones. Jyw, jyw. Roedd yn mynd i fwynhau hwn.

Ond heno, adeg y *passeggiata*, fe fyddai'n manteisio ar y cyfle i ymweld â siop bapur a llyfrau Signor Bracchi, gŵr diwylliedig ac amlieithog oedd yn argraffu ei gardiau post ei hun (gan ddefnyddio gwasg hynafol yng nghefn y siop), ac yn gwerthu nodiaduron papur trwchus a hufennog wedi eu lapio mewn lledr meddal. Yna wedi sgwrs fywiog ac ar ôl gwario llawer gormod o arian fe fyddai'n mynd nôl i'r prif sgwâr am Aperol gydag Elinor cyn swper.

Falle ddylai e gyfadde'r gwir wrth Elinor? Ond, na, doedd e ddim ishe sbwylio'r dyddie cynta 'ma. Na, gwell fyddai hepian fan hyn a mwynhau'r cyfle i ymlacio'n llwyr. Cymerodd anadl hir cyn suddo'n ôl i ddyfnder y cynfas.

Wrth y pwll roedd Rhian yn dal i ryfeddu at ei mam yng nghyfraith yn gwinio'n hapus yn y gwres. Sylwodd fod nofel y Fedal Ryddiaith ganddi ar y bwrdd bach wrth ei hymyl. Drws nesa iddi roedd Tudur yn darllen hefyd, a chafwyd ambell chwerthiniad croch ganddo bob hyn a hyn. Gwelodd ei fod yntau hefyd yn darllen un o nofelau ditectif Myfanwy Alexander. Y ddau'n hollol fodlon eu byd.

Deffrodd y bois o'r diwedd ac aethant yn hapus nôl at eu sgriniau. Ond methai Rhian ag ymlacio o hyd. Fi jyst ddim fel pobol arall, meddyliodd, y dagrau'n cronni eto. Mae pawb arall wrth eu boddau 'ma. Beth sy'n bod arna i? Cwestiwn oedd wedi bod yn mudferwi yn ei meddwl yn aml dros y misoedd diwethaf. A oedd perygl y byddai'r gwir yn ffrwtian i'r wyneb o'r diwedd ar y gwyliau 'ma? Yn ei dinoethi a datgelu'r gwir ofnadwy amdani: ei bod, yn ei methiannau, yn destun sbort a chywilydd? A bod Huw yn ystyried y dyfodol hebddi?

Draw ar y gwely cynfas fe ganodd ffôn symudol Tecs.

'Tecs! How are you doing?'

'Darling! It's lovely here. How's the show going?'

'Utter chaos, darling. Half the company are still on book, bloody director keeps doing improv and the Dame's driving us round the bend. I've got five minutes because she's got her Alexander Technique man in, so thought I'd call. You?'

'Oh it's gorgeous, wish you could see it. Actually, Elinor's giving us the runaround too. Every minute of the day scheduled, even relaxing. And she can't let anything go. Yesterday I heard her giving a lecture on how to load the dishwasher to the cleaner.'

'You love it really.'

'I do, I suppose. I don't think she realises that she does it, you know.'

'Probably not. Who else is there?'

'It's an odd little bunch actually. Do you remember Dylan, the director who got done for stealing money off Channel 4?'

'Oh, him. God, yes – he was a bit of a lech wasn't he?'

'Not any more, apparently. He's back with his very annoying wife and into yoga, which they keep doing on the terrace, which is hilarious. Not sure Elinor entirely approves but he's her brother-in-law so she has to put up with it. Her stepson Huw is here and he's married to Dylan's daughter, Rhian. Huw's a bit of a pratt. Rhian's nice, although she seems very stressed looking after two very energetic little boys.'

'Sounds like hell, darling.'

'Oh, the kids are quite cute. Well, one of them more than the other, perhaps. Then there's a heavily botoxed writer called Awen – does those misery memoirs for Tesco, worth a mint apparently, and her husband Meic who's a TV presenter (he's good fun) and their incredibly sulky daughter. I mean, it's fine, but none of them are what you might call soulmates.'

'Apart from Elinor and Tudur.'

'Yes, apart from Elinor and Tudur.'

'Have you told her yet?'

'I just haven't had a proper moment alone with her.'

'You'll feel better if you do.'

'I know.'

'Shit, darling, I'd better go, the Dame has emerged. Talk to Elinor. Promise?'

'I will.'

'Kiss, kiss'

'Kiss, kiss.'

Eisteddai Gio wrth fwrdd y gegin. Ei ben yn ei ddwylo.

'Alla i ddim credu'r peth!'

'Gio, plis, tria beidio cyffroi. Cofia beth wedodd y doctor am dy bwyse gwaed.' Roedd llygaid brown Lucia yn llawn consŷrn. Aeth i nôl y tabledi angina a gwydred o ddŵr.

'Ond reit o'n blaenau ni, Lu.'

'Fi'n gwybod. Cymera hwn. A doedd dim gobaith y gallet ti ei berswadio fe i'w symud nhw?'

Llyncodd Gio'r dablet a chymeryd llymaid o ddŵr. 'Na, dries i am awr gyfan ond o'dd e'n mynnu taw 'na'r unig ddarn o dir o'dd yn addas.'

'Ishe'r arian arno fe, sbo.'

'O's, wrth gwrs, ond ry'n ni gyd yn yr un cwch, Lu, ac mae e'n sbwylo popeth i ni.'

'All e blannu llwyn neu rywbeth i guddio nhw?'

'Awgrymes i hwnna ond o'dd e'n gweud byse llwyn yn sbwylo'r olygfa i'r blydi twristiaid. Beth am ein golygfa ni? Yn gorfod edrych ar y drychiolaethau 'na bob dydd. Sdim tamed o ots 'dag e amdanon ni. Shwd all e wneud y fath beth?'

'Sai'n gwbod, Gio. Sai'n gwbod wir. Mae dyled yn gwneud peth od i bobol. Ac mae pobol yn ddigon od ar y gore. 'Na'r gwir amdani.'

Y bore nesa, awgymodd Elinor y byddai trip bach i Perugia yn syniad da gan ei bod hi'n mynd i daranu cyn diwedd y bore. Ac yn wir roedd cymylau trionglog yn dechrau ffurfio islaw yn y dyffryn ac roedd yr awyr yn glos ac yn drymedd.

'Bydd digon i'w wneud yn Perugia – y Pinacoteca (mwy o lunie Piero), siopau lledr godidog a'r caffi gorau yn y Eidal am goffi a theisen. Ond bydd rhaid i ni hastu,' ychwanegodd, 'dyw e ddim yn lle mawr ac fe fydd lot o bobol arall wedi cael yr un syniad ar ôl gweld y cymylau 'ma.'

O fewn cwta awr, arweiniodd Elinor y rhes o geir i faes parcio ar waelod y rhiw islaw Perugia. Ond cyn i Rhian ddigalonni wrth feddwl am orfod gwthio'r bechgyn i gerdded lan y rhiw, fe welodd hi fod Elinor yn cerdded tuag at risiau trydan ar ymyl pella'r maes parcio.

'Avanti!' gwaeddodd yn llon. Roedd y bechgyn wrth eu bodd yn cael eu tywys lan ochr y mynydd. Ac roedd gwell i ddod. Arweiniodd un esgynnydd at un arall ac un arall eto, a'u gosod yn sydyn wrth ochr heol fechan reit ym mherfedd y mynydd, wedi ei goleuo gan lampau nwy.

'Waw! Ma hyn fel Diagon Alley Harry Potter!' gwaeddodd Osian o weld sawl heol danddaearol yn arwain lan y rhiw.

'Beth yw'r lle yma, Elinor?' gofynnodd Rhian wedi gwirioni'n llwyr.

'Dyma'r Rocca Paolina,' atebodd Elinor, 'rhan o amddiffyniadau'r ddinas, wedi eu hadeiladu ar ben hewlydd yr Etrusciaid.'

Treuliodd y cwmni amser hapus yn crwydro o gwmpas yr ardal danddaearol. Sylwodd Rhian fod yna weithiau celfyddydol wedi eu gosod o gwmpas y strydoedd, yn ychwanegu at yr awyrgylch arallfydol. Trodd at Huw i fynegi ei phleser, ond yn ôl yr arfer ar y gwyliau hyn, roedd hwnnw wedi diflannu. A doedd dim sôn chwaith am Awen. Gwelodd fod Meic ar ben ei hun yn sgwrsio gydag Elinor a

Tecs. Lle mae'r diawl? meddyliodd Rhian. Roedden nhw wedi cael cweryl ofnadwy y bore hwnnw. Gan fod y ddau fach yn cysgu'n drwm a bod Rhian ar ddi-hun, fe benderfynodd hi ddeffro'i gŵr gyda chusanau a gweld i lle y byddai hynny'n arwain – fel yr oedd hi'n arfer gwneud cyn i bethau fynd yn rhyfedd rhyngon nhw. Am eiliad, ymatebodd Huw yn bositif a meddyliodd Rhian y byddai popeth yn iawn. Ond yna agorodd Huw ei lygaid ac edrych arni'n syn a thynnu nôl. Bron fel tase fe'n siomedig taw hi oedd yno. Crwydrodd Rhian ar hyd y strydoedd tanddaearol yn poeni'i henaid am y peth. Pwy oedd Huw wedi obeithio ei gweld?

O'r diwedd, cyrhaeddodd y criw sgwâr urddasol yn yr awyr agored. Fe'u dallwyd am eiliad ar ôl y tywyllwch a dechreuodd pawb dwrio am sbectolau haul a hetiau i'w hamddiffyn rhag y golau llachar. A ffeindio'u hunain yn edrych ar olygfa draw dros ddyffryn gwastad. Yn y pellter gallai Rhian weld adeiladau gwyn, gosgeiddig yn dringo ris wrth ris i ben y mynydd gyferbyn.

'Assissi yw hwnna,' esboniodd Elinor, 'on'd yw e'n drawiadol? A welwch chi'r *basilica* anferth 'na lawr ar y tir gwastad o'i flaen e? Hwnna sy'n gorchuddio capel bach San Francesco – lle syml, hyfryd oedd yn ddihangfa goediog yn wreiddiol. Mae'r eglwys fach yno o hyd a'r ardd arbennig lle mae'r rhosod heb-ddraen-pigog yn tyfu ond mae'r cyfan wedi ei lyncu can y *basilica* anferth 'na sy'n llawn cyfoeth a sbloet.' Siglodd ei phen. 'Dw i ddim yn meddwl y byddai'r Sant yn hoffi hynny rhywsut.'

'Beth bynnag am hynny, drychwch – dyma Huw ac Awen! Chwilio am fferyllfa arall oeddech hi?'

Meddyliodd Rhian fod 'na fymryn o wawd yn llais Elinor. Ac roedd Huw yn edrych yn ddigon anesmwyth. Dechreuodd fwmian rhywbeth am yr olygfa ond torrodd Elinor ar ei draws gan gyhoeddi ei bod hi'n amser coffi ac anelu'n egnïol tuag at ochr arall y sgwâr, cyn troi'r gornel i fewn i'r *corso*.

'Coffi os y'n ni moyn e neu beidio,' sibrydiodd Awen wrth Huw oedd ar fin ei hateb cyn iddo sylwi fod Rhian yn edrych arno. Yn hytrach gwaeddodd ar ei feibion 'Reit bois pwy sy ishe siocled?' a thynnu'r bechgyn i gyfeiriad ei lysfam. Dilynodd y criw ar eu hôl, ond gwnaeth Awen yn hollol siŵr taw hi oedd y diwetha i gyrraedd. Doedd hi ddim yn mynd i ruthro i neb.

Stopidd Elinor wrth ymyl *cafe* o'r enw Sandri Dal 1860. Tu fas iddo roedd yno sawl bwrdd bach o dan ambaréls amryliw a digon o le i bawb gael eistedd.

'Reit, af i ordro – *cappuccino* a theisen siocled sy'n dda yma!' A chyn i Dylan a Meriel gael cyfle i feddwl am ynganu'r geiriau *gluten free* roedd Elinor wedi diflannu i entrychion y caffi bach. Gosododd pawb eu hunain o gwmpas y byrddau a chyn bo hir daeth Elinor allan yn arwain dau weinydd yn cario hambyrddau yn gwegian dan bwysau paneidiau berwedig o goffi cryf, gwydrau o laeth i'r bois a theisennau siocled anhygoel i bawb.

'Dyma'u teisen fwyaf enwog,' meddai'n hapus, 'arhoswch chi nes boch chi'n trio rhain!'

Aeth pawb ati i stwffio'r teisennau oedd, fel yr addawodd Elinor, yn haenau nefolaidd o siocled a hufen a sbynj oedd mor ysgafn â phluen.

'Wnaiff un bach ddim gormod o ddrwg, *I mean they really are delicious, darling*.' Roedd hyd yn oed Meriel i weld yn mwynhau ac fe ategodd Dylan ei fod yn beth da i fwynhau ambell drît, 'er fod siwgr yn rhyw fath o wenwyn, Elinor. Fe fydd pobol yn sôn amdano fel y maen nhw am dybaco mewn blynyddoedd i ddod.'

Gwenodd Elinor arno'n amyneddgar, cyn awgrymu ymweliad â'r Galleria Nazionale dell'Umbria.

'Ie, gwell i ni frysio. Mae e'n le bendigedig, llunie gan Pisano, Piero, Fra Angelico – y meistri i gyd!' ebychodd Tecwyn yn hapus. Roedd Rhian ar dân i gael mynd yno hefyd ond gwyddai na allai feddwl am wneud hynny gyda'r bois, yn enwedig gan fod Huw bellach ar un o'i alwadau ffôn diddiwedd.

'Oh, yes, Jules... oh, that's SUPERB, and what did the Judge say?... Oh, that really is SUPERB...'

'Ddown ni ddim os nad oes ots 'da ti, Elinor,' cododd Meriel yn sydyn a chasglu ei phethau, 'mae Dyl a finne ishe chwilio am siop bwydydd iach. Ma ishe *spirulina*, *prebiotics* ac *algae* gwyrdd arnon ni. Yn enwedig ar ôl yr holl siocled a choffi 'na.' Diflannodd y ddau ar hast, roedd Meriel wedi ffeindio'r siop ar Google Maps ac roedd hi'n benderfynol o'i chyrraedd mewn pryd cyn i'r siopau gau dros ginio. Doedd dim gobaith felly y bydden nhw'n cynnig gwarchod eu hwyrion.

Daeth yr ateb i'r broblem wrth Elinor. Fe afaelodd hi yn Osian a Twm a chyhoeddi eu bod nhw'n mynd i chwilio am siop deganau, 'tra bod Mami'n cael mynd i weld y llunie gydag Wncwl Tecwyn.'

'Mae'r Eidal yn wych am siopau teganau, Rhian – gei di awr dda yn crwydro ac wedyn fe gwrddwn ni mewn lle bwyta hyfryd gyda golygfa dros y dyffryn tuag Assissi – mae'r manylion gan Tecs. Mae'r bwyd yn fendigedig, maen nhw wedi addo *Lenticchie e Salsiccia*. Bydd y bois yn dwli! Joia!'

Cyn i Rhian gael amser i feddwl am y ffaith sicr na fyddai Twm ac Osian yn debygol o rannu awch Elinor am y *lenticchie* roedd hi a'r bois wedi diflannu ac fe welodd fod Meic a Tecwyn yn disgwyl amdani wrth ddrws yr oriel.

Rhai munudau'n ddiweddarach fe orffennodd Huw ei sgwrs ac edrych i weld lle'r oedd pawb wedi mynd. Doedd dim sôn am ei deulu'n unman, 'mond Awen oedd o gwmpas, a doedd hi, yn sicr, ddim am ddilyn cyngor Elinor i ymweld â'r Galleria. Yn hytrach, syllu i fewn i ffenestr siop ledr oedd hi yn trio penderfynu a ddylai wario crocbris ar fag newydd.

'Gwerth bob ceiniog,' gwenodd Huw arni. Ac fe wenodd Awen yn ôl yn hapus. Daeth Tudur allan o'r Caffi ar ôl iddo dalu'r bil a gweld y ddau yn crwydro i ffwrdd gyda'i gilydd.

'Waw, mae hwn yn *BRILLIANT!*' Rhedodd Osian a Twm lan a lawr y rhesi o deganau gyda Llinos yn ymuno yn y gweiddi, 'Shgwlwch ar y Lego 'ma bois. Ma fe mor cŵl!'

'Mond plentyn yw hi mewn gwirionedd, meddyliodd Elinor wrth wylio'r tri yn rhuthro o gwmpas y siop. Ond, jyw, roedd hi'n dda gyda'r bechgyn, yn amyneddgar ac yn llawn hwyl wrth drafod pa Lego fyddai orau – un o longau gofod Star Wars neu rywbeth o Minecraft. Ac roedd e'n neis i'w gweld hi'n gwenu am unwaith a heb ei ffôn hefyd. Roedd hi dipyn yn anwylach na'i mam beth bynnag. Creadures *controlling*, yn hoffi troi'r dŵr i'w melin ei hun oedd Awen, a jyw, roedd 'na rywbeth caled amdani. Roedd Elinor yn hoff iawn o Meic ond doedd hi rioed wedi bod yn un o ffans mawr Awen. Doedd hi byth yn gwrando ar farn neb arall am un peth – wastod ym mofyn ei ffordd ei hunan, meddyliodd Elinor gan estyn am ei phwrs a dilyn Llinos draw at y bechgyn.

Yr eironi mawr oedd bod sawl un â barn debyg am Elinor hefyd. Roedd y ddwy'n *high achievers*, chwedl y Sais, Awen gyda'i llyfrau, ei chyfoeth a'i theulu perffaith, Elinor gyda'i thai, ei *houseparties*, ei gwaith fel ustus a'i helusennau. Roedd y ddwy yn hoffi gosod trefn ar y byd o'u cwmpas. A doedd y naill ddim am ildio i'r llall ar y gwyliau crasboeth yma.

Welodd Rhian erioed gasgliad tebyg i'r lluniau yn y Galleria o'r blaen a throchodd ei llygaid yn hapus yn lliwiau cryf y dadeni, y glas glasaf welodd hi erioed, y coch mwyaf llachar ac ysblennydd a'r myrdd o goronau aur. Roedd yna resi o angylion, morwynion llawen a'u babis tew dwyfol a seintiau di-rif, rhai barfog, rhai clwyfedig, rhai noeth a phob un yn dyrchafu eu llygaid i fyny tuag at y cymylau gwlân cotwm gwynion uwch eu pennau mewn ecstasi nefolaidd. Sylwodd fod arlliw Eidalaidd i dirwedd rhai o'r lluniau – byddai'r coedwigoedd a'r bryniau yn teimlo'n gyfarwydd i drigolion Umbria. Esboniodd Tecs fod y portreadau o'r cymeriadau Beiblaidd hefyd yn rhai cyfarwydd i'r gynulleidfa, yn aml yn lluniau o noddwyr pwysig neu arglwyddi lleol.

Polyptych Piero della Francesca oedd yr uchafbwynt. Oedd, mi oedd yr elfennau arferol yno – yr angylion, y Forwyn a'i Babi, y seintiau – ond yn gymysg oll i gyd gyda'r symboliaeth yr oedd cig a gwaed ac arlliw o'r dioddefaint i ddod yn llygaid y Fam. Ar un panel clywai Mair am ei beichiogrwydd a gwelai Rhian fod ansicrwydd ac ofn i'w gweld ar ei hwyneb tra fod Ioan Fedyddiwr mewn panel arall yn edrych allan o'r darlun yn heriol, yn anesmwytho'r gwyliwr. Tynnodd Tecs ei sylw at yr elfennau technegol rhyfeddol – y deunydd o liw a pherspectif, ond meidrolrwydd y bobol oedd wedi gafael yn Rhian.

Hedfanodd yr amser heibio heb iddi sylwi ar wres llethol yr oriel. Roedd Meic hefyd yn gwmni ardderchog, yn gofyn cwestiynau swmpus, yn amlwg yn deall tipyn am y cyfoeth o'u blaenau. Ond daeth y seibiant i ben yn rhy gyflym ac fe arweiniodd Tecs y tri ohonynt i'r tŷ bwyta roedd Elinor wedi ei drefnu. Roedd hi yno'n barod yn eu disgwyl gyda gweddill y criw. Ac roedd Twm ac Osian ar ben y byd gan fod Mamgu wedi prynu pacedi swmpus o Lego i'r ddau fach. Gwelodd Rhian fod Huw yn gwneud sioe fawr o chwarae gyda'r bois er ei bod yn gwybod yn iawn taw Elinor oedd wedi trefnu (a thalu) am y cwbwl.

Cyn i Rhian gael cyfle i eistedd yn iawn roedd platied o *Lenticchie e Salsicche* o'i blaen ac roedd Tudur yn arllwys gwydred o Prosecco iddi – 'Huw sy'n gyrru'n ôl,' meddai yn awdurdodol.

Ie, Huw wrth gwrs, ystyriodd Rhian, Huw a'i blydi dŵr pefriog a'i *six pack*. Edrych mla'n at ddangos ei hunan yn y pwll mae e pnawn 'ma. Ond lle'r oedd y diawl wedi bod tra o'n i yn yr oriel? Gyda blydi Awen, wrth gwrs, yn ei ffrog *maxi* neon pinc a'i sbectol haul Gucci. *Typical!* A nawr mae hi 'di stwffo'i hunan nesa ato fe 'to ac yn gwrando'n astud ar un arall o'i straeon boring am ei hunan! Roedd y ffordd yr oedd e wedi ei gwrthod y bore hwnnw'n friw rhy boenus i'w anwybyddu. Malodd Rhian y darn o fara yn ei dwylo yn ei thymer.

'Tamed rhagor o fara, Rhian?' Meic oedd yn gofyn. 'Mae golwg bell ar hwnna.'

Edrychodd y ddau ar y briwsion rhacslyd ar blât Rhian.

'Sori. Nyrfys habit. Eniwê, ddylen i ddim.'

'Paid â siarad dwli. Dere, mynna ddarn arall – ma ishe fe i sychu'r saws godidog 'ma.'

Ar ochr arall y bwrdd roedd Huw yn uchel ei gloch ac edrychodd y ddau ohonynt draw tuag ato.

'So, wedes i wrth y Bargyfreithiwr, mae rhyddid y dyn ifanc yma yn y fantol. A ti'n gwybod beth? Aeth e'n ôl mewn a pherswadio'r rheithgor i wyrdroi'r ddedfryd!'

'Nage fe plot *12 Angry Men* yw hwnna?' meddai Tudur o dan ei anadl wrth Elinor oedd wrthi'n trio ffeindio rhywbeth ar y fwydlen y gallai Dylan a Meriel fwyta gan eu bod nhw wedi 'bwyta mwy na digon o wenwyn heddi'.

'Welsoch chi'r Piero?' holodd Tudur wrth Rhian a Meic. Ac fe drodd y ddau yn ôl a dechrau trafod pethau hapusach na'r embaras pen arall y bwrdd.

Yn y gadair gyferbyn roedd Tecwyn yn meddwl am yr alwad ffôn wrth Steven ddoe. Beth yn y byd yr oedd e'n mynd i'w wneud? Bu cwsg yn brin eto neithiwr a fynte'n troi a throsi tan yr oriau mân cyn codi a gwylio'r wawr yn torri. Roedd wedi meddwl a meddwl am y peth ond allai e ddim gweld llwybr clir o'i flaen. Droeon, roedd wedi ystyried ymddiried yn Elinor a chwilio'i chyngor fel yr oedd Steven yn awgrymu. Edrychodd draw ati a gweld ei bod yn edrych arno'n bryderus felly gwenodd arni a dechrau canmol y bwyd.

'Elinor, ti 'di gwneud hi eto, mae'r bwyd 'ma mor ddiddorol ac mor flasus.'

'Ydy, wir,' ategodd Meic.

Symudodd y sgwrs ymlaen, ond daliai Elinor i syllu ar ei chyfaill.

Cododd y storom o'r diwedd wrth iddyn nhw fwyta ac mi roedd yr olygfa o'r teras bach clyd yn syfrdanol. Hwyliodd tonnau o ddŵr ar draws gwaelod y dyffryn fel tase'r duwiau yn taflu bwceidiadau cyfan drwy'r cymylau. Bob hyn a hyn, ffrwydrai pelydrau haul drwy'r llwydni gan daro golau euraidd ar y tir islaw.

'Yn gwmws fel y llunie welson ni yn yr oriel,' Meic oedd yn siarad eto.

'Ie, ond byse Piero'n ychwanegu colomen ddwyfol yna

hefyd,' gwenodd Rhian yn ôl. Roedd siarad gyda Meic yn rhwydd, roedd e'n wrandawr da ac yn ymddangos fel tase ganddo fe wir ddiddordeb yn ei hatebion. Ddim fel yr *all new Huw* oedd wrthi yn hwylio'i ffordd trwy stori liwgar arall am ei arwriaeth yn y llys.

Trodd Rhian yn ôl i weld bod Tudur ac Elinor yn edrych ar Huw nawr hefyd, ond heb yr edmygedd oedd yn llygaid Awen. Gwridodd Rhian wrth weld bod Meic hefyd wedi sylwi ar hyn. Edrychodd ef arnynt am funud, cyn codi o'i sedd a throi am y drws yn mwmian rhywbeth am y lle chwech.

Yn y capel bach drws nesa i'r Girasole, roedd Sal yn trafod dyfodol yr adeilad gyda'i dad. Gwnaeth Gio ei orau i swnio'n bositif ac yn wir roedd cynlluniau Sal yn addawol. Byddai cartref hyfryd, rhesymodd Gio, yn fwy tebygol o ddenu ei fab a'i deulu bach yn ôl i'r pentre'n barhaol.

Fela tase fe'n darllen meddwl ei dad dywedodd Sal, 'Wyddost di fod Calabria wedi dechrau cynnig 28,000 ewro i annog pobol i symud yn ôl i'r pentrefi mynyddig yno? Maen nhw'n trio denu teuluoedd fydd hefyd yn dechre busnesau bach. Byse fe'n wych 'se Umbria yn dilyn esiampl Calabria. Ac fe allwch chi brynu *palazzo* cyfan am un ewro mewn rhai pentrefi.'

'Jyw jyw, falle bod y cownsils 'ma yn gwneud rhai pethe'n iawn, 'te. Cere mla'n – lle ti'n mynd i godi'r wal newydd?'

Paid â cholli dy dymer, Sal, paid â cholli dy dymer, meddyliodd Sal wrth drafod y trawstiau a lleoliad y waliau. Gwyddai fod cael ei dad yma o gwbwl yn gam anferth ymlaen. 'Fan hyn Dad, jyst tu fas i'r wal bresennol a bydd rhaid rhoi RSJ miwn fel bo ni'n gallu codi stafell lan llofft hefyd.'

'Ond bydd y capel yn aros fel mae e?'

'Bydd, bydd, dim newid o gwbwl. Mae'r Monsignore yn

Urbino wedi rhoi caniatâd arbennig. 'Mond fan hyn yn y festri fach bydd y newid mawr yn digwydd, ni'n mynd i gnocio'r cwbwl lot lawr ac adeiladu cegin a stafell fyw gyda ffenestri mawr ar un ochr. A wedyn fe fydd grisie'n arwain lan llofft at y baddondy a'r ddwy stafell wely newydd.'

'A'r *orto*?'

'O. A dweud y gwir o'n i ddim wedi meddwl...'

'Alli di ddim cael cartre heb *orto*!' ffyrnigodd Gio.

Deallodd Sal eu bod yn trafod mwy na gardd lysiau nawr. Roedd *orto* yn golygu bod rhywun yn llythrennol yn magu gwreiddiau, yn ymroi i ddyfodol adeilad. Byddai'n rhaid iddo ddewis ei eiriau'n ofalus.

'Ie wrth gwrs, ti'n hollol iawn, Dad. Ocê. Lle fyset ti'n gosod yr *orto*, 'te?'

'Wel, wnaiff y tir caregog yn y blaen ddim mo'r tro ond ar ochor arall y capel mae 'na lecyn teidi. Digon o haul.'

'Iawn. Fanna fydd e, 'te... Dad?'

'Ie, Sal?'

'Allet ti gynllunio'r *orto* i fi?'

Llonnodd wyneb Gio. 'Wrth, gwrs Sal, wrth gwrs.'

Nôl yn y fila, ar ôl prynhawn yn troedio pob twll a chornel yn ninas hyfryd Perugia, cyhoeddodd Elinor y byddai'n ordro pizza i bawb i swper, gan fod y pobydd lleol wedi ffonio i ddweud ei fod wedi tanio'i ffwrn.

PIZZA! PIZZA! PIZZA! Rhuthrodd Osian a Twm o gwmpas yn wyllt, yn sgrechen y gair drosodd a throsodd ac fe ychwanegwyd at yr hysteria pan gyhoeddodd Elinor y byddai'n dod â hufen iâ cartref nôl gyda hi hefyd. 'Mae'r garej sy'n glwm â'r caffi bach nesa i'r popty yn gwneud y *Stracciatella* gorau yn Umbria.'

Synnodd Rhian wrth glywed hyn ond pan aeth hi gydag Elinor i gasglu'r bwyd gwelodd fod y garej bach yn gwerthu pob math o hufen iâ a bod ciw go helaeth o bobol yn disgwyl yn eiddgar amdano. Hwylio heibio pawb wnaeth Elinor, fel arfer, gan fod Stefano, y perchennog, wedi cadw bocsys polystyren yn llawn hufen iâ naill ochr iddi. ('A, *Signora Elinor! Benvenuto, benvenuto!*') Unwaith yn rhagor fe ryfeddodd Rhian at steil a gwareiddiad y bywyd Eidalaidd – er taw caffi mewn garej yng nghanol y wlad oedd hwn, roedd y peiriant coffi Gaggia yn sgleinio a'r aroglau coffi yn nefolaidd. Gwelodd fod *bruschetti* blasus yn rhad ac am ddim ar y cownter a bod poteli o *grappa* lleol ar gael i unrhyw un oedd yn ffansïo *pick me up* gyda'u paned. Eisteddai sawl un yn yfed *espresso* ac yn llowcian hufen iâ, yn gwylio'r teledu, a oedd yn chwarae ym mhob siop a garej yn yr Eidal, yn ôl yr hyn a welai Rhian, yn enwedig os oedd gêm bêl-droed. Roedd yr awyrgylch yn y caffi bach yn hyfryd.

Yn y popty, roedd y bocsys pizza yn barod ar eu cyfer a chyn pen dim roedd y criw yn y Girasole yn stwffio'r trionglau sawrus (rhai heb gliwten er mwyn plesio Dylan a Meriel) gydag Osian a Twm yn hapus o flaen *Toy Story* mewn un stafell tra bod yr oedolion yn mwynhau cyngerdd fawreddog ar S4C yn y lolfa. Roedd Dylan, wrth gwrs, yn hynod feirniadol o'r cynhyrchu a'r cyfarwyddo ond yn y pen draw fe swynwyd pawb gan chwarae Catrin Finch a Seckou Keita a giamocs swynol Côr Dydd.

Mae pethe gymaint yn rhwyddach heb y gwres, meddyliodd Rhian. Mwy o flas ar y bwyd a dim mosgito i boeni amdanyn nhw. Ond cyn iddi gael cyfle i fwynhau'r foment yn iawn fe gyhoeddodd Elinor yn hapus fod y tywydd yn argoeli'n dda ar gyfer y bore.

'Fe fydd yr haul yn gwenu arnon ni gyd eto fory.'
Ac fe suddodd calon Rhian i ddyfnderoedd ei pherfedd.

Lenticchie a *Salsiccia*

2 lwy fwrdd olew olewydd

1 winwnsyn canolig

3 darn garlleg

4 selsig Eidalaidd – tynnwch y cig allan o'r crwyn

1 llwy fwrdd oregano sych

1lb corbys (*lenticchie*)

Digon o stoc ffowlyn neu lysiau i orchuddio'r corbys yn y sosban

Halen a phupur

Llond dwrned cêl wedi ei dorri'n fân

Cynheswch yr olew dros wres cymhedrol mewn sosban â gwaelod trwm, yna ychwanegwch y winwns a'u coginio am tua 6 munud.

Ychwanegwch y garlleg a'r cig selsig a'u coginio nes fod y cig wedi brownio – tua chwech neu saith munud.

Ychwanegwch yr oregano, y corbys a'r stoc a dod â nhw i'r berw. Unwaith iddynt ferwi, mudferwch dros wres isel nes fod y corbys yn dyner – tua 30–40 munud.

Ychwanegwch halen a phupur a rhowch y cêl i mewn i'r gymysgaeth – coginiwch am ryw 3 munud arall neu nes fod y cêl yn dyner.

5

GWAWRIODD BORE PERFFAITH arall yn Umbria ac ar deras y Girasole roedd pawb yn bwyta brecwast. Roedd Rhian yn ceisio rhoi trefn ar Osian a Twm. 'Reit, 'ma bobo fanana ac wy 'di berwi a thost i chi'ch dau, dewch at y bwrdd, bois,' dywedodd, wrth sychu'r chwys o'i llygaid. 'Ffiw, mae'n ferwedig heddi, on'd yw hi?'

'Diolch, Mami,' roedd Osian yn ôl ei arfer am blesio a gafaelodd yn ei lwy yn syth. Ond roedd Twm yn fwy o dalcen caled. 'Os fyta i'r wy a'r banana, gaf i *cornetto* siocled wedyn, Mami?' gofynnodd.

'Ha ha, *good one*, Twm, 'na beth yw taro bargen, ontyfe, Mami?' Roedd Huw ar ben ei ddigon.

'Iawn, ocê,' ildiodd Rhian ac eistedd wrth y bwrdd, roedd hi jyst yn rhy dwym i ddadlau.

'Fi'n gwybod be wnawn ni heddi!' meddai Elinor a oedd wedi bod yn gwrando ar y sgwrs.

What fresh hell is this? meddyliodd Awen a oedd wedi cael llond bol o drefnu Elinor.

Aeth Elinor ymlaen, 'Awn ni draw i'r Outlet Village tu fas i Firenze. I ddianc y gwres! Mae *aria condizionata* yno a chaffi braf hefyd. Ma ishe sgidie newydd arna i ac mae'n lle da i gael pethe ffurfiol yn rhad. Prada a Gucci am hanner pris! Ti'n ffansi, Rhi?' Yn ôl ei harfer, ddisgwyliodd Elinor ddim am ateb a chyhoeddi y buasai Huw yn aros gyda'r bois am y dydd er mwyn i Rhian gael 'brêc bach a thamed o hwyl'. Bu'n rhaid iddo gytuno er nad oedd e'n edrych yn hapus iawn am y peth.

Roedd Rhian ar fin protestio ond roedd meddwl am y pleser o fod yn wirioneddol oer am ychydig oriau yn ormod iddi. Heb sôn am ddianc rhag tawelwch bygythiol y pwll a'r hauladdolwyr llesmeiriol.

Dywedodd Awen yn ddirmygus, 'Not my scene, Elinor, mae'r llefydd yna'n dipyn o rip off,' cyn troi am y pwll.

Doedd Tecwyn ddim am fynd chwaith ac roedd Llinos a Meic yn eistedd wrth y pwll yn darllen yn barod, lle'r oedd Dylan a Meriel wrthi yn gwneud sesiwn arall o ioga.

'Iawn, 'te, Rhi – jyst ni'n dwy! Awn ni, 'te? Dere â'r cornetto 'na gyda ti yn y car.'

Cododd Rhian a'i dilyn yn ufudd. Ond damo, gwelodd fod Meriel yn eu dilyn. Gwasgodd ei hun i fewn i gefn car Elinor gan ddweud ei bod wedi gwneud digon o ioga am un bore a bod angen 'a little bit of retail therapy' arni. Damo eto, a dwbwl damo wedyn, doedd siopa gyda'i Mam byth yn brofiad hapus, gan fod Meriel yn benderfynol o wthio Rhian i wisgo rhywbeth 'bach yn glam' oedd fel arfer yn gwbwl anaddas, neu'n lliw amhosib fel oren neu binc llachar. A doedd hi byth yn sylwi ar ddiflastod ei merch wrth iddi drio gwthio ei hun i fewn i wisg oedd yn rhy fach iddi. Maint y Rhian ddelfrydol yn llygad ei mam fyddai hi'n ei estyn bob tro – yn hytrach na'r un go iawn.

Sylwodd Rhian wrth iddyn nhw adael gwyrddni Umbria a'i gyfnewid am winwydd Toscana, fod y golygfeydd o'u cwmpas yn debyg i'r tirluniau a welodd yn yr oriel yn Perugia. Y cipressi fel nodwyddau gwyrdd yn gwanu'r wybren yn y pellter a rhesi o rawnwyn naill ochor i'r draffordd llwyd oedd yn nadreddu o'u blaenau tuag at grud y Dadeni.

Doedd dim arlliw o'r prydferthwch hynny yn yr Outlet Village rai milltiroedd tu fas i Firenze er, diolch byth, roedd yr *aria condizionata* yn fendigedig o oer fel yr addawodd Elinor. I ddechrau, meddyliodd Rhian y byddai'n bosib iddi fwynhau ei hun ymysg y sidan a'r *chiffon*. Ond yna sylwodd nad oedd dim un dilledyn yn fwy na maint 14 yn Prada neu Gucci a bod dim siopau cyffredin yno o gwbwl. Freuddwydiai hi ddim am dywyllu drysau siopau drud fel hyn nôl yng Nghaerdydd. Ac roedd y dillad yn edrych yn hollol hurt beth bynnag, meddyliodd Rhian, wedi eu cynllunio i ffitio modelau sgerbydol yn hytrach na menywod normal.

Wedi crwydro'r rhesi o ddillad drud am beth amser, ffeindiodd Rhian ffrog oedd yn edrych fymryn yn llai boncers na'r gweddill a chwilio am y cwt newid er mwyn dianc wrth ei mam. Ond ei dilyn hi i fewn wnaeth honno.

'Hei, Rhi – byse hwn yn lyfli arnat ti,' daliai Meriel rywbeth pinc a sgleiniog yn ei llaw oedd yn edrych tua'r un maint â chlwtyn llestri.

'O, paid â dechre, Mami, plis. Ti'n gwneud hyn bob tro.'

Gostyngodd Meriel ei llais ac edrych yn ddifrifol ar ei merch. 'Onestli, Rhi, allet ti wneud cyment mwy o dy hunan. Ac mi ddylet ti wneud. Yn enwedig nawr bo Huw wedi colli'r holl bwyse 'na. Mae'r 5/2 deiet yn wych, ti'n gwybod, *the weight just drops off.* Neu'r *Cabbage Soup* diet, os ti ishe colli'n glou. Mae bwyta carbs fel bwyta gwenwyn pur, ti'n gwybod. Mae cyment mwy o egni 'da fi ers i fi stopo bwyta bara. A dwi byth yn *constipated* nawr, llawer mwy rhydd nag o'n i.'

'Mam, plis, *too much information!*'

'Beth? Fi jyst yn trio helpu! Ac mae *supplements* yn *essential* – probiotic bach bob bore, fitamin D a zinc wrth gwrs. Ac alla i brynu'r cynllun *enzymes amazing* 'ma i ti. *Results* anhygoel! *Clean eating* yw'r dyfodol, wir i ti!'

'Fi'n iawn fel ydw i...'

'Sai'n gwybod pam wi'n wasto'n anadl. Ti wastod mor *defensive*, Rhian.'

'Wel, ti wastod mor feirniadol!'

'*Come on*, fi jyst yn bod yn onest a fi'n gallu gweld bod ishe bach o help ar dy ddeiet ti. Ti'n edrych mor *drained*, alla i weld bod dy waed di'n llawn *toxins*. A 'mond dy deulu sy'n mynd i weud y gwir wrthot ti yn yr hen fyd 'ma.'

'*Wrong*, Mam, mae'r BYD I GYD yn gweud y gwir wrtha i. Sai'n mofyn beirniadeth wrthot ti, Mam. Jyst bach o *unconditional love* withe.'

'Maldod ti'n feddwl? Maldod sy'n eneblo ti i ddala mla'n 'da'r holl *negative energy* 'na ti'n cario rownd 'da ti. Alla i HELPU ti, Rhi. Helpu ti i agor y *chakras* a gadael y *positive energy* a'r *majestic life force* miwn. Newid dy *aura* o goch i wyrdd. Plis, gad i fi helpu! Wnawn ni'r 5/2 'da'n gilydd ac fe rown ni dro arall ar Colour Me Beautiful? *Come on*, beth ti'n weud?'

'Na, Mam.'

'O, pam lai, Rhi? *Spiritual and physical makeover!* Nethe fe fyd o les i ti!'

Aeth ei mam ymlaen gyda'i darlith – pilates bla bla bla, *caveman diet*, bla bla bla, *au pair* bach neis o Albania. Roedd Rhian wedi clywed y cwbwl ganwaith o'r blaen. A gwyddai'n iawn ei bod yn ymddwyn fel tase hi'n dair ar ddeg eto ond dyna oedd yn digwydd iddi pan fyddai ei mam yn pregethu fel hyn. Roedd yna ran elfennol ohoni oedd moyn gwrthyfela ac anghytuno gyda phopeth roedd ei mam yn ei awgrymu, jyst o ran egwyddor. Hyd yn oed os oedd yna ambell bwynt da ganddi. Ond diwedd annwyl, roedd Meriel yn gallu siarad nonsens, allai Rhian ddim credu mor grediniol oedd hi – yn eilunaddoli'r selébs a'u ffads dwl.

Doedd hi erioed wedi bod yn gyfforddus yn y dillad swanc

roedd Meriel yn eu hoffi. Yn y coleg a chyn cael plant roedd hi'n joio gwisgo lan i fynd mas 'da'r merched – ond dillad anffurfiol mwy ffynci oedd hi'n lico. Bod yn gyfforddus a chael laff. Duw, wrth feddwl, doedd hi ddim wedi gwneud hynny ers oes pys. Pwysau bywyd teuluol oedd ar fai? Neu ai hi oedd ddim yn ymdrechu ddigon? Cofiodd yn euog nad oedd hi bob amser yn ateb gwahoddiadau am sesh gyda'i ffrindiau. Fe ddylai hi wneud mwy o ymdrech – na, nid ymdrech, byddai noson mas 'da'r merched yn hwyl. 'Da Angharad a Llio falle? Coctels a swper bach yn yr Ivy? Ie, pam lai. Fe alle blydi Huw warchod.

O, *god*, roedd Meriel yn dal i bregethu. A blydi hel nawr o'dd hi'n dangos i Rhian fod y dilledyn y methodd honno wisgo yn ei ffitio hi fel maneg.

'*Not bad for sixty-five*, Rhi!' meddai Meriel gan droi o gwmpas o flaen y drych yn sugno'i bochau i fewn.

Nefoedd yr adar, all hon ddim gweld mor ddiflas yw ei merch? meddyliodd Elinor oedd wedi bod yn trio dillad priodasol ac oedd yn sefyll nawr gyda bwndel ohonynt yn ei breichiau.

'Www, Elinor, beth ti'n brynu?' Roedd Meriel yn big ac yn fusnes i gyd.

'Cot fach i briodas,' atebodd Elinor yn frysiog cyn awgrymu eu bod nhw'n mynd i'r bar am wydred o Prosecco a thamed o ginio. Wrth gwrs, fe fynnodd Meriel ofyn am ryw fwyd boncyrs ond o leiaf doedd hi ddim yn poenydio ei merch wrth wneud hynny. Teimlai Rhian fymryn yn well ar ôl llowcio'r bybls a gwenodd yn ddiolchgar ar ei mam yng nghyfraith. A phan aeth Meriel i'r tŷ bach fe achubodd Rhian ar y cyfle i ofyn i Elinor a fyddai modd iddyn nhw siopa am ddillad heb ei mam rywdro.

'Wrth gwrs,' roedd Elinor yn falch i helpu. 'Allwn ni sleifio lawr i Citta un bore – mae 'na siopau da yno – ddim mor ddrud â fan hyn a mwy o ddewis. Ifancach hefyd, falle? Er, wedi dweud hynny, mae sgidiau'n fargen fan hyn – weles i dreinyrs arian hanner pris yn Prada fyddai'n edrych yn dda gydag unrhyw beth. Pam na wnei di drio nhw?'

A haleliwia! Yn Prada, roedd y treinyrs yn ffitio Rhian ac roedd rhacsyn drud o ffrog yn gweddu i Meriel hefyd, felly gorffennodd y prynhawn yn well nag y dechreuodd e.

Cododd storom arall wrth iddyn nhw yrru nôl i'r fila, codai ffyrch ymwthiol dros y mynyddoedd ac roedd ambell fflach anferth i'w gweld fel blanced yn gwynnu'r nen hefyd. Fe'u byddarwyd gan y taranau'n atseinio o gwmpas y dyffryn a dechreuodd Rhian boeni am y bois yn Girasole – roedd y fila ar gopa'r bryn ac yn siŵr o gael ei tharo. Ond gyrru mlaen yn hapus wnaeth Elinor, yn dal i fân siarad am ddillad a bwyd gyda Meriel ac yn sylwi dim ar y chwalfa o'i chwmpas. 'Bydd hi'n ffres neis eto bore fory ar ôl hyn,' meddai yn hapus.

Wedi cyrredd nôl i'r Girasole dechreuodd Rhian y frwydr nosweithiol i gael y bechgyn i'w gwlâu ar ôl bath a stori, gan fod Huw wedi bod yn gwarchod drwy'r dydd.

'Sai'n gwybod pam fod Rhian yn conan gyment,' myfyriodd Huw wrth dollti Aperol Spritz mawr i'w hun. Mae'r bois yn iawn gyda fi. Fe fyton nhw'r pasta goginiodd Lucia i ginio'n ddigon hapus a joion ni yn y pwll pnawn 'ma heb Rhian yn bod yn niwrotig bob dwy funud. Piti ffindon nhw'r holl losin 'na yng nghwpwrdd Elinor ond, hei, 'na beth yw bod yn blentyn, ontyfe?

'Ma ishe cragen dewach ar Osian – jyw mae e'n sensitif. Ond wedyn o'dd e'n itha hapus yn darllen yn y cysgod tra bod Twm a fi'n whare pêl. Meddwl dyle ni hala Twm i'r Dreigie Bach yn yr Hydref. Ma fe'n bendant yn barod ar gyfer *touch* rygbi nawr.' Cymerodd Huw joch fawr o Aperol a gosod ei hun drws nesa i Awen mewn sedd gyfforddus ar y teras. Gwenodd y ddau ar ei gilydd.

O'r diwedd llwyddodd Rhian i gael y ddau fach i gysgu, roedd hi mor dwym yn y stafell bu'n rhaid iddi fynd i chwilio am gwpwl o ffans. Daeth Tudur â rhai o'i stydi ac o'r diwedd setlodd y bechgyn. Dihangodd Rhian i'r baddondy *en suite* a syllu arni ei hun yn y drych. Damia, roedd ei mam yn iawn, doedd hi ddim yn edrych ar ei gorau. Roedd ei thrwyn yn goch ac wedi dechrau pilo, ei gwallt fel tas wair oren ac ôl chwys o dan geseiliau'i thiwnic Indiaidd. O leiaf roedd y treinyrs arian yn edrych yn neis ond, Iesu, roedd ei choesau wedi chwyddo ac yn cosi fel y diawl ar ôl ymweliadau cyson gan y mosgitos er ei bod wedi taenu sawl potel o Deet dros bob mymryn o'i chroen.

Penderfynodd redeg bath a suddodd yn ddiolchgar i ddŵr wedi ei bersawru gan olew bendigedig o Santa Maria Novella, Firenze – roedd Elinor wedi gosod pethau hyfryd yn y stafell folchi. Ystyriodd ei sefyllfa. Fyddai pethe ddim yn teimlo cweit mor wael pe bai hi'n gallu siarad gyda Huw am y pellter oedd wedi tyfu rhyngon nhw. Ond roedd ei feddwl ar grwydr drwy'r amser. Gwyddai ei bod hithau wedi syrthio i rigolau negyddol iawn yn ei pherthynas gyda'i gŵr ond roedd hi mor anodd peidio ag ymateb pan oedd Huw yn ei bychanu, neu gwaeth fyth yn ei hanwybyddu.

I le ddiflannodd yr holl chwerthin? Y jôcs stiwpid. Nhw yn erbyn y byd oedd hi pan briodon nhw gynta a buodd Huw yn gefn rhyfeddol iddi pan oedd ei rhieni ar eu gwaetha, ei thad yn y carchar a'i mam yn gaeth i'r botel Chardonnay. Ond roedd y gagendor presennol rhyngddynt wedi tyfu mor raddol doedd hi ddim wedi sylwi ar y peth yn digwydd. Falle taw ei bai hi oedd y cyfan? Ei bod wedi diflannu i fywydau'r bois? Roedd Huw yno gyda hi ar y dechrau – yn joio bod yn dad ac yn gymaint o hwyl. Pryd stopiodd hynny?

Doedd hi jyst ddim yn gwybod. Ac roedd hi'n amlwg nad oedd y gwyliau yma ddim yn mynd i helpu. Eisteddodd Rhian yn y bath cynnes yn chwilio am atebion. Ond ddaethon nhw dim.

Yn hwyrach y noson honno agorodd Tudur y drws i'r stafell wely yn teimlo'n llesteiriedig tu hwnt, gan ei fod wedi methu â chael sgwrs deidi gyda'i fab unwaith yn rhagor. Doedd e byth ar ben ei hun, 'na'r broblem. Efallai fod Huw wedi synhwyro fod ei dad am 'gael gair', gan ei fod yn dianc bob tro roedd yna bosibilrwydd y bydden nhw ar ben eu hunain.

Llonnodd o weld Elinor wrth y drych yn glanhau a hufennu ei hwyneb cyn dod i'r gwely. Roedd hi'n fenyw hardd a chanddi wyneb caredig a swynol. Er bod ei gwallt yn llwyd, roedd yn drwchus ac yn gyrliog ac wedi ei dorri'n gelfydd. Rhywsut roedd popeth amdani yn chwaethus, ei chlustlysau perl, ei hewinedd sgleiniog dilychwin, y wisg nos sidan ddrud. Roedd hyd yn oed yr ystafell wely'n berffaith. Y lampiau bychain oedd yn taenu golau meddal ar y patrymau hyfryd ar y llenni a'r dillad gwely. Y ffan hen ffasiwn ar y nenfwd oedd yn cadw'r awyr i droi. Y sgriniau pryfed ar y ffenestri oedd yn caniatáu i'r awel fwyn tu fas oeri'r ystafell gan adael aroglau'r noson felfedaidd i fewn, yn fwyaf arbennig melyster y planhigion Nicotiana a blannwyd gan Elinor o dan y ffenestr.

Pwysodd Tudur yn ôl ar y clustogau gwyn cotwm Eifftaidd ac ystyried ei wraig. Roedd hi wedi ei achub ar ôl iddo golli Siân.

Wedi rhoi trefn ar ei fywyd, a chaniatáu iddo symud ymlaen a dechrau mwynhau byw eto. A phan oedd Huw yn blentyn roedd hi'n wych gydag e, yn creu partis pen-blwydd rhyfeddol, trefnu tripiau a gwyliau braf ac yn ei hel i bob practis ffwtbol, ymarfer eisteddfod a gwers piano. Ond rywsut rywfodd roedd e wedi dechrau ymbellhau oddi wrthi yn ei arddegau. Dyna pryd ddechreuodd e alw Elinor wrth ei henw yn hytrach na'i galw hi'n Mam. Doedd hynny ddim yn afresymol wrth gwrs, ond gwyddai Tudur fod Elinor wedi ei brifo a fu pethau byth yn iawn rhyngddynt wedi hynny. Digon poléit wrth gwrs ond gwnaeth Huw yn glir fod Elinor yn llysfam a dim mwy. Dyna pan ddechreuodd e chwilio am luniau o Siân a holi amdani. Chwarae teg, roedd yn gwneud hynny gan amlaf pan nad oedd Elinor o gwmpas ac fe geisiodd Tudur ei orau i baentio darlun cynhwysfawr a gonest o'i wraig gyntaf. Fe ddododd e hen ffilmiau *cine* o Siân ar y cyfrifiadur a gwyddai fod Huw wedi treulio lot fawr o amser yn gwylio'r ffilmiau o'i fam ac ef yn chwarae. Eto doedd hyn ddim yn afresymol, ond poenai Tudur fod Huw wedi creu darlun delfrydol o'r fam ifanc a phrydferth yma. A doedd dim croeso wedyn i ymdrechion Elinor i ymddwyn fel rhiant. Yn enwedig pan yr oedd hi'n trio gosod trefn ar fywyd Huw.

Roedd e mor browd ohoni – yn ustus brwdfrydig oedd yn gwneud ei gorau dros y trueiniaid oedd yn cael eu dwyn o'i blaen, yn creu cosbau creadigol iawn – garddio, gwaith gyda'r henoed, unrhyw beth ond carchar. Dymunodd nad oedd methu cenhedlu ei phlentyn ei hun wedi pwyso gormod arni dros y blynyddoedd. A ddylen nhw fod wedi gwneud mwy o ymdrech 'da'r busnes IVF 'na? Roedd Elinor yn honni ar y pryd nad oedd hi am drio. Ond beth os taw dweud hynny i'w blesio ef oedd hi? A oedd yr holl waith elusennol, y gosod trefn ar fywydau pobol eraill yn deillio o ryw wacter ynddi? Oedd 'na bethau yr oedd hi'n eu cadw'n gudd? Wedi'r cyfan roedd e'n arfer meddwl ei fod yn nabod ei fab, ond roedd e fel dieithryn iddo ar hyn o bryd. Dechreuodd boeni, beth os oedd neb yn adnabod ei gilydd mewn gwirionedd, yn setlo am yr arwynebol heb dreiddio i'r dyfnderoedd? Er fod gan Tudur ffrindiau yn ei waith ac yn y clwb golff, Elinor oedd ei fyd. Ac roedd meddwl ei bod yn cadw unrhyw beth yn gudd wrtho yn annioddefol.

'Ti'n ocê, Tuds?' Daeth Elinor i eistedd drws nesa iddo ar y gwely a rhoi ei phen ar ei ysgwydd.

'Poeni am Huw a Rhian.'

'Fe ddôn nhw.'

'Sa i mor siŵr, Elinor. Mae e 'di newid. Wi'm yn teimlo mod i'n nabod yr Huw newydd. A dyw Rhian ddim yn hawdd, odi ddi? Mae ar goll rhywsut.'

'Odi. Meddwl falle bod ishe help arni. Dyw'r poeni niwrotig 'ma ddim yn iawn. O'n i'n meddwl awgrymu y dyle hi ga'l therapydd. Ond shwd mae dweud hynny heb godi gwrychyn? Neu ensynio ei bod hi wedi methu?'

'Cweit. Wedyn mae Huw mor...'

'Beth?'

'Mor... oeraidd? Wel, at Rhian beth bynnag. Wastod ar y ffôn neu'n rhaffu straeon i ddiddanu Awen. Aeth e bant 'da hi yn Perugia ddoe, ti'n gwybod. Weles i nhw'n mynd. Ac ar ôl yr hyn weles i yn yr Hilton, sai'n gwybod beth i feddwl.'

'Ti 'di siarad ag e?'

'Dries i eto heno, ond fe aeth e i'r gwely. Dianc o'dd e, ddim ishe sgwrs *heavy* 'da'i dad. Meddwl ei fod e wedi synhwyro bod un ar y gweill.'

'Af i nôl dou wydred o Prosecco?'

'Ie, pam lai? Mae ishe rhywbeth i godi fy nghalon i heno.'

'*You only live once,* Tuds.'

'Itha gwir, Elinor. Itha gwir.'

Drws nesa, roedd Llinos wedi colli rhywfaint ar ei hyder am ddyfodiad y babi.

'Mae PAWB YN GWYBOD!! Blydi, blydi, Mabli – hi roddodd e ar Insta, fi'n siŵr. A nawr mae pawb yn 'cydymdeimlo' gyda fi. #Yeah right #shebloodylovesit #Beffwcfinmyndiwneud?'

Nawr bod ei ffrindiau'n gwybod roedd llond twll o ofn arni. Gwyddai taw mater o amser oedd e cyn i'w Mam ffeindio mas. Diolch byth, roedd hi wedi sicrhau preifatrwydd rhagddi ar Insta – ond roedd rhywun yn siŵr o 'longyfarch' ei mam ar ryw safle cymdeithasol i hen bobol cyn bo hir. #gonnabefacebook

'Shit, shit, SHIT. Be ffwc wna i? Rhy hwyr i'r *morning after pill*. Fe fydd yn rhaid i fi fynd i glinic yng Nghaerdydd. Neu Llunden fydde ore. Alla i ofyn i Manon Wyn os ga i aros gyda hi. Ie, 'na beth wna i. Fe ffinda i esgus i fynd i fewn i'r ddinas o Heathrow yn lle mynd gatre 'da Mam a Dad. Gweud bo fi ishe gwneud bach o siopa 'da Manon. Shit, gobitho bo hi yn Llunden? *Oh god, oh god.* Aros – actiwali mae hi yno – wedodd hi bod 'da hi jobyn mewn bar yn Battersea tan ddiwedd mis Medi. Gwd. Reit ma plan 'da fi. Ocê, ocê, ocê. Wedyn, alla i fynd i Durham. Ie – a dyw *abortion* cynnar ddim rili yn *abortion* eniwê. Jyst cwpwl o gelloedd yw e. Dim byd rili #justsomecells Ogodogodgod ma hwnna'n *horrible*, fi jyst ddim yn gwybod beth i'w neud. A be wna i os bydd Mam yn ffindo mas cyn diwedd y gwylie?' Doedd gan Llinos ddim syniad sut i ateb y cwestiwn yna.

Pan ddychwelodd Rhian i'w hystafell ar ôl y bath, fe synnodd wrth weld Huw yno. Ddim yn ei hosgoi hi am unwaith.

'Hia,' meddai'n wengar. Falle gallen nhw gael sgwrs fach nawr a chwtsh hyd yn oed, gan fod Osian a Twm yn cysgu'n drwm. Gwasgodd calon Rhian am eiliad pan welodd hi fod Twm wedi mynd i'r gwely yn cofleidio pêl-droed tra fod Osian yn dal Mwng, y llew bach oedd wedi bod 'dag e ers ei fod yn fabi.

'Sgwla, Huw, mae Osi 'di dod â Mwng yr holl ffordd i'r Eidal!'

Atebodd hwnnw'n sarrug, 'Nag yw e bach yn hen i gael tedi?'

'Mond wyth yw e. Meddwl bod e'n swît.'

'Wel, mae e'n blentyn sobor o groendene, Rhi.'

'Fe ddaw...'

'Hy.' Swniai Huw yn negyddol iawn.

Anadlodd Rhian yn ddwfn a chyfri i bump (roedd rhywun ar Mumsnet wedi awgrymu'r strategaeth yma #hownottoqu arrelwithhubby) doedd hi ddim ishe dechre cweryl arall gyda Huw. 'Eniwê, ti'n ocê?' Triodd swnio'n ysgafn ac aeth i eistedd ar erchwyn ei gadair.

'Beth ti'n feddwl?' Edrychodd Huw arni'n syn.

'O dim byd, jyst... dweud helô 'na i gyd.' Pam oedd e mor amddiffynnol?

Y gwir oedd bod Huw wedi dod lan i'r gwely'n gynnar am unwaith i osgoi sgwrs gyda'i dad – yn union fel yr oedd Tudur wedi amau. Gwyddai o weld yr olwg ddifrifol yn llygaid ei dad nad oedd hi'n mynd i fod yn sgwrs rwydd. Oedd e wedi clywed rhywbeth? Na, do's bosib. Roedden nhw wedi bod mor ofalus. Sylweddolodd fod Rhian yn dal i siarad ag e.

'Wyt ti'n meddwl?'

Damo, am beth oedd hi'n sôn? 'Y... sori?'

'O, blydi hel, Huw, smo ti 'di bod yn gwrando, wyt ti? Typical. *God*, wi 'di cael digon ar hyn!'

'Digon ar beth? *Fuck's sake*, Rhi, ni mewn *luxury villa* a ti'n DAL i gonan?'

'Ond ni byth yn dy weld di? Fi sy'n gwneud bron popeth 'da'r bois, Huw! Wi'm yn cael munud i'n hunan. Ti wastod yn rhy brysur. O'n i'n meddwl dy fod ti'n mynd i dynnu'n ôl ar y gwaith ar y gwylie 'ma.'

'Wel, sori, Rhian, dyw e ddim mor rhwydd â hynny.'

'A pan nad wyt ti'n gweithio ti ddim yn gwneud lot i helpu eniwê, Huw.'

'Wel fi ar 'y ngwylie hefyd – a wi 'di gwitho'n blydi caled 'leni!'

'O, so fi'n gwneud dim byd, odw i? Gatre 'da'r bois? Fi jyst yn ishte o gwmpas yn joio odw i?'

'Wel, mae'r tŷ fel twlc a'r plant yn byta sothach felly *your guess is as good as mine*. A ti'n sbwylo'r bois! Mae e mor embarasing pan fo nhw'n gwrthod byta bwyd Elinor. Dylet ti adel iddyn nhw lwgu, neu fyddan nhw byth yn trio pethe newydd.'

'Paid ti â meiddio beirniadu fi, Huw. Fe fuon nhw'n stwffo losin drwy'r dydd pan o't ti *in charge*.'

'O'n i ddim yn gwybod bo nhw wedi ffindo cwpwrdd losin Elinor neu fydden i ddim wedi gadel iddyn nhw wneud, wrth reswm!'

'Ma wastod ateb 'da ti, ond o's e, Huw?'

'*Lighten up*, Rhian. Nawr os nag o's ots 'da ti wi'n mynd i gysgu achos ma 'da fi *conference call* am naw o'r gloch bore fory a ma ishe cwsg arna i cyn hynny. Er mwyn i fi ga'l ennill yr arian sy'n caniatáu i ni gael blydi gwylie mewn blydi *luxury villa*!!'

Trodd Huw drosodd a dechrau rhochian chwyrnu o fewn munudau tra fod Rhian yn berwi wrth ei ymyl. Llifai'r adrenalin drwy ei gwythiennau a bu'n troi a throsi am oriau yn ail-fyw'r gweryl. Damia, roedd hi wedi gobeithio osgoi hyn a chael noson neis. Ond na, hi a'i cheg fawr. Pam na allai hi gadw'n dawel weithiau? Ond wedyn pam fod Huw mor bigog, eniwê? A doedd e ddim yn gwrando arni – eto! Dechreuodd lefain yn dawel. Beth yn y byd oedd yn mynd i ddigwydd iddyn nhw?

Roedd arlliw o wawr yn y dwyrain cyn iddi agor y *persiane* a disgyn i gwsg anesmwyth am ychydig oriau.

Treuliodd Elinor y bore nesa yn sortio Meriel a Dylan oedd yn trio bwcio lle ar gwrs ioga cyfagos. O leiaf fe fydden nhw i ffwrdd am ddwy noson, diolchodd Rhian yn dawel i ba bynnag dduw oedd wedi trefnu hwnna a dylyfodd ei gên yn swnllyd. Diwedd, roedd hi wedi blino'n shwps! Aeth i ymyl y teras i edrych ar yr olygfa dros y dyffryn islaw. Roedd hi'n dwym eto heddiw. Gallai weld y gwres yn hofran yn yr awyr ac yn y caeau gyferbyn roedd golwg chwyslyd ar y rhesi o flodau'r haul, eu dail yn gwywo a'u hwynebau bellach yn ddu. Yn ôl Elinor, dyna oedd yr adeg gorau i bigo'r hadau, roeddent erbyn hyn yn llawn olew. Ond, diawch, ro'n nhw'n hyll.

Uwch ei phen, roedd ei hystafell wely a thrwy'r ffenestr agored gallai glywed Huw yn sgwrsio ar ei ffôn.

'Hia... You OK?... Yes, you know... more of the same... except can't escape here... Oh, that's kind, Jules, really appreciate it... No, I'll be fine honestly. It's just... you know... yes – call you tomorrow... And, Jules? Thanks.'

More of the same? More of the fucking same? Pwy ddiawl mae e'n meddwl yw e? ffyrnigodd Rhian. A chaledodd ei chalon eto fyth.

Canodd ffôn Llinos yn sydyn. Ifan, ffrind ysgol oedd yno.

'Haia Îfs... ti 'di clywed, 'te, wyt ti?'

'Fi'n poeni amdanat ti, Llinos.'

'Fi'n ocê. Odi pawb yn gwybod?

'Mae Mabli ar *overdrive*.'

'Ffwc.'

'Ond mae lot o bobol yn grac gyda hi – meddwl bod hi *well, out of order*.'

'Wel mae hi! Ffycin bitsh.'

'Beth ti'n mynd i wneud?'

'Sai'n gwybod.'

'Anwybydda pawb, Llin – gwna beth wyt ti ishe. 'Na beth sy'n bwysig. Fe alli di gadw'r babi os oes rhaid. *Creche* a pethe fel'na mewn prifysgolion erbyn hyn?'

'*You think?*'

'Odi'r tad yn gwybod?'

'O Îfs, Maes B o'dd e. *You know...*'

'*I hear you*. Wel, fi ma i ti, *like, whatever you decide*.'

'Diolch, Îfs.' #truefriend #notallmenarebastards

Roedd Tecs hefyd ar ei ffôn.

'Darling?'

'Hello there.'

'I can't be long, we're on a break while the Dame's with her chiropractor. He's sorting out her strained coccyx.'

'Ooh-er.'

'Quite. He's a miracle worker, apparently.'

'Well, he'd need to be with the Dame, wouldn't he?'

'Ha! Anyway. Look, I've got my schedule for the film and we're now looking at March. It's the only break I've got. So have you spoken to Elinor?'

'I haven't had a minute.'

'Tecs? You do want this, don't you?'

'Yes, yes. It's just... well, you know, I just need to talk to Elinor.'

'I know. But please, please do it soon?'

'I will. I promise.'

'Saved by the bell, darling, the stage manager has just called us back. Back end sorted apparently.'

'Kiss, kiss.'

'Kiss, kiss.'

Ar y teras, gwelodd Tudur fod ei fab am unwaith yn eistedd ar ei ben ei hun heb fod y ffôn yn styc i'w glust.

'Huw, alla i gael gair?'

'Y?'

Syllodd Huw yn wyliadwrus ar ei dad, yn pwyso'n ôl ar ei gadair yn amddiffynnol gan edrych fel y *teenager* beirniadol oedd wastod yn gwybod yn well. Cofiai Tudur y crwt yna'n rhy dda o lawer. Roedd pawb arall wrth y pwll neu'n mwynhau siesta ac fe benderfynodd Tudur achub ar y cyfle o'r diwedd i ddechrau'r sgwrs anodd yr oedd wedi bod yn ei hosgoi ers wythnosau. Ond shwd oedd dechre? meddyliodd Tudur, yn teimlo'n nerfus yn sydyn.

'Shwd ma pethe gatre, Huw?' Penderfynodd beidio â bod yn rhy ymosodol. 'Wi'n gweld golwg wedi blino ar Rhian. Odi popeth yn iawn?'

Os do fe, 'te. Ymosod yn syth wnaeth Huw.

'O, paid â dechre, Dad! Wi jyst â cholli'n limpyn 'da hi. 'Mond conan bod popeth yn ormod iddi mae'n neud. A sai'n deall pam. Ma orie o amser rhydd 'da hi tra bod y bois yn yr ysgol. Jyw, 'sen i ddim yn beio hi gyment 'se hi'n mynd mas i gino 'da'i ffrindie neu actiwali NEUD rhwbeth. Wedyn ma'r holl hunandosturi a'r niwrosis 'ma'n hala colled arna i. A dyw hi ddim yn mofyn neud dim i helpu fi – wastod wedi blino gormod, i swpera gyda *clients*, medde hi...'

Mowredd, meddyliodd Tudur, wrth wrando ar ei fab yn taranu, ei galon yn suddo gyda phob brawddeg galed, ddidostur. O le ddaeth yr holl gasineb, ie, casineb, tuag at Rhian druan? Fe gafodd Tudur ddigon. Dywedodd yn dawel, 'Ca' dy ben, wnei di?'

'Y?' Syllodd Huw arno.

'Ac ateba hyn, Huw. Wyt ti'n meddwl bod 'na gysylltiad rhwng diflastod dy wraig a'r ffaith dy fod ti'n cael affêr? Weles i chi'ch dau yn y St David's. Yn cusanu. Pwy oedd hi?' Sylwodd Tudur fod Huw wedi cael sioc wrth glywed hyn, a gallai weld ei fab yn dewis ei eiriau yn ofalus. Dywedodd o'r diwedd. '*Come on*. Dad. O'dd hwnna'n ddim byd. Jyst cyfaill gwaith yw hi.'

'O'dd hi ddim yn edrych fel cyfaill gwaith i fi, Huw.'

'Dad, ti'n paranoid! Eniwê – alle neb feio fi 'sen i yn neud rhywbeth fel'na – ma Rhian just yn amhosib y dyddie 'ma.' Stompiodd Huw i ffwrdd gan adael ei dad yn teimlo'n fwy llesteiriedig nag erioed.

'Tecs? Glywaist di beth wedes i?' Roedd Elinor a Tecs yn crwydro'r archfarchnad gan fod Elinor yn trio penderfynu beth i'w goginio y noson honno. Roedd criw bach o gymdogion yn dod draw i swper.

'Y... do, wrth gwrs.'

'Beth o'dd e, 'te?'

'Ym… rhywbeth am fadarch?'

Gafaelodd Elinor yn llaw ei ffrind a'i arwain at y ddwy gadair ar bwys drws yr archfarchnad, oedd yno ar gyfer pobol oedd wedi ffonio am dacsi. Gafaelodd Elinor yn nwylo Tecs a gofyn, 'Reit, beth sy'n bod? Ti 'di bod yn cuddio rhywbeth wrtha i ers dechrau'r gwyliau…'

'Elinor…'

'Gweda wrtha i, Tecs, ti'n hala ofon arna i nawr.' Roedd golwg mor ofnadwy ar Tecwyn, ofnai Elinor fod yna rywbeth mawr o'i le. 'Wyt ti'n dost, Tecs?'

'Sori, na, fi'n *fine,* dim byd fel na. Ond… jyst…'

'Beth, Tecs?'

Atebodd Tecwyn mewn un llifeiriant sydyn. 'Elinor, mae Steven am i ni briodi ac mae e am i ni wneud hynny'n gyhoeddus!'

Edrychodd Elinor ar Tecs yn anghrediniol. Dywedodd yn araf, 'Sori, y broblem yw dy fod ti'n dod mas yn ffurfiol? 'Na i gyd?'

'Ie. Fi'n gwybod bod e'n swno bach yn dila, Elinor, ond…'

Torrodd Elinor ar ei draws, 'Ond, Tecs, does neb yn poeni am bethe felly erbyn hyn, o's bosib?

'Nag oes, wi'n gwbod, a nid y busnes o ga'l digwyddiad mor gyhoeddus sy'n poeni fi.'

'Wel, beth yw'r broblem, 'te, Tecs, sai'n deall?'

'Beth am Mam, Elinor? A Derfel?'

'Maen nhw'n gwybod amdanat ti a Steven, nagy'n nhw?'

Edrychodd Tecs ar ei draed, fel plentyn ysgol yn cael stŵr. Sibrydodd wrth ei ffrind, 'Na, dy'n nhw ddim.'

'O ddifri, Tecs?'

'Dy'n ni ddim yn cyd-fyw yn ffurfiol. Mae e yn aml yn LA

a finne yn Llunden a dyw e ddim wedi bod o gwmpas lot pan maen nhw wedi aros. Nid bo hynny wedi digwydd yn amal, smo Derfel am adel y fuches a dyw Mam ddim yn lico teithio. Mond unwaith neu ddwywaith maen nhw wedi gweld Steve a fi wastod wedi ei gyflwyno fe fel ffrind.'

'Ond, Tecs, nag y'n nhw wedi gofyn?'

'Riod wedi trafod y peth. T'n gwybod fel o'dd hi pan o'n ni'n iau, El. Ni'n perthyn i genhedlaeth o'dd ddim yn siarad am bethau. Mae Mam yn naw deg pump. Wi'n ofni ladde fe hi i glywed y gwir amdana i. Wi'm yn gwybod beth i wneud. Mae Steven yn dweud bod hwn yn *deal breaker*. Mae e moyn cyhoeddi i'r byd ein bod ni'n gwpwl. Ac mae e'n gwneud lot o sens yn gyfreithiol ac yn y bla'n. A *hell*, fi mo'yn priodi fe!'

Roedd Tecwyn bron yn ei ddagrau nawr a theimlai Elinor fymryn yn euog am ei ddwrdio. Ond, er mwyn y nefoedd, i ba ganrif oedd Tecwyn yn perthyn, dwedwch? Gafaelodd yn ei fraich a thrio ei gysuro.

'Dy fywyd di yw hwn, Tecs – nid bywyd dy fam na Derfel.'

'Fi'n gwybod bod e'n ymddangos yn esgus tila ond mae e wedi bod yn *no-go* area mor anferth yn fy mywyd i dros y blynyddoedd. O'dd Steve yn erfyn arna i i siarad gyda ti. "You know she's the only one you listen to, Tecs." So dyma fi'n gwneud... Elinor, be wna i?'

'Blydi hel, Tecs.'

'Sori, ddylen i ddim bod yn pwyso fel hyn arnat ti. Ond o'n i'm yn gwybod lle i droi. A ti mor dda am roi cyngor. '

'Wel. Ok... Ti'n gwybod beth? Fe ddechreuen i drwy ffono Derfel.'

'Y?'

'Ffona Derfel. Gofyn ei gyngor e am dy fam. Fydde hynny'n syniad da?

'Dim clem.'

'Sai'n credu bod lot o ddewis 'da ti. Mae Steve a ti'n *soulmates.* Byse fe'n drychineb tase chi'n gwahanu. Alli di ddim gadel i'r teulu dy stopo di rhag priodi.

'Sai'n gwybod, Elinor.'

'Estyn dy ffôn nawr, Tecs. A ffona Derfel.'

Syllodd Tecs ar ei ffôn. Oedd e'n ddigon dewr i agor y drws yma?'

Nôl yn y fila, roedd Rhian ar ben ei thennyn gan fod Osian a Twm wedi bod yn bigitan ei gilydd drwy'r bore. Swm a sylwedd y cyfan oedd ei bod hi wedi mynnu bod y ddau yn eistedd ar wahân i ddarllen.

'Ond, Mami, dyw hwnna ddim yn deg achos mae Osi'n HOFFI darllen!' Roedd Twm yn despret i fod nôl yn y pwll tra fod ei frawd wedi ymgolli'n llwyr yn hanes Percy Jackson a'r duwiau Groegaidd. Roedd Twm yn iawn, wrth gwrs, doedd darllen ddim yn artaith i Osian. Penderfynodd Rhian gyfaddawdu.

'Ocê, 'te, bach, fe gei di fynd nôl i nofio ond ar yr amod dy fod di'n gadel llonydd i Osian a dim sblasio. Ti'n clywed?'

'Odw, odw, wi'n addo! Mami?'

'Ie, bach?'

'Ti ishe whare pêl?' Edrychodd Twm yn obeithiol ar ei fam.

Nagw, bach, meddyliodd Rhian, fi ishe ishte fan hyn yn darllen y *Vogue* ma Awen 'di gadel ar y gwely haul, yfed paned o goffi ac esgus nag ydw i yma o gwbwl. Lle ma ffycin Huw? Roedd hi ar fin ymlwybro'n ddiflas at y pwll pan achubodd Meic y dydd.

'Fi bach yn dwym, Rhian. Af i mewn 'da Twm?'

'O jyw, ti'n siŵr, Meic?'

'Odw. Reit, Twm, ti'n gallu gwneud *Keepy Uppies* yn y pwll?'

'ODW!!!'

Gwyliodd Rhian y ddau'n chwarae. A meddwl eto mor neis oedd Meic.

O ffenest yr archfarchnad roedd Elinor yn gwylio Tecwyn allan yn y maes parcio. Roedd e wedi mynd yn syth i ffonio'i frawd, cyn iddo gael amser i newid ei feddwl. Gallai weld bod golwg ddifrifol ar wyneb Tecwyn – oedd hynny'n arwyddocaol? Ceisiodd feddwl am rywbeth arall a throdd at ei rhestr siopa faith – diwedd annwyl roedd ishe prynu lot o stwff pan oedd y Girasole'n llawn! Papur tŷ bach yn un peth (rholiau a rholiau o'r stwff) a photeli dŵr pefriog a gwin coch. A doedd hi ddim wedi setlo ar y fwydlen ar gyfer heno eto. *Fritto misto*? Na, gormod o waith yn y gwres. *Ravioli*? Ie. Spigoglys a chaws yn y canol a'u gweini gyda saws tomato. Byddai'n rhaid iddi ychwanegu at y rhestr eto. Cododd ei hysgrifbin a dechrau ysgrifennu.

Safai Tecs yn y cysgod yn gwrando ar y ffôn yn canu nôl yng Nghymru. Canodd am amser hir ac roedd Tecwyn ar fin diffodd y ffôn a throi'n ôl am y siop pan ddaeth yr ateb.

'Helô?'

'Derfel?'

'Tecwyn, ti sy 'na? Sai'n clywed ti'n iawn. Sori, ma llond tŷ 'da ni, buon ni'n hel y defed mynydd ddoe felly ma Non wedi bod yn gwitho cino i bawb.'

Clywai Tecs sŵn siarad a chwerthin yn y cefndir ac fe allai ddychmygu'n union sut le fyddai yno. Y bwrdd yn gwegian dan bwysau mynydd o fwyd da – coesau oen wedi eu rhostio, powlenni o lysiau o bob math, yn gyforiog o fenyn hallt Caerfyrddin, ham mawr pinc a saws persli, tato pwtsh a thato rhost a llynnoedd o grefi persawrus ar bob plât. Draw ar y seld byddai sawl tarten afal (roedd Non wedi ennill gwobrwyon yn y Sioe Fawr am ei chrwst) a jygie mawr o hufen aur trwchus. Byddai pawb yn eu dillad gorau, wedi dod at ei gilydd i ddathlu un o ddiwrnodau mawr y calendr amaethyddol. Bu bron i Tecwyn golli hyder a dechre trafod y defaid a gofyn am gymdogion Derfel. Fe'i magwyd ar y fferm ac roedd ganddo atgofion byw a hynod felys o'r gymuned a dylanwad rhythm y tymhorau ar eu bywydau. Na, roedd hyn yn mynd i fod yn rhy anodd. Gwell oedd gadael hi am y tro.

'Ffona i'n ôl pan fyddi di'n llai prysur.'

Chwerthin wnaeth Derfel. 'Wi'n ffarmwr, Tecs, ti'n gwybod yn iawn mod i wastod yn brysur. Eniwê. *To what do we owe this honour?*'

'Ym…'

'Dere mla'n, Tecs, wi moyn 'y nghino. Mae Non wedi gwneud dau fath o dato!'

'Ie, sori, wrth gwrs. Wel, ym…' Doedd Tecwyn jyst ddim yn gwybod lle i ddechre. 'Ym… ti'n cofio Steven, on'd wyt ti?'

'Odw. Yr actor 'na o America. O'dd e'n lico 'nghrys i. Ethon ni mas i'r lle bwyta 'na ar bwys Tŵr Llunden.'

'Ie, 'na fe.'

'Wel, beth amdano fe?'

'Ym… o jyw, Derfel. Ry'n ni… ym…'

'Beth?'

Ni'n… ym… Wel…'

'Ooo. Wi'n gweld. Chi'n… ym?'

'Ym... wel... odyn a gweud y gwir.'

'Yn eitem, *so to speak*?'

'Odyn. A Derfel.' Anadlodd Tecs yn ddwfn. 'Ni moyn priodi.'

'Wi'n gweld.'

Oedd Derfel wedi cael sioc? 'Mond sŵn y siarad yn y cefndir oedd i'w glywed, roedd Derfel yn fud.

'Derfel?'

'Ie, sori. Reit, so priodi?

'Ie, priodi.'

'Ocê... Ti'n cofio Iwan Caer Rhos, Tecs?'

'Ym... odw?' I lle'r oedd Derfel yn mynd â hyn?'

'Wel mae e'n fet nawr.'

'Odi e?'

'Odi. Mae e'n wych 'da'r fuches a gweud y gwir.'

'Reit.'

'Ac mae e'n briod â dyn. Gwd boi. *Chef* yn y Cawdor.'

'O.'

'Beth wi'n trio weud yw bod y busnes priodi 'ma yn ocê, Tecs. Ti a'r Steven 'ma. A gweud y gwir, wi 'di meddwl erio'd taw fel hyn o'dd pethe 'da ti.'

'Wyt ti? Pam 'set ti'n gweud 'te, Derfel?'

'O'n i'm yn meddwl bo ti ishe siarad am y peth.'

'Na. Wrth gwrs. Ond ti'n... ti wir yn ocê?'

'Odw, gwlei. Wi 'di gweld e ddigon 'da'r fuches, alli di ddim dewis dy natur di. A diawch mae pethe wedi newid lot ers i ti symud i Lunden, Tecs. Mae'r *Young Farmers* yn *inclusive* nawr. Wedodd Non fod y cadeirydd newydd yn *gender neutral*.'

'Beth?'

'Smo ni gyment ar ei hôl hi, Tecs. 'Na beth wi'n trio gweud. Ac mae pethe'n well o'i herwydd. Yn fy marn i, ta beth.'

'Ie, wi'n gweld 'ny nawr... diolch, Derfel.'

'Iawn, boi. Sdim problem 'da fi ac wi'n gwybod bydd Non a'r plant yn dymuno'n dda i chi'ch dou hefyd.'

'Ma hwnna'n meddwl y byd i fi.'

'Ond, Tecs... Wel, weda i wrthot ti nawr. Sai'n gwybod beth wedith Mam...'

Edrychodd Elinor allan drwy'r ffenestr am y canfed tro a gweld bod Tecwyn wedi diflannu. Trodd ei phen i'w weld yn dod yn ôl i fewn i'r archfarchnad. Eisteddodd yn drwm ar y gadair nesa at Elinor.

'Wel? Beth wedodd e?' Roedd Elinor ar bigau'r drain ishe gwybod.

'Wel... '

'Ie?'

Dechreuodd Tecwyn chwerthin. 'Ti'n gwybod beth? O'dd e'n iawn. O'n i ddim yn gwybod lle i ddechre ac fe rowndies i dipyn cyn dod at y pwynt. Gofyn iddo fe os o'dd e'n cofio Steven ac yn y blaen. Ac fe ddechreuodd e wherthin a dweud wrtha i am gallio, bod e wastod wedi gwbod rili a bod y milfeddyg sy'n edrych ar ôl y fuches yn briod â dyn ac mae e'n "gwd boi".'

'Wel, whare teg i Derfel. Beth am dy fam?'

'Dyw hwnna ddim mor syml. Dyw e ddim gwybod shwd bydd hi'n ymateb ond...'

'Ond?'

'Ond mae e'n meddwl dylen ni briodi, ta beth. Pwy feddylie, Elinor? O'dd e'n deall.'

'O, Tecs. Felly... beth yw'r cam nesa?'

'*Face time* gyda Mam a Derfel. Fe fydd e yno gyda hi. Doedden ni ddim yn gallu meddwl am ffordd arall.'

'Reit, 'te.'
'Reit, 'te.'

'I fi, Twm.' Roedd Huw wedi cyrraedd o rywle ac yn cenfigennu wrth weld Meic yn chwarae gyda'i fab.

'DADI!!!'

'Reit, 'te, Huw, af i i gael cawod. Mae 'da ti bach o seren fanna, weden i. Galle fe ymuno ag un o'r clybie rygbi plant 'na yng Nghaerdydd.'

'Wi'n gwybod 'ny, Meic... diolch.' Swniai Huw braidd yn ddiserch. Doedd e ddim ishe derbyn cyngor wrth ddyn arall am ei fab ei hun.

'Reit... wel. *High five*, 'te, Twm!'

'Diolch, Meic! Dadi, wi wedi gwneud tri deg *keepy uppy*!'

'Ocê, 'te, Twm, ti mofyn ras?' Plymiodd Huw i'r dŵr er mwyn newid y testun. Doedd e ddim am glywed sut hwyl gafodd Meic a'i fab.

'Yay! Dadi!'

Yn y car, wedi llwytho'r nwyddau, diolchodd Tecs i Elinor.

'Wi'n teimlo'n well am bethe nawr. Ond Mam... Wel, wi jyst ddim yn gwybod.'

'Falle na fydd pethe cynddrwg. Bydd hi'n deall am beth wyt ti'n sôn, ti'n meddwl?'

'Mae fel y boi, Elinor – yn siarp iawn o hyd, cofia.'

'Wel... Paratoi am y gwaetha a gobeithio am y gorau – weithiau mae'r hen ystrydebau 'ma yn llygaid eu lle.' Gwenodd ar Tecs a thanio'r injan.

Yn hwyrach yn y prynhawn, roedd Rhian yn loetran yn y gegin yn chwilio am fyrbryd i'r bois ac fe ddaeth y tri ohonynt i wylio Elinor yn paratoi *ravioli*. Yn y man gofynnodd Rhian yn swil a allai hi roi cynnig ar ffurfio'r parseli bychain.

'Wrth gwrs – dere mla'n ac fe all y bois ddod i chwarae gyda'r pasta hefyd – hei, bois, dewch i dorri siapau i Mam-gu.'

'Pwy sy'n dod heno, 'te, Elinor?' Synnodd Rhian o weld mor bleserus oedd rholio'r olwyn fach i greu'r sgwariau o basta.

'Wel, nawrte, gad i fi weld. Adrian o Lunden, cyfarwyddwr ffilm yw e, dw i'n meddwl. Gabrielle a Sebastian, maen nhw'n posh iawn ond yn ddigon neis yn eu ffordd eu hunain – sai'n credu bod nhw'n gweithio o gwbwl. A Lucia a Gio wrth gwrs a'u mab nhw Sal a'i wraig Francesca – maen nhw'n siarad Saesneg yn ardderchog. Fe ddylen ni fod yn griw diddan iawn.'

Mae hwn yn hwyl, meddyliodd Rhian. Roedd y bois yn dwli ar weindio'r rholiwr pasta ac roedd 'na elfen lesmeiriol yn y torri, y llanw a'r selio a gweld y pentwr o barseli'n tyfu ar y plât anferth yng nghanol y bwrdd.

Torrodd Awen ar draws yr awyrgylch glos. Safai yn y drws mewn cafftan sidan drud yn chwifio'i sbectol haul Gucci yn ddiamynedd. Gofynnodd yn frou, 'Elinor, beth yw'r *dress code* heno? Byddai'n dda cael gwybod.'

Dress code? Damia doedd Rhian ddim wedi ystyried y bydde'n rhaid iddi wisgo'n smart – roedd y gwyliau wedi bod yn anffurfiol iawn hyd yn hyn.

'O jyw. *Smart casual*, Awen? Wnaiff hynny'r tro?' atebodd Elinor, ond heb godi ei phen o'r gwaith torri.

'Iawn. Diolch,' meddai Awen cyn ychwanegu'n sychedd, 'Jyst ishe cadw at y rheolau, Elinor.'

'Does dim rheolau, Awen, ni ar ein gwyliau.' Edrychodd Elinor i fyny o'r diwedd gyda gwên nad oedd yn llwyr gyrraedd ei llygaid.

Jyw jyw, s'mo'r ddwy 'ma'n lico'i gilydd o gwbwl, meddyliodd Rhian.

'Oes 'na siop trin gwallt wyt ti'n trystio yn Citta, Elinor?' Roedd goslef anghrediniol Awen yn awgrymu bod hynny'n annhebygol iawn.

'Oes wir, Awen,' atebodd Elinor mewn llais a oedd yr un mor oeraidd. 'Mae 'na un wych lawr yn y Corso. Gad i fi ffonio nhw i weld os ydyn nhw'n rhydd pnawn 'ma.' Cododd Elinor i nôl ei ffôn a rholiodd Awen ei llygaid wrth iddi ddiflannu drwy'r drws. Yna edrychodd am eiliad ar Rhian oedd yn flawd ac yn saim i gyd ar ôl torri'r pasta, cyn siglo'i phen yn ddirmygus, gwisgo'i sbectol haul a throi am y teras.

Gan adael Rhian wedi diflasu'n llwyr wrth feddwl am ei mam ac Awen yn swancio o gwmpas y parti yn eu dillad smart a hithe fel arfer ar goll yn ei thiwnic Indiaidd.

Awr yn ddiweddararch, daeth Tecwyn drwy ddrws y lolfa, yn wyn fel y galchen.

'Elinor,' dechreuodd.

'O jyw, Tecs.' Deallodd Elinor yn syth.

'O'dd e'n erchyll. Trychinebus.'

Roedd Tecs wedi eistedd rhai munudau yn gynnar ar gyfer y cyfarfod *Facetime* a threuliodd yr amser hynny yn edrych arno'i hun ar y sgrin. Gwisgai grys gwyn smart a siaced ysgafn hufennog. Ond roedd yn welw ac edrychai'n flinedig a sylwodd fod cornel un o'i lygaid yn crynu bob hyn a hyn. Rhywbeth oedd ond yn digwydd pan oedd e o dan bwysau.

O'r diwedd daeth Derfel i'r golwg, yn rhy agos o lawer at y sgrin. Gwelodd Tecs ei drwyn cochlyd mewn *close up* brawychus cyn iddo wasgu'r botwm sain ar y cyfrifiadur ac eistedd yn ôl. Drws nesa iddo eisteddai Mary, ei fam, fel pin mewn papur, perm tynn ei gwallt arian fel helmed ar ei phen, a *housecoat* las dros ei dillad bob dydd. Er ei bod yn ei nawdegau, roedd hi'n effro ac yn finiog ei meddwl.

'Tecwyn.'

'Mam. Shwd y'ch chi?'

'Iawn. Mae Derfel a Non yn gwneud yn siŵr o hynny.'

Suddodd calon Tecs. Doedd y ddynes genfsyth yma ddim yn mynd i wneud hon yn sgwrs rwydd. Roedd hi'n dannod yn barod.

'Chi'n edrych yn dda.'

'Sdim ishe gwenieithu, Tecwyn. Gwed ti beth sy 'da ti i'w weud.'

'Ocê... ym... Mae Derfel wedi sôn am Steve a finne, wi'n deall.'

'Do.' Roedd ei hwyneb yn ddi-emosiwn, ei llygaid yn oer.

'Wel, ydy hynny'n iawn gyda chi, Mam?'

'Gwna di fel y mynni di, Tecwyn. 'Na beth wyt ti 'di gwneud erioed.'

'Ond gawn eich bendith chi, Mam? Mae Steve yn gwneud fi'n hapus iawn. Ni'n dda gyda'n gilydd. Byddech chi'n hoffi fe, fi'n siŵr, Mam, 'sech chi'n dod i'w nabod e. Dwlen ni 'sech chi'n dod i'r briodas. *Guest of honour* wrth gwrs.'

Doedd dim arlliw o wên ar wyneb ei fam. Daliodd i syllu ar y sgrin heb yngan gair. Ymbiliodd Tecwyn arni, 'Mam? Gawn ni eich bendith?'

Sylwodd fod Derfel yn edrych yn anghyfforddus ofnadwy erbyn hyn. 'Mam?' ategodd hwnnw. 'Mae'r Steven 'ma'n dipyn o foi. 'Di ennill Oscar, on'd dyw e, Tecs?'

Ond parhau i edrych yn ddirmygus ar ei mab wnaeth Mary cyn ateb o'r diwedd.

'Tecwyn. Mae beth wyt ti'n gwneud yn annaturiol. Nid

priodas fydd hyn ond ffars. A paid â meddwl am eiliad dy fod yn cael sêl fy mendith.'

'Ac yna fe gododd Mam a mynd mas o'r stafell gan adel Derwyn a finne'n edrych yn syn ar ein gilydd. Druan ohono fe, o'dd e'n trio gweud y bydde popeth yn iawn, ond sai'n meddwl ei fod e'n credu hynny mewn gwirionedd.'

'O, Tecs,' Rhoddodd Elinor gwtsh mawr i'w ffrind.

'Ddylen i fod wedi mynd draw 'na i'w gweld hi. Doedd e byth yn mynd i weithio dros blydi *Facetime*.'

'Falle. Dw i ddim yn siŵr. Ond grynda, Tecs, ti'n caru Steven, on'd wyt ti?'

'Odw. Wrth gwrs.'

'Sdim byd arall i'w ddweud, 'te. Ei cholled hi yw hyn. Ond fe ddylet ti wahodd hi i'r briodas beth bynnag. Cadw'r drws ar agor iddi. Mae pobol yn gallu newid. Hyd yn oed yn naw deg pump.'

'Os na fydd hyn yn ei lladd hi, Elinor – hwnna sy'n poeni fi.'

'Fetia i nad yw hyn yn sioc lwyr iddi.'

'Ti'n meddwl?'

'Mae hi bownd o fod wedi amau.'

'Falle. Yr unig gysur yw bod hi ddim yn edrych fel tase hi 'di cael sioc. O'dd hi jyst yn grac ac yn sur.'

'Wel, beth bynnag. Dwi'n meddwl bo ti 'di gwneud y peth iawn. Edrych i'r dyfodol sy'n bwysig nawr. Ti 'di ffono, Steven?'

'Naddo. Fe wnaf i heno. Diolch, Elinor.'

Wrth i'r ymwelwyr gyrraedd ar gyfer y wledd y noson honno roedd Rhian yn trio stwffio Twm i grys T glân. Buodd hi'n rhedeg o gwmpas y teras ar ei ôl a hwnnw'n gwingo nes iddi lwyddo i'w newid. Nefi blŵ mae golwg smart ar y criw 'ma, meddyliodd yn ddigalon wrth edrych ar y cymdogion Seisnig yn ymgynnull ar y teras. Gwisgai pob un ohonynt ddillad drud a chwaethus. Ciliodd i'r ochr a gweld bod Huw mewn chinos tynn a chrys Hawaian glas newydd, yn arllwys Aperol a Prosecco i'r ymwelwyr ac yn ymroi i sgwrsio'n frwd. Roedd Awen yno hefyd, yn bictiwr ar ôl ei hymweliad â'r siop wallt yn Citta, mewn ffrog sidan las a gwyn a sandalau platfform aur.

Cyrhaeddodd Giovanni a'i deulu ac fe aeth Tecwyn atynt yn syth gan fod Elinor wedi gofyn iddo edrych ar eu holau.

'Gwesteion y'n nhw heno, Tecs, a wi moyn iddyn nhw fwynhau'u hunen.'

Cyn bo hir roedd pawb yn dal gwydred o rywbeth yn eu dwylo ac yn bwyta cnau, olewydd a *bruschetta* bach yn gyforiog o domatos a garlleg. Sylwodd Rhian fod Gio a Lucia fymryn yn anesmwyth yn y cwmni tra fod eu mab Sal a'i wraig Francesca yn fwy cartrefol. Roedd eu Saesneg yn rhugl ac roedd yn amlwg eu bod nhw wedi arfer â chymdeithasu gyda phobol dramor.

Aeth pethau'n iawn hyd nes i Gabrielle gael gafael ar Salvatore. Dechreuodd ei annerch yn uchel yn y ffordd yr oedd Saeson yn dueddol o wneud os nad oedden nhw'n deall yr iaith frodorol.

'OH, YOU MEAN YOU BOUGHT THAT GORGEOUS LITTLE CHAPEL! OH, I HATE YOU FOR THAT, NO SERIOUSLY, WE'D HOPED OUR FRIENDS WERE GOING TO BUY IT. WE WONDERED WHO GOT IT. DID JAMES GIVE YOU A HEADS UP? NAUGHTY, JAMES!'

'No,' atebodd Sal yn wengar. 'Like everyone else I saw it was for sale. I'm an architect, you see, and I'm keen to keep its character. I was baptised there – it means a lot to my family.'

'OH, WELL, WE'RE KEEPING OUR EYE OUT FOR ANOTHER BOLT HOLE. PERHAPS YOU COULD LET US KNOW IF YOU HEAR OF ANYTHING! AND IF YOU EVER THINK OF SELLING DON'T GO TO NAUGHTY JAMES, COME TO US!'

'We won't be selling.' Roedd gwên Sal yn dechrau blino nawr.

'YOU SEE, HE'LL JUST SELL TO THE HIGHEST BIDDER, BUT WE REALLY CARE ABOUT THIS VILLAGE.'

'Do you?'

OH, YES. IT'S SO BEAUTIFUL AND WE FEEL SO PRIVILEGED TO HAVE PLAYED A PART IN SAVING IT.'

'Saving it?'

'YES I MEAN SO MUCH OF IT WAS IN RUINS BEFORE WE CAME AND LOOK AT IT NOW!'

Teimlai Sal ei dymer yn codi. Roedd gan hon groen fel eliffant. Gwnaeth ymdrech i siarad mewn llais tawel a phwyllog.

'Excuse me, Madam, but you are not "saving" the village. You are turning it into a holiday resort. And if you love it so much then move here. Then the village might be able to sustain a shop or two. And even a school. Oh, no, that won't be possible of course because you're living in it. Now, if you'll excuse me, I need to speak to Elinor.'

Symudodd Sal i ffwrdd gan adael Gabrielle yn syllu ar ei ôl a'i cheg ar agor. Doedd Gio ddim wedi deall lot o'r hyn ddywedwyd ond roedd yr olwg ar wyneb y Saesnes yn fendigedig.

Sal *One*, Gabrielle *Nil*, meddyliodd Rhian gan chwerthin yn dawel i fewn i'w Aperol. Ond prociodd Gabrielle Gio yn chwareus a dweud, 'OH, YOUR SON IS A CHARACTER, ISN'T HE, GIOVARNEEE!'

Gwridodd hwnnw'n syth. Diolch i'r nefoedd sylwodd Tecs a ddaeth i'r adwy ac arwain Gabrielle i ffwrdd gan ddweud, 'Darling, have you met Dylan – he's one of our finest directors.'

Wedi iddi fynd dechreuodd Gio sgwrs ffyrnig gyda Francesca a Lucia ac roedd hi'n amlwg ei fod yn ystyried gadael. Ond llwyddodd Francesca i'w ddarbwyllo a phan wahoddodd Elinor bawb draw at y bwrdd bwyd fe ddilynodd Gio yn anfodlon.

Am ryw hanner awr, aeth popeth yn iawn. Roedd y bwyd yn hyfryd a'r sgwrs yn llifo'n gymharol rwydd wrth i bawb fwyta ac yfed. Daeth Tecs draw i eistedd gyda Rhian.

'Am griw,' meddai o dan ei anadl. 'Beth gododd ar Elinor? Mae'r Gabrielle 'na'n erchyll.'

'Achubest di'r dydd, Tecs – roedd Giovanni'n tampan,' cadarnhaodd Rhian.

Daeth tonnau o chwerthin o gyfeiriad Huw a Dylan oedd yn sgwrsio'n frwdfrydig gyda Sebastian a Gabrielle. Daeth ambell air draw ar y gwynt.

'Darling, Judi, such a joy to work with.'

'Yes I do mainly campaigning work, not a corporate man – always on the side of the little guy, really.'

Gwgodd Tecs arno cyn troi yn ôl at Rhian. Ac edrych heibio iddi.

'Hei, drych ar y machlud Rhian,' ebychodd. 'Waw!'

Ac yn wir roedd yr haul yn machlud mewn ffordd ysblennydd iawn, yn belen goch berffaith, yn taenu cysgodion pinc ac aur dros y cymylau o'i chwmpas. Edrychodd y ddau yn gegagored ar y fath ryfeddod.

'Ni nôl gyda Piero a'r criw, ond dy'n ni?' meddai Tecs.

Dechreuodd Rhian gytuno pan dorrodd llais Seisnig cryf ar ei thraws.

'Tex?'

Syllai ymwelydd newydd i'r parti i gyfeiriad Tecwyn yn wengar. Dyn hardd mewn siwt hufennog a chrys pinc ydoedd, ei groen yn lliw efydd golau a'i wallt mor felyn â chae ŷd yn anterth yr haf.

'Adrian? Good God! What on earth are you doing here?' Aeth Tecs draw ato ac ysgwyd ei law yn frwdfrydig, 'Darling, how are you?'

'Good, really good, thanks,' atebodd Adrian. 'God it's been ages. When did we last...? Was it pre bloody Covid in Venice?'

'Yes that's right, the party for *Cougar Man*, wasn't it? In that lovely old Palazzo...'

'And then we all went to Harry's Bar – yes, it was wonderful. God, it's good to see you – and how weird – worlds colliding. We've got a place near here. Elinor, did you know Tex and I are old friends?'

'No! What a lovely coincidence! Well Adrian, you've bought fine weather with you! Gio tells me it's set fair for the rest of the week now. No more storms for a while, hopefully.'

'Oh, good, he's normally on the money isn't he?'

'Let me get you a drink. Aperol? And come and get some food.'

'Lovely. Well, Tex, you've been busy!'

'I've been very lucky. Gosh, where are my manners? Sorry, Adrian, do you know Dylan? One of our foremost directors in Wales.'

'No, good to meet you, Dillon.'

'It's Dylan, actually.' Roedd Dylan yn sychedd braidd.

'God, sorry. But hey, Tex, did you see Edgar's latest picture – the Austen in space thing?'

'Yes, I heard he had sleepless nights about the hydraulics!'

Roedd Dylan yn trio meddwl am rywbeth clyfar i dynnu sylw Adrian pan glywodd Gabrielle yn gweiddi.

'BUT, DARLING, ALL I DID WAS ASK HER TO GET ME A DRINK!'

'Yes, but Lucia's our guest, you see.' Roedd Elinor yn gwneud ei gorau i achub y sefyllfa.

'BUT ISN'T SHE YOUR DAILY? I THOUGHT SHE DID FOR YOU? IN FACT I WAS WONDERING IF SHE'D COME TO US TOO. DO YOU THINK SHE WHOULD? SHALL I ASK HER? LOOOCHEEAR?'

'No, Gabrielle, not now, come in to the kitchen and let me get you another drink.'

Ciliodd Elinor a Gabrielle ond roedd hi'n rhy hwyr. Roedd Lucia yn ei dagrau a Gio yn wyllt. Triodd Tudur ei orau i ymddiheuro ond diflannodd y ddau drwy'r iet. Ac fe'u dilynwyd bron yn syth gan Sal a Francesca. Er mor daer oedd ymddiheuriadau Tudur.

Dihangodd Rhian i roi'r bois yn y gwely gan oedi ar ôl gorffen y bath a'r stori i eistedd ar bwys ffenestr agored yr ystafell yn y tywyllwch. Gallai glywed sŵn y parti islaw, Huw a Dylan oedd yn fwyaf uchel eu cloch ond roedd llais trwynol a cheffylaidd Seb i'w glywed yn glir hefyd. Wrth eistedd yn y cadeiriau esmwyth ar y teras o dan y ffenest, gallai glywed Adrian a Tecs yn malu awyr am ryw actor Hollywoodaidd.

'Word is he took three months off, had it all done, eyebags, jowls, the lot.'

'Well you've got to admit he's looking bloody good on it. Wonder who he goes to?'

'Wouldn't know, darling. My jowls – and even if I say it myself – my extremely good head of grey hair, are my fortune.'

'You're not wrong there, Tex. Here's to ageing well, cheers!'

'More brandy, chaps?' Sylwodd Rhian fod ei thad wedi ymuno â'r sgwrs.

'Ah, Dillon, good man! So, Tex, what's next? I heard a whisper about the new Spielberg?'

'My lips are sealed, darling.'

'I very much admire his work, you know he's a great storyteller...'

Torrodd Adrian ar draws Dylan.

'Tex, you old bugger, go on, spill the beans!'

O wrando ar y sgwrs, deallodd Rhian nad oedd gan Adrian y mymryn lleiaf o ddiddordeb yn ei thad, ac yn y man sylwodd fod hwnnw wedi mynd gan adael Tecs ac Adrian i sgwrsio. Edrychodd allan ar y teras a gweld ei fod nôl yn eistedd gyda Huw, yn edrych braidd yn ddiflas.

Yn y man daeth sŵn pobol yn neidio i'r pwll, sgrechiadau a sblasio a'r math o hwyl gorfodedig oedd yn dân ar groen Rhian. Caeodd y ffenestr, trodd yn anfoddog am y drws a cherdded lawr llawr yn araf gan feddwl am y canfed tro bod y gwyliau hyn yn blydi hunllef. Roedd pawb allan ar y teras ger y pwll nawr. Pan ymunodd Rhian gydag Elinor a Tudur, oedd yn sefyll yn llonydd fel delwau syfrdan, fe ddeallodd pam. Yn y dŵr, yn sgrechen chwerthin oedd Huw, Awen, Gabrielle a Seb. Yn eu dillad socian yn hollol gaib.

Drws nesa roedd Giovanni'n wyllt o hyd.

'Shwd allen nhw?'

'Nid Elinor oedd ar fai, Gio. Y Saesnes 'na oedd ddim yn deall.'

'Dad, plis, paid â gwneud hyn. Dere i gael grappa bach. Anghofia am y diawled. A beth bynnag, ni enillodd y rownd yma – fethodd hi gael y capel i'w ffrindie.'

'Do, sbo.'

'A dwi 'di bod yn meddwl, Dad. Ti 'di clywed am Maurizio Cesprini?'

'Naddo. Pwy ddiawl yw e, Sal? Un o dy ffrindie coleg posh di?'

'Na, na, na.' (Diwedd, oedd ei dad yn gallu bod yn waith caled withe.) 'Mae e'n bach o arwr a gweud y gwir. Fe arweiniodd e griw o ffrindiau i ailafael mewn pentre colledig lan yn Verbania. Fi'n mynd i sgrifennu ato – trefnu cyfarfod *zoom*. Gweld shwd lwyddodd e. Falle gallen ni wneud rhywbeth tebyg – 'da'r adfeilion sydd ar ôl yn ein pentre ni. Cyn bod y Saeson yn eu prynu nhw hefyd...'

'Hy.' Edrychai Gio yn anfodlon ar ei fab. Rhyw sothach coleg oedd hyn eto. Ond gwelodd fod Sal yn hollol ddiffuant. Teimlodd yn ddrwg am fod mor fyr ei dymer.

'Mae'n rhaid i ni drio, Dad!'

'Oes, sbo.' Daeth Gio i eistedd nesa at ei fab. 'Agor y botel, 'te.'

Yn ei stafell yn y Girasole roedd Tecs wedi dianc er mwyn ffonio Steven. Gwyddai y byddai adref erbyn hyn.

'Darling! You're going to be so proud of me!'

'You finally spoke to her?'

'I did more than that – I've spoken to Derfel and my mother. Elinor made me do it!'

'I bloody love Elinor. I knew she'd get it all sorted. So... how was it?'

'Brother fine, Mother not so much.'

'Ah.'

'I'll give you the full story when I see you on Saturday. But Steve, Mum was so cold.'

'I'm sorry. That must have been hard.'

'Yes. It really was. But you know what, darling, it's over. We'll invite her anyway.'

'So, shall we name the day? I'll even invite the Dame!'

'Abso-bloody-lutely!'

Tywyllodd wyneb Tudur wrth weld Huw yn fflyrtio gydag Awen yn y pwll, y ddau yn whare fel *teenagers* – Awen ar ei ysgwyddau'n gweiddi 'Na, paid, Huw!' Gan feddwl 'Mwy plis', mewn gwirionedd, meddyliodd Tudur. Cliriodd ei lwnc a throi at Elinor a Rhian.

'Glased bach o rywbeth, ferched? Awn ni i eistedd o dan y winwydden? Wi wedi cynnau'r canhwyllau *citronella*. Dowch.' Cerddodd Rhian draw yn fud ar ôl ei rhieni yng nghyfraith. Gwyddai fod Tudur am fynd i rywle lle nad oedd rhywun yn gallu gweld na chlywed yr antics yn y pwll.

Rhai oriau'n ddiweddarach daeth Huw i'r gwely. Esgusodd Rhian ei bod yn cysgu. Dechreuodd Huw chwyrnu'n feddw yn go glou, tra gorweddai Rhian wrth ei ymyl yn berwi, nid yn unig am ei bod hi'n rhy dwym ond hefyd am fod dagrau poeth yn powlio lawr ei gruddiau. Roedd e wedi mynd yn rhy bell y tro hwn. Byddai'n rhaid iddi wneud rhywbeth! Ond beth? Unwaith eto, chysgodd hi ddim chwinciad tan oriau mân y bore.

Coctel Huw ac Awen

Cymysgwch un rhan o nwyd gwallgo gyda dwy rhan o fraster hunanbwysig. Tolltwch fesur go helaeth o hunanoldeb enbyd dros y cyfan a chymysgu'n dda.

Ond byddwch yn ofalus. Mae'n gallu achosi pennau tost!

6

Treuliwyd y diwrnod nesa ger y pwll, doedd gan neb yr egni i wneud mwy. Roedd hi'n affwysol o dwym, y tymheredd yn y pedwar degau, yr awyr yn las a dilychwin heb y mymryn lleiaf o gwmwl i gynnig cysgod i'r trueiniaid islaw. Cododd Huw o'r gwely yn hwyr mewn tymer wael ac roedd sawl pen tost ymhlith y cwmni. Doedd dim sôn am Awen tan ddiwedd y prynhawn.

'Elinor, beth yw alergedd mewn Eidaleg? A *clean eating*?'

Roedd Meriel a Dylan ar eu ffordd o'r diwedd i ymuno â chwrs ioga rhai milltiroedd i ffwrdd yn nhref hyfryd Todi.

'Ie, a shwt dw i'n dweud "cyfarwyddwr teledu sy'n arbenigo mewn rhaglenni cerddorol"?' Roedd Dylan yn edrych yn syndod o dda er ei fod wedi yfed tipyn o frandi Tudur tan oriau mân y bore. Falle fod yna ryw werth yn yr holl fitaminau a photeli o probiotics yr oedd y ddau yn mynnu stwffio, meddyliodd Elinor oedd yn edrych ymlaen at gwpwl o ddyddiau heb orfod poeni am eu anghenion bwyd.

'Mer, fe fyddwn ni'n hwyr!'

Roedd Dylan yn anelu am y car tra fod Meriel a'i phen yn yr oergell yn chwilio am boteli dŵr oer ar gyfer y siwrne, yn ogystal â *sachets* bach o ryw hylif anhygoel o ddrud oedd, mae'n debyg, yn sicrhau ewinedd a gwallt nerthol.

'Reit, 'te, 'na'r cwbwl.'

Gosododd Meriel y poteli mewn *cool bag* a throi at Rhian oedd yn pwyso yn erbyn stof y gegin yn gorffen *cornetto* siocled, heb sylweddoli'n iawn ei bod hi'n ei fwyta. Chwilio cysur oedd hi ar ôl digwyddiadau'r noson flaenorol.

'O, Rhi, byse darn bach o ffrwyth yn well i ti na'r gwenwyn yna, mae ishe i ti edrych ar dy ddeiet – mae hwnna'n llawn *toxins*,' dechreuodd Meriel cyn i Dylan dorri ar ei thraws.

'MERIEL, FE FYDDWN NI'N HWYR!

'Ocê, bach, wi'n dod.'

A chyda golwg bryderus i gyfeiriad ei merch (oedd yn sefyll fel delw a'r *cornetto* ar y ffordd i'w cheg) diflannodd Meriel drwy'r drws gan adael gwynt cryf persawr drud ar ei hôl.

Yn hwyrach y prynhawn hwnnw, awgrymodd Elinor y byddai trip i'r pentref nesa i gael swper yn syniad da ar ôl y noson wyllt neithiwr. Cyfle i fwyta'n gynnar ac i Osian a Twm ymuno yn yr hwyl hefyd.

'Mae 'na ŵyl ymlaen – i ddathlu'r cynhaeaf tomatos – *Sagra di Pomodoro*, enw pert, ontyfe? Fe fydd pob math o bethe hyfryd i'w bwyta a band i bobol gael dawnsio ac awyrgylch fendigedig. Mae hi'n digwydd bob blwyddyn ac mae hi wastod yn werth mynd yno.'

Aeth y criw draw i'r pentref am saith a gweld bod y lle dan ei sang yn barod. Llwyddodd Elinor i ffeindio lle i bawb ar un o'r byrddau hir ar ymyl y sgwâr ac fe ddaethpwyd â phlateidiau o fwyd godidog atyn nhw'n syth, yn ogystal â fflasgiau o'r gwin lleol.

'Diolch i'r nefoedd fod Meriel a Dylan ddim yma,' meddai Tudur wrth Elinor dan ei anadl. 'Sai'n meddwl bod unrhyw un fan hyn yn poeni rhyw lawer am Gwyneth Paltrow a'i dwli.' Pasta cartref gyda sawl math o saws tomato oedd ar y fwydlen – un gydag olewydd, un arall gyda chig moch a tsili ac un arall eto wedi ei goginio gyda salami, ffenigl a hufen. Ar y bwrdd, yn gymysg gyda basgeidiau mawr o fara, roedd digonedd o lysiau wedi eu coginio ar y tanau anferth oedd yn cochi ochr arall y sgwâr.

Roedd y bwyd yn dda a'r bechgyn yn hapus yn stwffio ond temlai Rhian yn fwy diflas nag erioed. Gyferbyn â hi eisteddai Huw rhwng Awen a Tecwyn yn adrodd hanesion fel arfer. Cododd ei chalon wrth weld nad oedd Tecs yn eilunaddoli Huw yn yr un ffordd ag Awen, yn wir rhoddodd winc anferth i'w chyfeiriad gan beri iddi dagu ar ei gwydred o win coch.

'Ti'n iawn, bach?' Roedd Elinor yn llawn consŷrn.

'Odw, sori, wedi tagu ar y bara, wi'n meddwl.' Gwenodd Rhian nôl ar Tecs.

Cododd sŵn cerddoriaeth fywiog – roedd band bach wedi ymgynnull ar ochr y sgwâr ac fe ddechreuodd nifer o bobol ddawnsio. Rhyw fath o *waltz* oedd y gân gynta ac fe arweiniodd Tudur Elinor i'r llawr yn syth, roedd hi'n amlwg eu bod wedi hen arfer â'r drefn. Neidiodd Huw i fyny a thywys Awen draw hefyd.

'Two can play at that game – Tecs, all di gadw llygad ar y bois?'

Meic oedd wrth law yn cynnig ei fraich i Rhian.

Oh, what the hell? meddyliodd a chodi a mynd ato. I ddechrau, troi'n herciog mewn cylch anesmwyth wnaeth y ddau. Ond gan fod Meic yn syndod o dda am ddawnsio, yn ysgafndroed ac yn ei harwain yn gelfydd, fe ddechreuodd Rhian gamu'n fwy cywir.

'Mi ddylet ti fynd ar *Strictly*,' meddai wrth Meic yn llawn edmygedd.

'Blynyddoedd gyda Dawnswyr Talog sy'n gyfrifol,' atebodd hwnnw gan wenu.

Ar fwrdd arall eisteddai Gio a Lucia gydag Alfredo a Massimo a'u gwragedd yn edrych ar Elinor a'r criw yn dawnsio.

'Shgwlwch arnyn nhw!'

'Paid, Gio, ma 'da nhw berffaith hawl i fod yma.'

'Lle ni yw hwn, Lu. Cyfle i ni ymlacio, mwynhau'n pethe ni. Nid rhywbeth i'r ymwelwyr yw hwn!'

'Mae Elinor yn iawn. Wel, mae hi'n trio beth bynnag.'

Roedd hi wedi galw draw i ymddiheuro am drychineb y parti y prynhawn hwnnw. Ymddangosai'n hollol ddiffuant ac roedd hi o dan deimlad, gallai Lucia weld hynny.

'Roeddech chi'n westai yn fy nghartre ac fe gawsoch chi'ch amharchu a dwi'n flin iawn am hynny. O waelod calon, Lucia.'

Derbyniodd Elinor wydred o Limonata ac eisted wrth y bwrdd gan edrych gyda phleser ar y poteli o domatos a phupur, y jam a'r siwtni ar silffoedd y gegin.

'Mae hi mor gartrefol yma, Lucia,' meddai'n wresog.

Ond edrych yn ôl arni'n ddifrïol wnaeth honno a dweud, 'Dyw Gio ddim yn gweld bod y byd wedi symud ymlaen, Elinor. Wi'n cyfadde hynny. Ond mae hi'n anodd i ni yma nawr, mae cyn lleied ohonon ni'n byw 'ma gydol y flwyddyn.'

'Doeddwn i ddim wedi ystyried...' dechreuodd Elinor.

'Naddo, mi wn. Ac ry'ch chi wedi gwneud ymdrech deg, Elinor, wedi dysgu Eidaleg, yn aros yma'n reit aml ac yn dod â thipyn o arian i fewn i'r pentre. Ac mi ry'n ni'n ddiolchgar. Ond yn y gaeaf, pan fo gymaint o'r ffenestri'n dywyll, mae'n chwith 'ma, Elinor. Ac yn anodd peidio hel meddyliau am yr amser pan oedd plant ac nid Saeson yn yr ysgoldy a phan oedd pobydd a gof yn y pentre.

'Ydy, mae'n bert yma yn yr Eidal. Ac mae'r bwyd yn dda a'r amgueddfeydd yn wych ac ati. Ond all ein plant ddim fforddio byw yn y pentrefi bellach, os nad y'n nhw'n gyfoethog fel Sal. Mae'r bywyd gwledig yn diflannu. Roedden ni'n arfer eistedd tu fas fin nos yn yr haf – roedd cymaint o fynd a dod yma a phawb yn cymdeithasu. Ond nawr mae'r strydoedd yn llawn Mercs a Range Rovers. A phobol yn sgrechen o gwmpas eu pyllau nofio tan oriau mân y bore.

'Ry'n ni'n weision nawr, Elinor. Yn golchi dillad ac yn glanhau'r cartrefi lle'r oedden ni'n arfer byw. A ry'ch chi gyd mor wastraffus! Doedd dim problem dŵr 'ma cyn i chi ddod, roedd y ffynnon yn ddigon i ni gyd. Ond nawr mae cyfnodau helaeth lle nad oes dim i gael – bai y cawodydd a'r baths di-ben-draw. A pam y'ch chi gyd yn molchi gyment? Does dim un ohonoch chi'n codi bys o fore gwyn tan nos! Mond trochi yn y pwll a darllen, darllen, darllen!'

Cymerodd Lucia lyncad go fawr o Limonata ac eistedd yn ôl, yn methu credu ei bod wedi bod mor hy gydag Elinor.

Roedd honno yn wedi ei siglo. Sut na fyddai hi wedi meddwl am hyn? A hithau'n Gymraes? Ond rhywsut gan fod yr Eidalwyr mor groesawgar, a'r broses o brynu mor rhwydd, doedd hi ddim wedi ystyried bod yna debygrwydd i'r sefyllfa yng Nghymru.

'Lucia,' dechreuodd. Ond yna sylweddolodd nad oedd hi'n gwybod beth i'w ddweud. Nad oedd ganddi ddim ateb o gwbwl i'r gwirioneddau caled hyn.

Dechreuodd Lucia boeni ei bod wedi mynd yn rhy bell. Ond, na. Caledodd ei chalon. Roedd ishe i Elinor ddeall bod pris i'w dalu.

'TI MOFYN GWYDRED, LUCIA?'

Daeth Lucia nôl i'r presennol a derbyn diod wrth Massimo.

'Gio, ti'n poeni ormod, mynna wydred arall.' Arllwysodd Massimo win coch i wydr ei ffrind. 'Beth bynnag, ma 'da fi newyddion wneith godi dy galon di heno – ffaelodd Giuseppe gael y caniatâd cynllunio wedi'r cwbwl.'

'Do fe? Siwd 'ny? O'dd y diawl ddigon cyndyn i newid ei feddwl pan alwes i draw 'na. Mond pryd o dafod ges i.'

'Smo fe'n e'n hapus iawn am y peth,' ychwanegodd Alfredo. 'Drych, ma fe'n feddw gaib draw fanna.'

'A gredi di byth pam fethodd y diawl?' Roedd Massimo yn chwerthin cyment, bu bron iddo dagu ar ei ddiod.

'Pam, 'te?'

'Rhyw Saeson brotestiodd! Gweud bod y bythynnod yn sbwylo "cymeriad naturiol a hynafol y dyffryn" a rhoi cil-dwrn dwbwl y seis i'r cyngor!'

Llonnodd Gio. 'Wel ma hwnna'n WYCH! Er (cymylodd ei wyneb eto) ma 'na ddigon o'r diawled ar ôl. Shgwlwch arnyn nhw'n llanw'r llawr. Ein gŵyl ni yw hon. Nid rhywbeth i'w ddiddanu nhw!'

'Ma'n nhw ym mhob twll a chornel' cytunodd Alfredo yn ddiflas.

'Pidwch â sylwi arnyn nhw!' Massimo oedd yn siarad nawr. 'Ie, ein gŵyl gynhaeafol ni yw hon – ni sydd wedi bod wrthi'n potelu'r pomodoro, yn berwi'r *passata* ac yn tylino'r toes. Yma i roi diolch y'n ni am yr holl gyfoeth 'ma – am y bwyd sy'n mynd i'n cadw ni i fynd drwy'r gaeaf. Felly, diolchwch! Joiwch! A dewch mla'n, wir – fe fyddan nhw wedi mynd mewn ychydig wythnosau. A cofiwch am yr holl arian maen nhw'n gwario tra bo nhw yma. Yfwch, bois.'

Estynnodd Lucia ei llaw at ei gŵr yn benderfynol. Roedd hi wedi cael digon ar boeni am y blydi Brits am un diwrnod.

'Dere mla'n, Gio, *polka* yw hon!' Ac ymunodd ef yn ufudd yn y ddawns. Gan ddiolch yn dawel fach, serch hynny, bod Giuseppe wedi methu. Y tro yma beth bynnag.

Tudur afaelodd yn llaw Rhian am y *polka* egnïol. Bu'n rhaid iddi ganolbwyntio'n galed ar y stepiau er mwyn cadw lan 'da'i thad yng nghyfraith. Aeth Meic yn ôl at Tecs. Eisteddodd y ddau yn dawel am funud gan edrych ar Huw ac Awen yn dawnsio, eu cyrff wedi closio a rhyw egni yn amlwg rhyngddynt.

'Ti ddim yn meindio, Meic?' gofynnodd Tecs yn sydyn.

Arhosodd Meic cyn ateb a phoenai Tecs ei fod wedi ei bechu.

'Ti'n gwybod beth? Mae hi wastod yn dod nôl ata'i, Tecs. Ma rhywbeth ynddi hi sy'n mwynhau'r holl fflyrtio. Mofyn y sylw, am wn i. Ddim yn deall pam.' Gwenodd Meic yn drist ar Tecwyn. 'A bod yn onest nid hwnna sy'n poeni fi fwya ar hyn o bryd...'

'Ti ishe siarad am y peth? Be mae'n nhw'n ddweud am rannu baich?'

'Ie, wel, falle wir. Na. Y gwir amdani yw mod i'n gorfod mynd i weld y comisiynydd yn S4C pan af i adre a fi'n gwybod be ma hi'n mynd i ddweud. Wi 'di mynd yn rhy hen, Tecs.'

'Mae'n dod i ni gyd, Meic.'

'Odi, ond o leia galli di chwarae cymeriad hŷn – does neb ishe deinosor fel fi nawr ar eu sgriniau.'

'Digon teg,' arllwysodd Tecs ragor o win i Meic.

'Mae'n nhw ishe pobol ifanc, mwy *diverse*. A fi'n deall 'na, mae'r byd wedi newid. Mae oes y boi gwyn dosbarth canol ar ben. Am y tro beth bynnag. A smo hwnna'n ddrwg o beth i gyd, am wn i.'

'Be wnei di?'

'Dim clem. Ond bydd Awen yn meddwl llai ohona i yn anffodus os golla i'r rhaglen. Hi fydd yr unig un yn dod â'r *big bucks* mewn.'

'Alla i weld y byddai hwnna'n anodd.'

'Mae e'n eitha *crap*. Teimlo mod i ar groesffordd o ryw fath. Y dyfodol yn niwlog. Yr unig beth sy'n sicr yw bydd popeth yn newid.'

'Meddwl bod hynny'n wir i finne hefyd, Meic'

'O?'

'Ti'n iawn am yr actio, wrth gwrs. Mae wastod lot o ranne i ddynion hŷn. Na. Y gwir yw hyn… ym… fi'n bwriadu priodi fy mhartner, Steve. Dod mas yn swyddogol.'

'Wel, diawch, llongyfarchiadau! Mae hwnna'n rhywbeth i'w ddathlu, on'd yw e?'

'O, odi, ond… mae'n gymhleth. Mam yn naw deg pump…'

'A. Alla i ddychmygu bod hwnna'n anodd. Mae hi'n perthyn i genhedlaeth mor wahanol, sbo.'

'Odi. Ma 'mrawd 'di bod yn grêt – rhag 'y nghywilydd i, o'n i'n meddwl y bydde fe ddim yn deall achos bod e'n ffarmwr. Ond o'n i'n hollol anghywir.'

'Wi'n falch. A pob lwc i chi'ch dau!' Cododd Meic ei wydr i gynnig llwncdestun.

'I'r dyfodol, 'te – beth bynnag a ddaw…'

'Ie. Gan obeitho am y gore…'

Ychydig yn ddiweddarach, sylwodd Meic fod Llinos, a oedd wedi treulio'r rhan fwyaf o'r noson yn sgrolio'n bwdlyd ar ei ffôn, bellach reit yng nghanol y dawnsio. Gyda rhyw fachgen ifanc hardd iawn. Gwenodd. Roedd yn neis ei gweld hi'n mwynhau am unwaith a heb y blydi ffôn 'na yn ei dwylo.

Fi ddim rili'n deall beth mae'r boi 'ma'n weud, meddyliodd Llinos, wrth droi mewn cylchoedd o gwmpas y llawr, ond o leia mae'n *distraction*. Roedd hi wedi derbyn sawl tecst yn ei llongyfarch erbyn hyn. #babymama #coolbump ac un #WTF??? Gwyddai taw mater o amser oedd hi cyn bod ei rhieni'n clywed am ei beichiogrwydd. Ond roedd y boi 'ma (Sandro?) yn lyfli ac yn edrych arni fel tase hi'n werth edrych arni. A gwell oedd gan Llinos droi'n hapus yn ei freichiau na wynebu'r gwir.

Erbyn i Rhian ddod yn ôl at y bwrdd roedd Awen a Huw wedi dychwelyd. Cysgai Twm yn braf ym mreichiau Elinor ac roedd Osian yn edrych fel tase fe ar fin ei ddilyn i wâl cwsg, wedi cwtsio lan nesa atyn nhw.

'Gwell i ni fynd â'r bois adre, Huw.'

Gwelodd Rhian fod Huw ar fin protestio ond pan ychwanegodd Elinor, 'Ie wir, mae'n hwyr iddyn nhw fod lan – fyddwn ni ddim yn bell ar eich ôl chi,' bu'n rhaid iddo ei ddilyn at y car, ill dau yn cario plentyn yr un.

Nôl yn y fila, wedi gosod y ddau fach yn eu gwlâu yn eu dillad, rhag eu deffro, awgrymodd Rhian lased o win ar y teras ond gwrthod wnaeth Huw yn pledio gwaith, 'Sori, ma 'da fi ddogfen i'w paratoi erbyn bore fory.'

'Se Awen yn gofyn i ti, byset ti'n rhuthro draw, wi'n siŵr.'

'Be ma hwnna fod i feddwl?'

'O, cym on, Huw, dw i ddim yn ddall.'

'Sori?'

'Ti 'di bod yn fflyrtio gyda hi ers i ti gyrraedd. O't ti bron â bod yn eistedd yn ei chôl hi heno. A'r blydi nonsens 'na yn y pwll nithwr.'

'Gad dy ddwli, Rhian, wir...'

'Huw, fuest di'n dawnsio 'da hi drwy'n nos. O't ti'n whare *silly buggers* yn y pwll 'da hi eto ddiwedd y prynhawn 'ma ac os odi hi mofyn unrhyw beth, ti fel ci bach yn hôl eli haul neu Aperol Spritz, neu dywel neu *whatever*. Ti'n *nauseating*, Huw.'

'Wel, o leia mae hi'n gwneud ymdrech i edrych yn neis – a mae hi'n gwenu weithie. Alli di feio fi?'

'Does dim byd arall 'da hi i wneud, mond addurno'i hunan o fore gwyn tan nos.'

'*Come off it*, Rhian, mae hi'n *best selling author!*'

'*For god's sake*, Huw, ti 'di darllen un o'i llyfre hi? Maen nhw'n uffernol! Dries i ddarllen *Soot for Tears* a mond cwpwl o dudalenne bares i, o'dd e mor blydi boring. Ac yn llawn ystrydebe.'

'Gweda di 'na wrth y miliyne sy'n prynu nhw, 'te, Rhian.' Roedd y ddau yn rhythu ar ei gilydd erbyn hyn ac roedd y gweryl sibrwd mewn perygl o droi'n sgrechfeydd.

Eisteddodd Rhian ar y gwely ac edrych ar ei gŵr. Doedd hi ddim ishe cweryla. Roedd hi'n dwym, roedd ei choesau'n cosi fel y diawl a doedd ganddi mo'r egni. Dywedodd mewn llais crynedig. 'Huw, beth ddiawl sy 'di digwydd i ni? O'n ni ddim yn arfer bod fel hyn? O'n ni'n siarad am bopeth, yn deall ein gilydd – god, cwpwl o flynydde nôl bydden ni wedi wherthin am ben blydi Awen a'i nonsens.'

Eisteddodd Huw yn y gadair gyferbyn a rhwbio'i lygaid. Aeth Rhian ymlaen, yn teimlo am unwaith ei fod yn gwrando arni. Falle gallen nhw gael sgwrs deidi o'r diwedd. O'dd ishe newid cywair.

'Ti 'di bod yn gyment o gefen i fi, Huw,' dechreuodd, 'a fi'n gwybod bod bai arna i – y panico 'ma, bod mor niwrotig. Ma ishe help arna i, fi'n deall 'na. Falle allen i whilo am rywun nôl yng Nghaerdydd alla i siarad 'da nhw. Ac fe ddof i 'da ti i'r *gym* hefyd os ti mofyn? Unrhyw beth, Huw – wi jyst ishe i bethe fynd nôl i normal. Ond bydd yn onest 'da fi, Huw – wyt ti mofyn hynny hefyd? Achos wi'n poeni dy fod di wedi 'ngadael i'n barod.' Roedd ei llais yn crynu nawr, y dagrau'n cronni.

Ond codi o'r gadair wnaeth Huw a dweud yn ddirmygus.

'Rhian *for god's sake*. Wyt ti wir yn meddwl bod conan am dy iechyd meddwl yn mynd i adfer pethe rhyngon ni? Tyfa asgwrn cefn, wnei di?' Clepiodd y drws yn galed wrth adael yr ystafell.

Collodd Rhian ei thymer yn llwyr gan agor drws yr ystafell a gweiddi ar ei ôl, heb ots pwy oedd yn clywed, 'Cer i ffono blydi Jules, 'te, Huw, mae hi wastod â chlust i wrando. Ond dyw hi ddim wedi cael *prolapse* a *sciatica* yn cario dau fabi i ti, odi ddi?'

'Mami, pam ti'n grac?' Osian oedd yn edrych arni o'i wely. Rhewodd Rhian. Faint oedd Osian wedi ei glywed? Roedd yn rhaid iddi estyn cysur iddo, roedd yn blentyn digon nerfus yn barod. Fe alle Huw fynd i'r diawl.

'Paid â phoeni, cariad, jyst whare gêm mae Dadi a fi. Cer di nôl i gysgu nawr. Dere mlân, gad i ni ffindo Mwng i ti, bach.'

Ond wrth iddi chwilio roedd Rhian yn wyllt. Blydi, blydi, blydi, Huw. Jyst... blydi, blydi, BLYDI, HUW! Rhoddodd bwniad i'w chlustog cyn syrthio ar y gwely a threulio hanner awr yn darllen heb weld yr un gair.

'Blydi blydi Rhian!' Crwydrodd Huw o gwmpas y teras, yn trio anghofio wyneb dagreuol ei wraig wrth iddo chwilio am ddiod. Lle'r oedd Tudur wedi cuddio'r brandi 'na, dwedwch? A lle'r oedd Awen? Byse drinc bach gyda hi yn helpu pethe. Ond roedd gan Awen bethau eraill ar ei meddwl yr eiliad honno. Safai yn y baddondy *en suite* wrth ymyl bath yn arogli o olew rhosod drud yn syllu ar ei ffôn a oedd wedi dechrau cyffroi wrth dderbyn sawl neges.

'Llongyfarchiadau!' medd un ohonynt.

'W-hw!' oedd un arall. Ac yna,

'Enillydd y *glamorous granny competition*, myn yffach i!'

Beth yn y byd? Daeth neges arall, y tro hyn wrth ei chwaer.

'Awen, ffonia fi.' Deialodd Awen y rhif gyda bysedd crynedig.

Lawr llawr roedd Huw wedi ffeindio Meic a Tecs a brandi cuddiedig Tudur. Ac er fod Awen dau lawr uwch eu pennau fe glywodd y tri ei sgrechiadau yn ddigon clir.

'LLINOS!!! LLINOS!'

Shit, mae hi'n gwybod.

Pwysodd Llinos yn ôl ar ei gwely, roedd hi wedi dianc yno ar ôl cyrraedd adre o'r ddawns. I drio rhoi rhyw fath o drefn ar ei meddyliau. Dechreuodd ei chalon garlamu'n wyllt yn ei brest. Edrychodd ar y nenfwd a gweld gwe pry cop yn hongian wrth un o'r trawstiau pren. Ceisiodd ganolbwyntio arno wrth i sŵn traed ei mam agosáu. Agorwyd drws y stafell wely yn sydyn a daeth ei mam i fewn yn chwifio'i ffôn.

'Odi e'n wir?'

'Beth?' Triodd Llinos edrych yn ddifater.

'Ti'n gwybod yn iawn beth.' Roedd Awen yn wyllt.

Tawelwch.

'Wel? Ateba fi, Llinos!'

Cyrhaeddodd Meic – 'Beth yw'r holl weiddi 'ma? Llin, wi 'di cael neges bach yn od wrth... O, reit...'

Gwelodd Meic wyneb ei wraig a chau ei geg.

'Llinos – ateba fi! Odi e'n wir?' O'n i'n meddwl bo ti ar y pil? Shwd alle hyn ddigwydd i ti? Nid babi wyt ti!'

'*So what*, os odi e'n wir?' atebodd Llinos yn bwdlyd.

'Ond, cariad bach, beth am Durham?' Roedd Meic yn llawn consýrn.

'Af i â'r babi gyda fi, Dad.'

'Odi hwnna'n ymarferol, bach?'

'Meic, ca dy ben! Llinos, paid â siarad dwli. Awn ni i glinic yn Llunden ar y ffordd adre. Fe allwn ni sortio hyn yn ddigon clou.'

'Sai'n mofyn gwneud 'ny.'

'Llinos, paid â bod yn dwp.'

'*My body* fel, a *my baby. So butt out!*'

'Cariad, jyst cymra funud i feddwl.'

'Wi wedi gwneud 'ny, Dad. Sa i'n mofyn *abortion*.'

'Blydi hel, Llinos, ti mor naïf! Shwd alli di fagu babi yn y coleg?'

'Wel, alla i ddim gwneud gwath jobyn na ti, Mam! Eniwê mae *creche* a stwff! O leia fe fydda i yno yn rhoi sylw i 'mhlentyn i! *Actually* yno i wneud teisen pen blwydd iddo a'i roi yn y gwely a darllen stori a whare gyda fe a pheidio gadel popeth i'r BLYDI *AU PAIR!*'

Roedd Llinos yn sgrechen nawr, y dagrau'n llifo lawr ei gruddiau.

'Paid â bod yn bitsh fach naïf!'

'Wel, dw i 'di dysgu'r cwbwl ambyti bod yn bitsh wrthot ti, Mam!'

Rhedodd Llinos allan o'r stafell mewn dagrau. Edrychodd Meic ar ei wraig.

'Oedd ishe gweud hwnna, Awen? Galw hi'n bitsh?'

'Paid â 'narlithio i, Meic. Mae hi 'di gwneud cawl o bethau ar bwrpas jyst i 'n sbeitio i!'

'O, dere mla'n, Awen, dyw popeth ddim yn troi o dy gwmpas di!'

'Dyw hi erio'd wedi lico fi. Hyd yn oed pan oedd hi'n fach. Ti'n gwybod yn iawn taw *Daddy's girl* fuodd hi erioed! Am resymau hollol amlwg i ni'n dau! Wel, 'na ti, 'te, Dadi. Galli di sortio'r més 'ma mas! Wi'n mynd i ffindio diod.'

Eisteddodd Meic ar y gwely. Druan o Llinos. Roedd hi wedi gwneud cawl o bethe yn wir. A'i mam mor oer a diamynedd. A finne ddim yn gwybod beth i'w wneud am y gorau, meddyliodd yn ddiflas. Eisteddodd am dipyn yn meddwl. Pan ddaeth Awen lan i'r gwely rai oriau yn ddiweddarach esgusodd Meic ei fod yn cysgu.

Yn gynnar y bore nesa, ar ôl noson wael arall o gwsg, ymlwybrodd Rhian tua'r gegin i chwilio am gaffîn, yn falch i ddianc o wres yr ystafell wely. Roedd Huw a'r bechgyn yn cysgu o hyd.

Ha! meddyliodd Rhian, byddai ei hannwyl ŵr yn cael y pleser o wisgo a sortio'r bois am unwaith. Yn y cyfamser, byddai paned a chyfle i feddwl yn beth da iddi hi. Ac roedd y teras yn hyfryd yn y bore bach. Gobeithiai na fyddai neb o gwmpas, roedd hi'n dal yn gynnar felly roedd siawns go dda y câi gyfle i fod ar ei phen ei hunan. Ond wrth iddi gyrraedd y teras a'i phaned yn ei llaw, fe glywodd hi sŵn crio a gweld bod Llinos yno'n barod yn torri'i chalon. Damo, byddai'n rhaid iddi siarad gyda hon nawr. Doedd hi ddim ishe bod yn annheg ond roedd hi'n dyheu am bach o lonydd. O, wel.

'Llinos – be sy, bach?'

Rhwng pyliau dolurus o lefain deallodd Rhian fod Llinos yn disgwyl a bod ei byd ar ben, a taw bai ei mam oedd popeth. Daeth pob dim allan: y babi, Durham, ei ffrind oedd wedi dweud wrth bawb am ei thrybini. Gwrandawodd Rhian yn amyneddgar, roedd gymaint o'r stori'n gyfarwydd iddi, yr *au pairs* bondigrybwyll, y fam bert oedd byth o gwmpas. Ond pwy ddiawl oedd hi i roi cyngor i unrhyw un ar y foment a'i bywyd hithau yn torri'n ddarne mân? Serch hynny, teimlai Rhian bod yn rhaid iddi roi rhyw fath o gynnig arni a Llinos yn y fath bicyl.

'Beth wyt ti ishe gwneud, Llinos?' gofynnodd yn ofalus.

'O, Rhian, sai'n gwybod,' atebodd hi'n ddagreuol. 'Weithie wi'n meddwl bydde'n fe'n lyfli fod yn fam – fi'n dwli gwarchod Osian a Twm, ti'n gwybod. Ond wedyn fi'n meddwl am Durham a gyment o bethe fi ishe gwneud. Sai'n credu...' daeth y dagrau eto. 'Sai'n credu allen i ga'l *abortion*.'

'Ti ishe mynd i'r coleg, bach?'

'Odw. Ond shwd alla i nawr?'

Ystyriodd Rhian. 'Weeel, mae colegau yn cynnig gwell cefnogaeth y dyddie 'ma, am wn i.' Doedd hi ddim yn siŵr am hyn mewn gwirionedd, doedd hi ddim yn nabod neb oedd wedi llwyddo i gyfuno magu babi gyda gwaith coleg. Diawl, chododd hi a'i ffrindiau ddim cyn amser cinio ar un diwrnod yn ei thymor cyntaf yn Aber – mond sesio wnaeth hi bob nos. Shwd fydde babi yn ffitio i fewn i realiti bywyd myfyriwr?

Gadawodd i Llinos wylo am dipyn gan edrych ar y coed pinwydd talsyth yn siglo fymryn yn y gwynt, eu nodwyddau du yn pigo'r awyr las o'u cwmpas. Meddyliodd Rhian mor annaturiol oedd y lliw, yr *azzuro* llachar hyn a chafodd bwl eto o hiraeth am lwydni Trefdraeth a'r cyfnodau hapus hynny pan fu Huw yn chwarae pêl gyda'r bois yn hytrach na fflyrtio gyda gwraig rhywun arall.

Yn y man daeth y llefain i ben. Chwythodd Llinos ei thrwyn a dweud, 'God, fi siŵr o fod yn edrych yn erchyll. Diolch am wrando, Rhian. Alla i jyst ddim siarad gyda Mam, ti'n gwybod.'

'Ma fe'n iawn, Llinos. Grynda, fi'n trio meddwl beth alla i

wneud i dy helpu di. Beth yw dy *due date* di i ddechrau – o's amcan 'da ti?

'Ie. Ym. So... fi dros bythefnos yn hwyr...'

'Pryd wnest di'r prawf?

'Sa i 'di gwneud un eto. Fi byth yn hwyr *though*, so...'

'Ocê, wel 'na'r peth cynta ddylen ni wneud, jyst i fod yn siŵr. Fi'n gwybod! Awn ni lawr gyda Elinor i'r *supermercato* bore 'ma. Sdim ishe i neb wybod pam y'n ni'n mynd. Allwn ni nôl prawf fan'na. Pam na ei di i gael cawod nawr ac fe awn ni'n syth ar ôl brecwast. O leia byddwn ni'n gwybod yn iawn wedyn.'

Diflannodd Llinos i'r tŷ yn teimlo damed yn hapusach, roedd yn braf cael ymddiried mewn oedolyn oedd â chlust i wrando arni. Roedd Rhian ar ei phen ei hun o'r diwedd. Ond roedd ei phaned yn oer erbyn hyn a gallai glywed sŵn Elinor yn y gegin. Gwyddai y byddai hi allan i osod y bwrdd brecwast cyn bo hir a rhoi taw ar unrhyw lonydd. Cododd a mynd i'r gegin i helpu. Byddai'n rhaid iddi ffeindio cyfle arall yn hwyrach i roi trefn ar ei meddyliau.

Ar ôl brecwast aeth y tair ohonynt a'r bechgyn lawr y rhiw yng nghar Elinor. Yn ôl y disgwyl, pwdodd Huw o weld bod Rhian wedi ei adael i wisgo'r bois ('O't ti'n gwybod bod gen i alwad bwysig bore 'ma, Rhian') ond roedd hi wedi cael mwy na digon ar ei nonsens a gofynnodd i'r bechgyn wisgo'u sgidie heb dalu sylw i'w gonan.

Wedi cyrraedd yr archfarchnad, anelodd Rhian a Llinos am y fferyllfa, wedi esbonio i Elinor fod ishe eli cnoadau mosgito ar Llinos. Gallai Rhian weld yn syth bod Elinor yn amau bod yna fwy i'r stori ond am unwaith doedd hi ddim am fusnesa ac fe aeth hi â'r bechgyn i brynu losin. Wedi prynu'r prawf, aeth Llinos i'r tŷ bach i wneud ei gwneud tra fod Rhian yn aros tu fas yn gwylio'r mynd a dod a sylwi bod y menywod Eidalaidd yn gwisgo'n smart a thrwsiadus jyst i wneud y siopad wythnosol yn yr archfarchnad.

Shwd bo 'da nhw'r amser? meddyliodd Rhian, o weld dwy fenyw yn eu saithdegau yn dod allan o'r drws, eu colur yn berffaith a'u dillad yn chwaethus. Ac yn gwisgo sodlau uchel hefyd.

Daeth sgrech sydyn o'r ciwbicl.

'Rhian – dw i ddim yn disgwyl!'

'Beth?'

'Does dim llinell!! Ond *shit* beth os yw e'n rong, fe wnaf i un arall jyst i fod yn siŵr.'

Roedd Rhian ar bigau'r drain nawr ond, na, daeth Llinos allan o'r ciwbicl yn chwifio'r prawf, 'Negatif eto!'

'O, Llinos. Wel, mae hwnna bownd o fod yn iawn, 'sen i'n meddwl.'

'Alla i fynd i Durham, Rhian!'

'Gelli wir!'

'Ond Rhian mae pawb yn meddwl mod i'n disgwyl! Like, EVERYONE KNOWS.'

Arweiniodd Rhian hi draw at y caffi bach wrth ymyl y *supermercato* ac ordro *spremuta d'arancia* i'r ddwy ohonyn nhw.

'Fe anghofian nhw i gyd am hyn, Llinos. Bydd e'n hen newyddion cyn pen dim, wir i ti. A beth bynnag, fe fyddi di lan yn Durham – gelli di ailddechrau a bod yn unrhyw un wyt ti ishe yn fanna.'

'Fel newid fy *image*?'

'Ie, 'na ti. 'Na un o'r pethe gore am fynd i'r coleg. Newides i bopeth – y ffordd o'n i'n gwisgo, y llyfre o'n i'n darllen, hyd yn oed y bwyd o'n i'n fyta – droies i'n llysieuwraig dros nos.

A newid o Rhian i Rhi. O'dd e'n *liberating* iawn.'

'*Cool*. God, fi'n dal yn ffaelu credu'r peth. Rhian, fi ddim yn disgwyl!!'

'Wi'n falch drostot ti Llinos.' Roedd Rhian ar fin ychwanegu brawddeg am fod yn fwy gofalus yn y dyfodol falle ond fe lwyddodd i stopio'i hunan. Nid ei merch hi oedd Llinos wedi'r cyfan a, hel, pwy oedd hi i bregethu?

Aeth Llinos ymlaen, ar ben y byd nawr. '*Actually* fyswn i ddim yn cyfadde hyn wrth fy ffrindie ond o'n i'n rili edrych mlaen at wneud y cwrs. *Excited.*'

'Dyw coleg ddim fel bod yn yr ysgol – mae'n iawn i ddweud bo chi'n mwynhau dysgu. Mae pawb yn fwy gwareiddiedig.

'Gobeithio 'ny. Ddim fel blydi Mabli beth bynnag. *What a cow.*'

'Cweit. Dw i'n cofio un ferch o'r ysgol oedd yn dipyn o fwli pan o'n i yn y chweched, newidiodd ei phersonoliaeth yn llwyr wedi cyrraedd y coleg. Falle bod hi'n ansicr neu rywbeth, oddi cartre am y tro cynta, ond o'dd hi mor wahanol ddaethon ni'n itha ffrindie.'

'Alla i byth fadde i Mabli. Falch na fydd hi yn Durham.'

'Ie, wi'n gallu deall hynny. Beth am yr Ifan 'ma o't ti'n sôn amdano fe?'

'Bryste. Ond falle ddaw e lan i aros. Rhian?'

'Ie?'

'Oes ots 'da ti os dw i ddim yn dweud wrth Mam a Dad eto? O'dd yr olwg ar wyneb Mam yn *priceless.*'

'O, jyw, sai'n gwybod.'

'Plis, Rhian. Jyst gad i fi weud wrthon nhw pan fydda i'n barod.'

'Ocêêê...'

'Ha! Diolch, Rhian!'

Ymddangosodd Elinor a'r bechgyn ac ar ôl i bawb gael diod diflannodd Llinos yn hapus gyda'r ddau fach i ddewis tegan yr un. Crwydrodd Rhian yr archfarchnad gydag Elinor yn mwynhau'r *aria condizionata*. Roedd 'na rywbeth cysurus am y rhesi trefnus o lysiau a ffrwythau. Pob un yn sgleinio hefyd gan fod hwthwmau cyson o ager yn ffrwydro drostynt bob hyn a hyn.

Gofynnodd Elinor iddi nôl pupurau coch a bwrodd ati i ddewis y rhai mwyaf perffaith eu golwg. Ond cyn bo hir dechreuodd ei meddwl grwydro a dewisodd heb weld yn iawn gan feddwl yn lle hynny am Huw a'r oerni rhyngddynt. I le'r aeth y dyn oedd yn gymaint o hwyl? Yn hoff o'i fwyd ac yn siarad am bopeth. Yn joio bywyd.

Damo. Roedd hi wedi llanw gweddill y bag gyda phupurau gwyrdd yn hytrach na rhai coch. Byddai'n rhaid iddi ddechrau eto.

Ar y ffordd nôl i'r fila yng nghefn y car roedd Llinos yn gyffrous.

God, mae hwn yn *amazing*, meddyliodd. Durham! *Fab.* Ond blydi hel, fi'n gwybod pwy yw'n ffrindiau i nawr. Mabli *is history.* Fe ffonia i Îfs pan gyrhaedda i nôl. Fi'n mynd i sunbatho drwy'r prynhawn. Topio'n tan i lan. Trio'r bicini newydd 'na. Ha! A bydd Mam yn dal yn wyllt. *Result!* #gointouni #newyearnewme #knowwhoyourfriendsare

Pasta L'Amatriciana

1 llwy fwrdd olew olewydd *extra vergine*

170g *guanciale* (boch mochyn)
neu gig moch da wedi ei dorri'n sleisys

Pinsiad *peperoncino* (tsili wedi ei sychu)

60ml gwin gwyn sych

1 tun 400g tomatos da neu rai wedi eu potelu
yn lleol os oes modd, er mwyn dathlu'r Sagra!

Halen a phupur

450g *bucatini* sych

30g caws *Pecorino Romano* wedi ei gratio a rhagor i'w weini

Mewn padell ffrio drom cynheswch yr olew nes ei fod yn dwym
ac ychwanegu'r cig moch a'r *peperoncino* a'u ffrio nes i'r cig
frownio, tua 5 munud. Ychwanegwch y gwin a choginio am 3
munud arall gan wneud yn siŵr eich bod wedi cael gafael ar y
darnau sydd wedi'u carameleiddio ar waelod y badell.

Ychwanegwch y tomatos a mudferwi ar wres isel. Ychwanegwch
halen a phupur.

Berwch y pasta mewn dŵr hallt nes ei fod yn *al dente* (dilynwch
y cyfarwyddiadau ar y pecyn). Rhowch y pasta drwy ridyll
gan gofio cadw tamed o'r dŵr coginio, tua chwarter cwpan.
Ychwanegwch y pasta i'r saws ynghyd â ¼ cwpan o ddŵr coginio
a berwi am funud arall. Tynnwch oddi ar y gwres ac ychwanegu'r
caws gan gymysgu'n dda.

Gweinwch yn syth gan ychwanegu rhagor o gaws wedi'i gratio
wrth wneud.

7

'DAMO!' Y BORE nesa, roedd Rhian yn trio crafu *chewing gum* oddi ar bâr o drowsus Osian ac yn meddwl ar yr un pryd am Llinos a'r digwyddiadau yn yr archfarchnad ddoe.

'Cym ON, blydi hel, mae hwn fel sement!... Ys gwn i os odi ddi wedi dweud rhywbeth wrth Awen 'to? O, ma hwn yn AMHOSIB!' Er fod Rhian wedi dilyn cyngor Elinor a rhoi'r trowsus yn y rhewgell dros nos doedd y stecs ddim yn dod oddi ar y deunydd yn rhwydd.

'Wi'n falch drosti *though*. Fe gaiff hi hwyl nawr. O, blydi hel, ma mwy o'r stwff diawledig 'ma ar y copish. Damo. Smo rhewi wedi helpu dim!

'Fi'n itha cenfigennus ohoni. Cyfle i ddechre 'to. Dim twat fel Huw yn ei bywyd. Falle dylen i ddilyn ei hesiampl hi? Sai'n gwybod. Beth ddiawl wnelen i ar 'y mhen 'yn hunan? Yn fam sengl i ddau grwt. Ac maen nhw'n addoli Huw. Bydde difôrs yn anodd iawn iddyn nhw. A lle bydden ni'n byw? Allen ni ddim fforddio rhedeg dau dŷ. A beth 'se Huw yn dechre eto gyda Jules? A theulu newydd? Na, na, na, na, dy'n ni ddim wedi cyrraedd fanna eto... odyn ni? O, god, pam na wnaiff Huw SIARAD 'da fi!

'Ai fi sydd ar fai? Odw i 'di pwsho fe i ffwrdd? Ond pryd o'dd 'da fi amser i redeg a byta letus a pharatoi'r *powershakes* 'na ma fe'n dwli arnyn nhw? Ond falle ddylen i fod wedi gwneud mwy o ymdrech? O, sai'n gwybod. Mae bai ar Huw hefyd – ac os odi e wedi bod yn whare o gartre 'na'i sbaddu fe!

'O, god, wi 'di bod yn rwto mor galed wi 'di gwneud twll!

Bydd rhaid i hwnna wneud y tro. Mae'r gwaetha 'di mynd nawr. A fi'n bano blydi *chewing gum* am weddill y gwylie.'

Daeth Elinor drwy ddrws yr iwtiliti.

'Helô, bach, ti'n ocê?'

'Ddim rili, Elinor. Ond ti ddim ishe gwrando arna i'n conan.'

'Alla i helpu?'

'Sori, wi 'di blino'n shwps, ffaelu cysgu yn y gwres 'ma ac mae'r cnoadau mosgito 'ma jyst â'n hala i'n benwan.'

'Wel, mae hwnna yn rhywbeth alla i sortio – awn ni i'r fferyllfa i nôl Hydrocortisone, mae e'n wyrthiol gyda chnoadau mosgito – lot cryfach na'r eli adre. Gan na chest di gyfle i nôl peth ddoe wedi'r cyfan.' Edrychodd Elinor arni'n awgrymog. Ond allai Rhian ddim datgelu cyfrinach Llinos felly newidodd y testun yn gyflym.

'Allen ni fynd i siopa am ddillad, Elinor? Dyw Mam ddim yma felly...'

'Wel, wrth gwrs, Rhian, dyma'r cyfle perffaith. Ddylen i fod wedi awgrymu hynny fy hunan.' Dyma gyfle gwych i roi trefn ar ei merch yng nghyfraith, roedd Elinor ar ben ei digon.

'Fi ishe cwpwl o ffrogie ysgafn ac mae ishe torri 'ngwallt i hefyd. Allwn ni wneud hynny?'

Awr yn ddiweddarach roedd y ddwy mewn siop wallt smart ar y *corso*. Dechreuodd Elinor sgwrsio gyda'r ddynes oedd yn mynd i wneud y torri a sylweddolodd Rhian gyda syndod bod honno yn edrych ar ei gwallt coch gyda chryn bleser.

'*Rosso e bella, bella,*' meddai wrth fyseddu'r mwng cyrliog, cyn hwylio Rhian draw at y basynnau i olchi ei gwallt.

'Nôl mewn hanner awr, cariad, fe fydd Giovanna yn edrych ar dy ôl di. *Ciao!*' Diflannodd Elinor ac ymlaciodd Rhian yn y gadair esmwyth i fwynhau masaj pen bendigedig ac aroglau siampw gogoneddus.

Lle hyfryd yw hwn, penderfynodd Rhian. Sylwodd fod yna ferched o bob oed yma, yn amlwg yn mwynhau, fel tasen nhw'n teimlo eu bod nhw'n haeddu'r maldod a'r sylw.

A pham lai? O weld prysurdeb bywydau menywod yr Eidal, onid oedden nhw'n haeddu hyn? Ar ôl yr holl siopa, y coginio a'r glanhau roedd yn dda gweld eu bod yn mynnu'r amser yma i ymlacio. Mewn un cornel gorweddai dynes oedd yn edrych fel tase hi yn ei saithdegau neu fwy hyd yn oed. Ond roedd y merched o'i chwmpas yn ei thrin gyda'r un sylw ag unrhyw un arall – yn paentio ewinedd ei dwylo a'i thraed ac yn mwytho ei hwyneb gyda rhyw fath o fasg mwdlyd. Yn y gadair nesa roedd merch ifanc yn chwilio'r lliw perffaith ar gyfer ei hewinedd, ac ar y soffa wrth y drws, edrychai dwy ddynes ganol oed ar siart lliwiau gwallt. Roedd pawb yn edrych mor llawen, roedd hi'n amhosib i Rhian beidio ag ymuno yn y ddefod.

Sylweddolodd yn sydyn fod y geiriau 'bella, bella' yn atseinio o gwmpas y siop wrth i bobol sylwi ar ei gwallt.

'Hai, una bella pelle!' ychwanegodd Giovanna gan fyseddu bochau Rhian.

'Si, si,' meddai'r ferch drws nesa iddi, 'cosi cremoso!' – ac o weld Rhian yn syllu arnyn nhw'n syn ychwanegodd, 'your skeen iss vairy creeeemy!'

Gwd god, meddyliodd Rhian, o'dd y bobol yma'n licio lliw ei gwallt a'i chroen!

Daeth merch arall draw a syllu'n ddwys ar Rhian.

'Qual e il colore degli occhi? A verde! Bella, bella!'

Deallodd Rhian taw am ei llygaid yr oedden nhw'n sôn, ond eto edrychodd yn syn ar y merched.

'They never see colouring like yours here.' Y ddynes yn y gadair drws nesa oedd yn siarad. 'And it's true you do have a spectacular combination of red hair and green eyes. I'm Francesca, by the way. My husband grew up in the house next door to the villa where you're staying with Elinor.'

'Oh, of course. We met the other night. I'm Rhian... er... thank you.'

'I imagine that's Welsh?'

'Yes, that's clever of you.'

'Elinor is Welsh too of course. She's a nice woman. She understands how things are more than most.'

'What do you mean?'

'Well, you must have noticed how swamped we are here by your fellow countrymen. Well I suppose I mean the English.'

'Yes, yes... I can see that. I'm sorry... I've been a bit... distracted on this holiday. But... well, yes, now I think of it there are a lot of holiday homes in the village.'

'Yes. So Many. But Elinor makes more of an effort than the others and she comes here more often. Spends a lot of money here too. Has really helped Sal's parents, I know.'

'In my grandmother's village in Wales it's the same. So few people actually living there. And it's always the pretty places, isn't it? Covid made things worse of course.'

'Yes, here too. But Sal and I are coming back to live in the village soon. We've bought the old Church. I'm pregnant and we want our child to grow up like Sal in that lovely place.'

'Oh, congratulations.'

'Grazie. It won't be the same of course. We can't live there full time yet. The school has closed and we'll be up and down that hill all the time but I think it will be worth it. We're hoping some other friends will join us.'

'That's good. But... Elinor and... us... we're as bad as the rest, aren't we?'

'The best of a bad bunch, maybe?'

Daeth Giovanna draw a dechrau cribo'r mwng o wallt gan ddweud yn wengar, 'La lentigine e bella!'

'She likes your freckles,' cyfieithodd Francesca.

'Oh, I hate them. I hate my hair too. The colour of carrots!'

'Well you've made their day, I can tell you.'

'To tell the truth, I've always hated having red hair and I can't go out in the sun before getting all these freckles, and...'

'Oh, no, it's good, you won't go grey as red hair lasts so much longer than brunette or blonde and didn't you know red haired models are all the rage? Look – this is Lily Cole and that's Karen Elson – same colouring as you!'

Synnodd Rhian o weld y modelau yn y cylchgrawn yn llaw Francesca yn dangos eu gwallt coch fel tase fe'n rhywbeth i'w arddel.

'I'm kind of surprised you even think like that these days – ginger has been cool for a while now. Even Ed Sheeran is cool.' Cododd Francesca a throi am y drws. 'Giovanna is marvellous with the scissors – I'd sit back and relax and let her work her magic. Good to meet you again, Rhian. Say hello to Elinor for me. Ciao!'

A chyda llu o gusanau wrth merched y siop, diflannodd Francesca lawr y corso.

Gwenodd Rhian yn swil ar Giovanna.

'Okay we cut?'

Nodiodd Rhian, 'Si si, grazie'.

Erbyn i Elinor ddychwelyd roedd gwallt Rhian wedi troi yn steil amlhaenog a sgleiniog.

'*Bella, bella,*' cytunodd pawb yn y siop.

'*Grazie mille, Giovanna,*' diolchodd Rhian i'r torrwr balch oedd yn byseddu'r cwrls yn hapus cyn dangos cefn ei phen iddi yn y drych. Cymaint yn fwy cyfforddus yn y gwres!

'Dillad nesa, 'te,' medde Elinor a'i harwain i siop fach trendi ar waelod y *corso*. Yn syth gwelodd Rhian nifer o bethau oedd yn apelio – cafftan glas sidan, gyda gemau bach gwyrddlas o gwmpas y coler a chanddo lewys tri chwarter, ffrog gotwm ysgafn hufennog gyda llawesau *broderie anglais*, nifer o dopiau cotwm ysgafn a pharau o capri pants mewn lliwiau llachar. Roedd y rhain yn edrych yn gyfforddus, yn cŵl ac mewn seisis teidi hefyd, meddyliodd Rhian wrth edrych ar y labeli. God roedd hwn gymaint yn rhwyddach na siopa gyda'i mam.

'Mae rheina'n neis Rhi, ymarferol ond tipyn o steil hefyd a drych ar hwn!' Yn ei llaw daliai Elinor siwt nofio werdd, un *halter neck* gyda sgert fach.

'O, ma hwnna'n lyfli ac yn seis 14! Diolch, Elinor. A diolch am beidio â thaflu pethau hollol anaddas ata i a gwneud i fi deimlo'n euog am bo fi ddim yn hoffi nhw.'

Gwyddai Elinor ei bod ar dir bregus yma. Dywedodd yn ofalus, 'Wi'n meddwl bod Meriel yn trio helpu, ti'n gwybod. Mae hi'n browd ofnadwy ohonot ti a'r bois – wir i ti, mae'n eich brolio chi drwy'r amser pan y'n ni mas gyda'r merched. Wel, chi a *clean eating* wrth gwrs'.

Chwarddodd Rhian ond roedd yna dinc sur yn ei llais. 'Wel, os y'n ni'n cael *write up* cystal â Gwyneth Paltow, mae hwnna'n gysur mawr.'

Dechreuodd Elinor gasglu'r dillad yn un bwndel a dweud heb edrych ar ei merch yng nghyfraith, 'Mae'n neis cylwed ti'n chwerthin. Sai'n credu dy fod di wedi mwynhau'r gwylie 'ma rhyw lawer, wyt ti, Rhian?'

Rhewodd Rhian. O hel, oedd e mor amlwg â hynny? 'Y...
wel. Ym, sori... wi yn trio, fi jyst yn ffindo pethe bach yn
anodd ar hyn o bryd.'

'Dere mla'n, gad i fi dalu am rhain ac awn ni am ddrinc
bach.'

'O, na, Elinor alla i...'

'Na, Rhian, byddai'n bleser pur. Wi'n mynnu, rho dy arian
i gadw.'

Eisteddodd y ddwy yn y sgwâr hyfryd yn y cysgod yn sipian
Limonata. Am funud neu ddwy wnaethon nhw ddim siarad,
jyst mwynhau'r ddiod oer. Doedd Rhian ddim yn siŵr beth
i'w ddweud beth bynnag.

'Rhian... Dw i 'di sylwi dy fod di'n poeni lot am bethe.'
Roedd Elinor yn trio bod yn ddiplomataidd ond roedd hi'n
benderfynol nawr o wthio'r pwynt.

'Ha! *Understatement*. Fi'n poeni am bopeth, Elinor. Ers i fi
gael y bechgyn, fi'n ofon popeth. A wastod yn ofni'r gwaetha.
Catastrophising yw e yn ôl erthygl ddarllenais i ar Mumsnet.'

'Mumsnet – un o'r forums 'na ar y we, ife?'

'Ie. Mae rhai o'r mamau arno fe'n waeth na fi.'

Nid mynd at ryw nonsens ar y we oedd yr ateb, meddyliodd
Elinor yn ddiamynedd. Roedd ishe help ffurfiol ar Rhian. Ond
gwyddai bod yn rhaid iddi fod yn ofalus. Dywedodd, 'Paid â
bod mor barod i feirniadu dy hun, Rhian – mae'r blynyddoedd
diwetha 'ma wedi gosod straen rhyfeddol arnon ni gyd, ond
y'n nhw? Pwy ryfedd dy fod yn teimlo'n nerfus?'

'Ond dw i'n mynd yn syth i'r pegwn eithaf, Elinor. Mae'r
ofnau yn tyfu'n angenfilod o fewn eiliadau – mae 'nychymyg
i'n rhemp. Dyw e ddim yn normal i deimlo fel hyn, dw i'n
siŵr.'

O'r diwedd. Roedd Rhian wedi deall pethau'n well nag yr

oedd Elinor yn ofni. 'Bydde fe'n help i siarad gyda therapydd?'

'Falle. Fe ges i help unwaith o'r blaen, oesoedd yn ôl nawr ond fi'n meddwl bod hi wedi ymddeol. Sai'n gwybod am ddechre eto gyda rhywun arall. Sai ishe treulio oriau'n gorwedd ar sofa tra bo rhywun yn gwneud nodiadau amdana i. Yn fy meirniadu achos mod i mor iwsles.'

Pwyllodd Elinor, doedd hi ddim am golli hyder Rhian, ond diawch erioed. 'Sai'n credu bod hwnna'n digwydd tu fas i'r ffilmie, Rhian. Siarad, sgwrsio, beth maen nhw'n alw "the talking cure" yw popeth nawr. Falle bydde'r GP yn gallu awgrymu enw?'

'O, jyw, mae'n GP i yn rial hen fuwch.'

'Oes doctor arall yn y practis?'

'Mae 'na un newydd... Falle allen i drio ei gweld hi.'

'Wel, 'te.'

'Ocê. Fe wna'i apwyntiad. Os wyt ti wir yn meddwl bod pwynt.'

'Meddwl bod e'n werth trio.'

'Ond, Elinor? Huw a fi?'

'Ie?'

'Ti 'di sylwi, mae'n siŵr. All y doctor ddim rhoi tabled i fi i wella hwnna.'

Oedodd Elinor – a ddylai hi gyfadde bod pawb wedi sylwi. Yn wir, ei bod hi'n amhosib peidio sylwi ar y gagendor rhwng y cwpwl? Na – un cam ar y tro. Dywedodd yn araf, 'Ydw... ond...'

'Ydy Tudur wedi sylwi hefyd?'

'Wel mae e'n poeni, yn sicr.'

'Ydy e wedi siarad gyda Huw?'

'Mae e wedi trio, ond, wel... dyw Huw ddim yn aml ar gael ar y gwylie 'ma, ydy e?'

'*Tell me about it*. A bob tro ni'n dechrau siarad yn iawn ni jyst yn cweryla. A does byth digon o amser na lle i siarad yn iawn.' Roedd llygaid Rhian wedi dyfrhau erbyn hyn. 'A fi'n, fi'n poeni.' Doedd Rhian ddim am ddweud y geiriau mas yn uchel.

'Beth?'

Poerodd Rhian y geiriau o'r diwedd. 'Fi'n poeni bod e'n cael affêr.'

'O, sai'n credu bod pethe wedi mynd mor bell â hynny 'dag Awen, odyn nhw?' dechreuodd Elinor, ond torrodd Rhian ar ei thraws.

'Nid gyda blydi Awen. Rhyw *midlife crisis* ddwl yw hwnna. Na. Gyda rhywun yn y gwaith. Y Jules 'na mae e'n ffono drwy'r amser.'

'O.' Nid lle Elinor oedd datgelu ofnau Tudur am yr union beth hyn i Rhian. Penderfynodd ddweud dim – ond cynnig rhywbeth mwy ymarferol. Dywedodd hi, 'Mae ishe i chi'ch dau gael cyfle i siarad yn iawn. Galle Tudur a finne helpu yn hynny o beth. Mynd â'r bois mas am ychydig orie?'

'Bydde hwnna yn dda. Amser i Huw a fi fynd am dro falle. A siarad.'

'Ocê, gad i fi weld beth alla i wneud. Ac yn y cyfamser, pam na wnei di ffono'r syrjeri a gweld alli di drefnu apwyntiad pan ei di adre. Wi'n siŵr bydde hwnna'n codi dy galon di.' Roedd Elinor yn benderfynol o wthio Rhian ar hyn.

'Ocê.' Roedd Rhian yn amheus ond ddim am ddangos hynny.

'Grêt.' Cododd Elinor ar ei thraed a dweud, 'Deuparth ffordd ei gwybod, dyna oedd arwyddair yr ysgol. Ac mae 'na lot o wirionedd yn hwnna.'

Ar y teras yn gorffen cinio oedd gweddill y criw pan gyrhaeddodd Elinor a Rhian yn ôl. Diolch byth neidiodd Tudur i fyny'n syth a dechrau canmol. A chyda Meic hefyd yn porthi 'dwli ar y gwallt!' dechreuodd Elinor feddwl y byddai popeth yn iawn. Ond dim ond nodio wnaeth Huw wrth ei gweld a dweud 'neis iawn' heb ryw lawer o frwdfrydedd cyn codi'r ffôn eto.

Doedd dim disgwyl i'r bois sylwi chwaith ar y gwahaniaeth yn eu mam a doedd Awen ddim wedi codi ei llygaid o'i llyfr. Chwarae teg iddi, Llinos achubodd y dydd pan ddaeth hi o'r pwll i mofyn cinio.

'OMG, Rhian, ti'n edrych yn *amazing*! Dwli ar y fel *layered bob* – feri Taylor Swift ac mae'r ffrog 'na mor fel *retro* hefyd. Rili styning!'

Erbyn i Tudur gynnig paned i bawb a gosod teisen bricyll ffres ar y bwrdd, roedd yr eiliad anodd wedi pasio. Ond sylwodd Elinor fod llygaid Rhian yn crwydro yn aml i gyfeiriad ei gŵr oedd yn taranu unwaith yn rhagor wrth ymyl y teras.

'God, yes, Jules, that's such a good call. And you think the judge will buy it? This could be the turning point, you know, Jules. You really are amazing...'

Collwyd gweddill y sgwrs wrth iddo droi cornel y teras tuag at y pwll.

Ymhen tipyn sylweddolodd Elinor ei bod wedi anghofio casglu'r wyau o'r *orto* y bore hwnnw a chyhoeddodd ei bod am bicio draw yno nawr.

'Na, Elinor, fe aiff y bois a finne.' Cododd Rhian a siarsio'r bechgyn i'w dilyn. Y gwir oedd ei bod yn dyheu am funud i gael meddwl a gwyddai y byddai'r bois yn mwynhau casglu'r wyau. Dechreuodd fyfyrio wrth i Osian a Twm dwrio yn y cwt ieir.

'Ocê, o'dd cael dillad newydd ac amser i siarad yn deidi gydag Elinor yn neis. God, pam bo hi gyment yn rhwyddach na Mam? Achos bod hi ddim yn fam i fi, sbo?

'Fi'n dwli ar y gwallt newydd 'ma. Wi gyment yn fwy cyfforddus i ddechre. Ond o'dd gwep Huw fel twll tin iâr pan gyrheddes i nôl, pam 'ny, sgwn i? Wedi arfer â'i wraig fach ddagreuol? Mae'n rhwyddach fy anghofio i pan fydda i mewn bocs bach, y gonen 'na gytre.

'Blydi Jules. Ond wedyn pwy sydd i weud pa nonsens mae hi 'di ca'l wrth Huw? *My wife doesn't understand me*, rhyw bolycs fel'na siŵr o fod.'

'Mami, drych, mae 'na bedwar wy fan hyn!'

Twm oedd yn rhedeg tuag ati tra fod Osian i'w weld yn twrio yn y cwt ieir ym mhen pella'r ardd fach. Safodd Rhian am funud ac edrych o'i chwmpas. Jyw, o'dd hwn yn lle neis. Roedd teimlo'r awyr gynnes ar ei breichiau noeth yn braf. Er, wrth gwrs, ei bod wedi gorchuddio'i chroen gyda ffactor 50 ac yn ddiolchgar iawn fod yna ddigon o gysgod yn yr *orto* hefyd.

Roedd hi'n hyfryd yno, ymysg y rhesi o *zucchini*, y *melanzane* boliog duon a'r *pomodori* anferth oedd yn llawn blas yr haul. Roedd yr ardd wedi ei gosod yn y dull traddodiadol ac roedd Elinor (er taw Gio oedd yn cynnal y lle mewn gwirionedd) yn tyfu tipyn o bopeth ynddi. Sawl math o ffa, pwmpennau oren – oedd yn dechrau tyfu nawr wrth i'r hydref agosáu. A thoreth o flodau gwyllt hefyd rhwng y llysiau yn denu'r gwenyn oedd i'w clywed yn glir yng ngwres y prynhawn wrth iddyn nhw deithio'n hapus rhwng y blodau a chychod gwenyn Giovanni yn yr *orto* drws nesa.

Crafai'r ieir yn ddedwydd rhwng y rhesi o winwns coch a

gwyn, y llwyni cwrens a phatshyn mawr o sbigoglys gwyrdd yn y gornel. Sylwodd Rhian fod ceiliog brasterog yr olwg yn cadw trefn arnyn nhw.

Dyn *macho* arall, meddyliodd yn sur, ond roedd yn braf clywed yr ieir yn canu rhyw fath o grwndi swynol wrth grafu ac ebychiadau swnllyd y ceiliog wrth iddo gorlannu ei ferched.

'Maen nhw bach yn rhy swnllyd weithiau,' oedd ymateb Elinor pan redodd y bois nôl i'r gegin gyda basgedaid o wyau brown. 'Mae'r tipyn ceiliog 'na wedi bod yn cadw Lucia a Giovanni ar ddi-hun yn ddiweddar, mae e'n dechre clochdar cyn iddi wawrio weithie. Os na fydd e'n ofalus fe gaiff e fynd i'r crochan ar un o'r dyddiau saint bondigrybwyll sy 'da nhw yn y dyffryn 'ma.'

Newidiodd Rhian i'r siwt nofio newydd er mwyn mynd gyda'r bois i'r dŵr nawr fod cysgod wedi dechrau taro ar hanner y pwll ar ddiwedd y prynhawn.

'Www, gorj!' Roedd Llinos eto yn llawn edmygedd o'r sgert fach a'r lliw gwyrdd tywyll oedd yn gweddu i'r dim i groen hufennog Rhian. Ymunodd Meic yn y chwarae a phan ddaeth Llinos i fewn i'r pwll i daflu pêl roedd yr awyrgylch yn hwyliog tu hwnt.

Jyw, mae Rhian yn bert ofnadwy pan mae hi'n gwenu, meddyliodd Meic. Dyw Huw ddim yn talu digon o sylw iddi. Y math o ddiawl hunanbwysig sy wastod yn denu Awen, yn lle meddwl am ei wraig. Nabod y teip yn rhy dda o lawer. Ystyriodd Meic hyn wrth wylio Rhian a Llinos yn chwarae'n hapus yn y pwll. Gwyddai fod neb yn deall pam oedd e'n dal i aros gydag Awen a hithau'n fflyrtio bob gwyliau. Heb sôn am adre 'Nghaerdydd – man y man iddo fe gyfadde, roedd hi fel hyn mewn ciniawau a phartis hefyd. Roedd y ddau ohonyn nhw wedi syrthio i rigol rhywsut. Meic yn graig dawel, yn ŵr bonheddig ac Awen fel tân gwyllt yn llawn egni a lliw yn pefrio ar ei fraich.

Cariadon egnïol a di-baid oedden nhw yn nyddiau cynnar eu perthynas – a dweud y gwir, gwenodd Meic wrth gofio, roedden nhw'n aml yn y gwely am benwythnosau cyfan. Y ddau ohonyn nhw'n llawn cyffro ac uchelgais ac yn brwydro mewn meysydd digon anodd. Athrawes Hanes oedd Awen bryd hynny mewn ysgol gyfun ond doedd ei chalon ddim yn y gwaith. Fe gyfaddefodd hi wrth Meic o'r dechrau nad oedd hi'n rhy hoff o blant, ei bod hi am wneud rhywbeth mwy na dysgu. A phan gafodd hi lwyddiant gyda'i llyfrau, fe adawodd yr ysgol yn syth, yn falch o gael gwneud. Ac am gyfnod roedd popeth yn wych. Meic yntau yn cael tipyn o waith ar y teledu ac Awen yn mwynhau bywyd awdur llwyddiannus. Teithio, lot o secs a'r ddau fel models yn eu dillad swanc a'u ceir *his 'n hers* (dau Porsche aur AWEN 1 a MEIC 1).

Camgymeriad fu geni Llinos, 'na'r gwir amdani. Nefoedd! Gobeithiai Meic nad oedd hi erioed wedi synhwyro hynny. Roedd e wedi trio ei orau i'w throchi hi mewn cariad. Wedi taro bargen gydag Awen (oedd dri mis yn feichiog cyn iddi sylwi, doedd ei misglwyf erioed wedi bod yn gyson) a gytunodd i eni'r babi. A thrwy gydol ei phlentyndod, Meic a'r *au pairs* bondigrybwyll, nid Awen, oedd yn gwneud y poeni, y cwtsio a'r cysuro. Gwyddai fod Awen wedi trio.

'Ond dyw e jyst ddim yndda i, Meic.'

Cofiai hi'n dweud hyn ar ddiwrnod pen-blwydd Llinos yn ddwy ac yntau'n methu deall ei wraig gan fod y tonnau o gariad a deimlai ef tuag at ei ferch yn cynyddu bob dydd. Falle taw plentyndod anodd Awen oedd ar fai – collodd ei rhieni'n ifanc a gorfod byw gyda modryb ddigon oeraidd, yn ôl y sôn. A dianc i'r coleg heb edrych yn ôl, yn ddeunaw.

Gwaethygu wnaeth pethau wrth i Llinos dyfu i'w harddegau. Hormons merch dair ar ddeg yn brwydro yn erbyn rhai ei mam oedd yn trio delio gyda'r menopos. A Meic yn y canol ddim yn siŵr iawn beth i'w wneud. Roedd e'n dal i fod mewn cariad â'i wraig – er mor anodd oedd y berthynas ar brydiau. Hi oedd cariad mawr ei fywyd – allai e ddim esbonio pam ond roedd ei chwerthiniad, ei llais a'r darn meddal bach o gnawd rhwng ei gwddf a'i brest yr oedd yn hoffi ei gusanu, roedd pob un o'r pethau hyn yn dal i danio'r nwyd rhyfedda ynddo.

Ac roedd e wedi mwynhau'r cyfoeth, yr enwogrwydd. Y tripiau i Lundain, y byrddau oedd bob amser ar gael yn y tai bwyta gorau, y gwahoddiadau i'r theatr a nosweithiau agoriadol y ffilmiau diweddara. Hoffai'r teimlad o gerdded ar y carped coch gyda'i wraig ddeniadol ar ei fraich.

Ha! Roedd hwnna'n sioc i'r holl fechgyn yn yr ysgol fu'n chwerthin am ei ben a'i alw'n enwau – yn amau ei rywioldeb ac yn dilorni ei steil a'i brydferthwch. Oedden nhw wedi teithio'r byd? Neu'n byw mewn tŷ hyfryd yn Llanbedr-y-fro? Lle'r oedden nhw â'u blydi ffwtbol a'u rygbi a'u nonsens *macho* nawr?

Ond yn ddiweddar roedd pethau wedi newid. Roedd Awen wedi bod ar sawl trip gwerthu llyfrau a bob tro y deuai hi yn ôl teimlai Meic ei bod hi wedi pellhau wrtho ef a Llinos. Fel tase ei meddwl yn dal i fod ar daith, heb ddychwelyd adre at y teulu. Edrychodd ar Rhian yn chwarae mor hapus gyda'i bechgyn a chenfigennu. Welodd e rioed mo'i wraig yn gwneud y fath beth.

Rhwbiodd ei lygaid. Na, doedd e ddim am feddwl am hyn.

Ddim prynhawn 'ma. I le oedd yr holl feddwl 'ma'n arwain beth bynnag? Estynnodd am y bêl a'i thaflu'n ôl yn egnïol at Twm.

Pan ddechreuodd y cysgodion ymestyn ar draws y dŵr galwodd Elinor ar y bois ei bod hi wedi gwneud pasta a phesto ar eu cyfer.

'Cer di, Rhian, fe gaf i'r bois yn barod i fwyta!' Roedd Llinos yn falch i gael y cyfle i helpu ar ôl i Rhian fod mor garedig wrthi. Aeth honno'n ddiolchar am ei stafell wely er mwyn newid. Roedd Elinor wedi addo *Tortelloni con Salvia*. Wedyn ffowlyn a thatws yn y ffwrn.

Iym, iym, meddyliodd Rhian wrth hastu at ei stafell.

'Fan hyn wyt ti,' meddai o weld Huw yn eistedd ar y gwely yn gweithio ar ei liniadur.

'Wel, ble arall fydden i? Ma 'da fi lot o waith i'w wneud, Rhian,' atebodd hwnnw'n swta, 'allwn ni ddim i gyd hala'n diwrnode yn siopa ac yn cael *facials*.'

'Ges i ddim *facial*, Huw. 'Mond torri 'ngwallt a gwneud bach o siopa – a fynnodd Elinor dalu os taw hynny sy'n dy boeni di.'

'O, *come on*, Rhian, paid â troi fi mewn i'r *bad guy*.'

'Wel, dangosa damed o frwdfrydedd, Huw! Ti sy 'di bod yn conan 'mod i'n ddiflas a byth yn gwneud ymdrech – wel, dyma fi yn gwneud ymdrech a ti'n dal i fod yn negyddol.'

'Sori, Rhian, os wyt ti'n meddwl bod torri dy wallt a gwasgu dy hunan mewn i'r siwt nofio 'na yn mynd i newid popeth, ti'n rong. Wi'n mynd lawr llawr i ga'l drinc achos wi wedi hala'r prynhawn cyfan yn gwitho tra dy fod di'n galifantan a 'nhro i yw e i gael hoe fach nawr. A ble mae'r bois 'na gyda llaw? Yn byta *chicken nuggets*, ife?'

'Nage, Huw, maen nhw'n byta pasta a pesto ffres gyda

mymryn o blydi salad!' Ond 'mond cefn Huw yn diflannu drwy'r drws welodd Rhian. Dduw mawr, meddyliodd hi, does dim gobeth i ni. Allwn ni ddim siarad o gwbwl nawr heb gweryla.

Er ei fod yn ymddangos yn ddigon calon-galed i'w wraig, roedd Huw mewn tipyn o wewyr meddwl mewn gwirionedd. Fe'i synnwyd braidd gan y Rhian ddeniadol hapus yma ac roedd y newid ynddi yn herio'i syniadau hunangyfiawn dros chwilio cysur ym mreichiau Juliette. Doedd meddwl am y sgwrs gafodd e y prynhawn hwnnw gydag Osian ddim yn helpu chwaith. Daeth ei fab ato'n llawn consýrn yn gofyn pam oedd Dadi a Mami'n 'ymladd drwy'r amser'. Ac er iddo gysuro'i fab a dweud bod pob dim yn iawn, roedd e wedi cael siglad. Wedi deall falle nad ynys mohono, roedd ei weithredoedd yn effeithio ar bawb yn y teulu. Ond, wedyn dyna Juliette. Mor ifanc ac mor ddilyfethair. Heb gymhlethdod. Ac yn gwneud iddo fe deimlo mor ifanc a dilyfethair hefyd! Eisteddodd Huw yng nghysgod y winwydden a'i ben yn ei ddwylo. Doedd ganddo ddim clem beth i'w wneud.

Doedd yr awyrgylch dros swper ddim yn un rhwydd. Cyhoeddodd Huw fod yn rhaid iddo fynd i Perugia y bore wedyn i swyddfa gyfreithiol oedd wedi addo derbyn dogfennau pwysig ar ei ran. Doedd hyn ddim yn afresymol, roedd yn rhaid i gyfreithwyr gael copïau caled o bob dim. Ac roedd Huw am gyfle i feddwl wrth yrru draw. A byddai cinio gwareiddiedig gyda'r cyfreithiwr yn falm i'w enaid, efallai?

'Mond cyfriethwyr sy'n dal i ddefnyddio blydi peiriannau ffacs, meddyliodd Rhian yn sur. Ac esgus gwych i Huw gael dianc eto.

Pan gyhoeddodd Awen fod ganddi hithau ddogfennau

pwysig i'w danfon at ei chyhoeddwr, ('Alla i jyst ddim dibynnu ar y *wifi* fan hyn, sori Elinor. Ga i lifft i Perugia, Huw?') doedd neb yn gwybod lle i edrych. Doedd Huw ddim yn hollol siŵr sut i ymateb i'r datblygiad annisgwyl hyn. Ond wedyn rhesymodd, bach o hwyl oedd y busnes 'ma gydag Awen, dim byd difrifol. Falle byddai codi ei galon yn ei chwmni hi yn gwneud lles iddo. Ac yn ei helpu i ffeindio perpectif ar bethau. Felly gan osgoi edrych ar ei wraig fe gytunodd yn llawen i roi lifft i Awen.

Ddywedwyd 'run gair gan neb ond gwyddai Rhian yn union beth oedd pawb yn meddwl. Plediodd noson gynnar ar ddiwedd y wledd (nid ei bod hi wedi medru blasu dim, roedd hi'n dal i fod yn ffyrnig ar ôl y gweryl gyda Huw) ac aeth i fyny i'r stafell grasboeth i droi a throsi yn y gwely. Wna i fyth gysgu heno, meddyliodd. Ond mae'n rhaid ei bod wedi llwyddo achos y peth nesa oedd hi'n gofio oedd Twm yn gofyn am ddiod a synnodd o weld ei bod hi bellach yn fore a bod Huw wedi mynd i Perugia'n barod.

Bruschetta Pomodoro

8 tomato blasus – *Roma* os yn bosib – wedi eu torri'n fân

Llond llaw dail *basilico*

100g caws *Parmigiano*

2 ddarn garlleg wedi eu torri'n fân

1 llond llwy fwrdd finegr *Balsamico* da

1 llwy de olew olewydd da

Halen a phupur

Bara gwyn – *ciabatta* neu does sur

Cymysgwch y cynhwysion a rhoi'r gymysgedd tomato ar sleisys o fara wedi eu tostio.

Gallwch ychwanegu darnau o gaws *mozzarella* a rhoi'r cyfan o dan y gril i frownio, os ydych yn dymuno pryd mwy swmpus.

I'w fwynhau gyda diodydd o flaen y pryd bwyd neu fel cwrs cyntaf.

8

E DRYCHODD LLINOS ARNI hi ei hun yn y drych. Triodd wenu ar ei hadlewyrchiad a methu.

Fi'n fel *depressed*. A wi ddim yn deall fel pam? Wi'n gallu mynd i Durham nawr. Ond o'n i'n sort of rili mofyn y babi 'na. Blydi Mabli #emotionalvampire #knowhoyourfriendsare #realfriendsaregold

Synnai Llinos mor ddiflas yr oedd hi'n teimlo – doedd e ddim yn gwneud sens, roedd hi wedi treulio oriau yn ceisio cyfiawnhau cadw'r babi ac am ryw reswm roedd hi'n hiraethu am yr ansicrwydd yna. Aeth i nofio yn y pwll, lap ar ôl lap i drio teimlo'n well. Gwelodd Rhian yn eistedd yn y cysgod a mynd ati. Doedd hi ddim am ei phoeni eto ond doedd ganddi neb arall i siarad gyda hi.

'Rhian.'

'Haia. Ti'n ocê?' Gwenai Rhian wrth ateb ond roedd hi'n teimlo mor flinedig doedd hi ddim yn siŵr fod ganddi'r egni i ddelio gyda Llinos eto. Ond roedd yn rhaid iddi drio, gallai weld bod Llinos yn drist.

'Bach yn fflat a bod yn onest.'

'Ti'n dal i fod mewn sioc, mae'n siŵr 'da fi. 'Da ti lot i feddwl amdano fe, on'd o's e?'

'Oes. A sai'n gwybod os odw ishe fel crio neu fel chwerthin?'

'Mae hwnna'n anodd.'

'Ie. Fi'n gwybod.'

Eisteddodd y ddwy am funud yn edrych ar y bois yn nofio

yn y pwll. Roedd Meic wedi ymuno â nhw eto ac yn amlwg yn mwynhau'r holl sblasio.

Rhoddodd Llinos ei breichiau o gwmpas ei chluniau.

'Mae Dad yn lyfli, on'd yw e?'

'Mae dy dad yn foi neis iawn, Llinos.'

'Does dim ots 'dag e os fi'n disgwyl neu beidio ond bydd Mam yn fel *overjoyed* pan gaiff hi glywed. Mor fel *relieved*! Fydda i ddim yn *embarrassment* iddi.'

'Ti ddim wedi dweud eto, 'te?'

'Na. Ond well i fi ddweud y gwir, *I suppose…* '

'Ti ddim 'di siarad gyda dy dad chwaith?'

'Nagw. Fi'n teimlo bach yn wael am hwnna.'

'Meddwl y bydd e'n deall, ti'n gwybod.'

'Poeni am Durham tamed bach hefyd.'

'Wel, mae hwnna'n naturiol. Ond fel o'n i'n gweud yn y caffi, fi'n meddwl byddi di'n joio. Dechre eto, ffrindie newydd.'

'Fi wedi bod yn darllen am y cwrs eto.'

'Edrych yn dda?'

'Odi, lot o ddrama a stwff modern…'

'Swnio'n grêt.'

'Wel, gobeithio. Fi'n nabod un ferch arall o Gymru sy'n mynd i Durham.'

'Pam na gysyllti di gyda hi? Falle bod hi'n teimlo'n debyg i ti.'

'Ie, falle wna i. Mae hi ar Insta. Syniad da, fe wna'i e nawr.'

Cododd Llinos ac anelu am y teras, cyn troi yn ôl yn sydyn a lapio'i breichiau o gwmpas Rhian a dweud yn gyflym, 'Licen i tase ti'n fam i fi.' A cherdded i ffwrdd ar frys. Gan adael Rhian â deigryn yn ei llygaid.

Yn Perugia roedd Huw wedi bod yn brysur, wedi derbyn y

dogfennau pwysig ac wedi cael *Zoom* boddhaol iawn gyda Jules. Teimlai'n well am bopeth. Roedd e a Jules yn dda gyda'i gilydd. Diawch, roedd bywyd yn gymhleth, 'na'r gwir amdani. Yn enwedig i ddynion fel Huw – oedd â gweledigaeth ac uchelgais ac yn disgwyl mwy na'r hyn oedd yn gymhedrol a jyst yn dderbynadwy. Ac roedd Juliette yn deall hynny! Na, rhaid iddo ddilyn ei lwybr ei hun. Heb wyro.

Cafodd ginio derbyniol iawn gyda Zio y cyfreithiwr oedd wedi ei helpu a thrip bach sydyn i'r Pinacoteca (roedd Jules yn hoffi celfyddyd y Dadeni ac roedd e am drafod Piero della Francesca yn wybodus gyda hi). Roedd e bellach yn eistedd mewn caffi yn disgwyl i Awen gyrraedd.

Roedd Awen hefyd wedi cael diwrnod boddhaol yn siopa ac yn crwydro. A thros baned yn I Sandrini daeth galwad wrth ei hasiant yn cadarnhau cytundeb a blaendal ardderchog am sgrifennu ei llyfr nesa. Cafodd sgwrs foddhaol hefyd gyda chyfreithiwr yn Llundain. Mi fyddai ganddi dipyn i'w ddweud wrth Meic a Llinos pan welai hi nhw. Ond cyn hynny, roedd hi'n chwilio am gyfle i ddathlu.

'Awen! Fan hyn!' Roedd Huw wedi cael bwrdd reit ar ymyl y teras, lle'r oedd golgyfa wych o'r dyffryn islaw a'r haul oedd yn prysuro guddio tu ôl i'r mynyddoedd gyferbyn.

Eisteddodd Awen yn ddiolchgar, roedd hi wedi cynhesu wrth grwydro'r ddinas ac roedd hi'n dyheu am ddiod oer a hithe'n dal i fod yn boeth iawn.

'*Due spremuta, per favore,*' roedd Huw, fel arfer, ar y blaen gyda'r diodydd. 'Ti'n edrych bach yn dwym, Awen.'

'Fi'n berwi, Huw.' Roedd Awen wedi penderfynu mynd amdani. 'Sai'n gwybod beth i wneud â'n hunan.' Cododd ei breichiau uwch ei phen a siglo'i gwallt yn rhydd, cwympodd yn donnau o gwmpas ei hysgwyddau hanner noeth.

'*Good god.*' Aeth y gwaed yn syth i'w ben a doedd Huw ddim yn siŵr sut i chwarae pethau oedd yn mynd bach yn gyflym falle. 'Ym..., wi wastod wedi meddwl dy fod di'n, ym... *hot*, Awen,' dechreuodd yn ansicr.

Doedd honna ddim yn llinell wych, meddyliodd Awen ond roedd yr awch yn llygaid Huw yn fwy addawol. Bwrodd hi ymlaen yn ysbryd y foment.

'Bydd yn rhaid i fi... dynnu peth o'r dillad 'ma, Huw.'

'Y... bydd. Wedyn fe fyddi di'n... oerach.' Roedd Huw yn straffaglio braidd. Am ryw rheswm doedd y geiriau ddim yn dod. Roedd ganddo ormod ar ei feddwl. Falle nad oedd hyn yn syniad da wedi'r cyfan. A doedd y gwres llethol ddim yn help. Ond roedd Awen yn edrych yn ffantastic yn ei ffrog myslin, ei dillad isa yn glir o dan y deunydd ysgafn. A doedd Huw ddim wedi cael profiad fel hyn erioed – lle'r oedd menyw yn cymeryd yr awennau mewn ffordd mor blaen. Merched swil oedd Rhian a Juliette yn y bôn.

'Falle dylen ni ffeindio rhywle i fynd i... oeri?' awgrymodd Awen.

'Yyy... syniad... da. Rhywle allwn ni gael gwydred o siampên a bach o... hwyl?' Gwenodd Huw yn ôl, yn fwy hyderus nawr. Diawch, o'dd hwn yn un o brofiadau mawr bywyd. Y ffantasi berffaith yn cael ei gwireddu. Man y man iddo fwynhau. Roedd bownd o fod *budget* hotel bach neis yn agos ac fe allen nhw brynu potel ar y ffordd.

'Swnio'n dda.' Gwenodd Awen yn ddireidus. Pwysodd ymlaen i sibrwd yn nghlust Huw. 'Mae 'da fi syniad bach...'

'Os e wir?' Roedd Huw yn sibrwd nawr hefyd, ei anadl yn boeth yn erbyn gwddf Awen, ei wefusau'n agosáu at ei chlust.

'Beth am *splurge* bach?'

'*Splurge?*' Doedd Huw ddim yn siŵr ei fod e'n hoffi

goblygiadau'r gair yna. Roedd *splurge* yn swnio yn ddrud iawn.

'Ie, *splurge*. Bath mewn *hot tub* a falle galla i roi masaj bach i ti.'

'Masaj?... O, dduw mawr, y... ocê.' Roedd Huw wedi cynhyrfu'n llwyr.

Aeth Awen ymlaen, 'Mae Castello Di Reschio yn agos i fan hyn, *hot tub* ar y balconi preifat. Allen ni ddweud bod y car wedi torri lawr. Alli di gael swît am £700, a wi newydd weld bod un ar gael ar y we...'

'£700 am noson!' Roedd Huw wedi colli mymryn o'i sbarc.

'Paid â bod yn *boring*, Huw. Fi'n whilo am bach o hwyl.'

'Ie ond ma £700 yn itha lot. Ac mae Rhian yn edrych ar ein *joint account*...'

'Nefoedd, Huw!' Safodd Awen yn ddiamynedd. Roedd y foment wedi ei difetha. 'Ocê, o'dd hwn yn gamgymeriad. *Come on.* Tala'r bil ac awn ni'n ôl i'r Girasole.' Cododd Awen a stompio allan, gan adael Huw yn edrych yn syn ar ei hôl, ddim yn siŵr yn union beth oedd newydd ddigwydd.

Nôl yn y fila roedd Rhian ac Elinor wedi casglu *pizza* i bawb ac wedi mwynhau swper tawel ar y teras. Roedd y bechgyn yn hapus iawn i fynd i'w gwelyau yn gynnar, wedi blino'n lân ar ôl treulio'r pnawn hir yn y pwll.

Ciliodd Llinos hefyd i'w hystafell. Roedd hi wedi trefnu Whatsapp gyda Leisa, y ffrind o'r gogledd oedd hefyd yn mynd i Durham. Gadawyd Rhian a Meic gyda'i gilydd ar y teras gan fod Tudur ac Elinor wedi mynnu clirio'r bwrdd. Diflannodd y ddau i gyfeiriad y gegin yn dadlau'n hapus am y ffordd orau i lwytho'r peiriant golchi llestri. Doedd dim sôn am Huw ac Awen ac roedd Tecs yntau wedi mynd i ffonio Steven.

Trodd Meic at Rhian. Roedd golwg ddifrifol ar ei wyneb.

Shit, mae e'n grac 'da fi am gynnig cyngor i Llinos. O bygyr, *me and my big mouth* – pam na alla i gadw 'ngheg ar gau? Mae Mam yn hollol iawn amdana i'n siarad gormod, meddyliodd Rhian mewn panic. Ond, na. Am ddiolch iddi oedd Meic.

'Mae Llin wedi dweud y cwbwl wrtha i. Bo ti wedi bod yn ffeind iawn wrthi.'

Gwridodd Rhian a dechrau chwarae gyda'r matiau raffia ar y bwrdd. 'Jyst gwneud beth fydde unrhyw un wedi gwneud wnes i, Meic,' atebodd yn swil.

'Unrhyw un ond ei mam hi.'

'O, jyw, sai'n gwybod ambyty 'ny,'

'Mae Awen wedi bod yn *total bitch*. Yn gas ac yn oer. Mor wahanol i ti. Ym mhob ffordd.'

Roedd y ddau'n dawel am funud a gallai Rhian deimlo llygaid Meic arni.

'Ti'n lyfli, Rhi,' dechreuodd Meic. Torrodd Rhian ar ei draws, 'Smo Huw yn meddwl 'ny.'

'Wel, mae Huw yn dwat felly.'

'Meic!' Dechreuodd Rhian chwerthin ac edrychodd i fyny o'r matiau i weld bod Meic hefyd yn chwerthin.

'Na o ddifri, Meic, fi'n meddwl bod pethe ar ben gyda Huw. Mae'r blydi gwyliau 'ma wedi bod yn *disaster*.'

'Wi'n ffaelu deall pam. Ti'n berson mor arbennig – a ti'n edrych yn gorjys 'da'r gwallt a'r dillad newydd 'na.'

'Wel, dyw Huw ddim yn cytuno.'

'Wir i ti, Rhian. Wi'n cael hi'n anodd i beidio… wel, ti'n gwybod.'

'Beth?'

Roedd hi'n sibrwd nawr wrth i Meic edrych i fyw ei llygaid.

Yn yr *orto* drws nesa roedd Gio'n clwydo'r ieir ac yn taro un olwg ola ar yr haul yn machlud tu ôl i Monte Ubaldo. Roedd yn amhosib iddo beidio â gweld Rhian a Meic yn cusanu yn y golau fflamgoch.

'Ar beth wi'n edrych yn gwmws?' gofynnodd iddo'i hun. Dechrau neu ddiwedd rhywbeth? Siglodd ei ben yn ddiamynedd cyn troi am y gegin lle fyddai Lucia yn disgwyl gyda'i swper. Blydi Brits.

Deffrodd Twm yn sydyn. Roedd ei fola'n brifo ac roedd angen tŷ bach arno. Gwelodd fod Osian yn cysgu'n drwm yng ngolau'r seren fach siriol oedd yn sgleinio drwy'r nos rhwng eu gwlâu. Mam-gu Elinor ddododd hi yna er mwyn eu cadw nhw'n saff, cofiodd Twm.

'Aw!' Cafodd bwl arall o boen yn ei fola.

'Maam,' gwaeddodd Twm yn obeithiol. Ond doedd dim sôn am neb. Trodd Osian drosodd gan sibrwd rhywbeth yn ei gwsg am Percy Jackson.

'Aw!' Roedd ei fola fe'n brifo lot nawr. Cododd Twm o'r gwely a mynd at ddrws yr ystafell. Roedd y ddolen yn drwm ac yn stiff ac fe gymerodd Twm rai munudau yn dwyn pwysau arno er mwyn ei droi. Ond fe lwyddodd o'r diwedd pan ddefnyddiodd ei ddwy law a sefyll ar ben y stôl fach oedd ar erchwyn y gwely.

Cilagorodd y drws. Roedd yn hollol dawel a llosgai un lamp ar fwrdd tu fas i'r drws. Yn y pellter edrychai'r ffordd lawr y grisiau yn ddu ac yn frawychus.

'Maami!' Gwaeddodd eto. Ond doedd dim ateb. Daeth pwl arall o boen. Doedd dim amdani ond mentro i ben y grisiau yn y gobaith y byddai golau islaw i'w arwain. Gwyddai fod angen help oedolyn arno.

Cofiodd ei dad yn dweud wrtho nad oedd dynion go iawn yn ofon pethe bach fel y tywyllwch. Roedd Twm ishe dangos i Dadi ei fod yn ddewr. Felly cymerodd gwpwl o gamau tuag at y grisiau a llamodd ei galon o weld nad oedd y twll du yn gwbwl dywyll, roedd yna olau gwan yn dod o'r llawr nesa a chofiodd fod yna lamp arall yno. Ond pan gyrhaeddodd ymyl y gris carreg cynta dechreuodd boeni eto. Edrychai'r grisiau'n serth a phob cam yn ymddangos yn un mawr yn yr hanner tywyllwch. Doedd ganddo ddim dewis. Rhaid oedd mentro.

Ar y teras, roedd Meic yn gafael yn dynn yn Rhian ac yn sibrwd geiriau hyfryd yn ei chlust. Roedd hithau dan ormod o deimlad i fedru ffurfio geiriau, doedd hi ddim wedi bod mewn sefyllfa fel hyn ers blynyddoedd. Roedd Meic yn cynhyrfu fwyfwy bob munud, yn anwesu ei phen ôl ac yn ei chusanu'n awchus ar ei gwddwg a'i bronnau.

'Ti'n *voluptuous*, Rhi, o'n i bron â ca'l strôc pan weles i ti yn y siwt nofio 'na prynhawn 'ma.'

Gafaelodd rhyw wallgofrwydd yn Meic a ffeindiodd ei hunan yn sibrwd yn ei chlust heb wybod yn iawn beth oedd e'n ei wneud. Roedd ei chnawd mor feddal a hufennog a'i nwyd hithau i'w deimlo nawr. Crynai Rhian fel deilen yn ei freichiau ac am eiliad poenai Meic ei bod hi'n ofnus. Stopidd yn sydyn, doedd e ddim am wthio'i hunan arni. Ond ei dynnu'n agosach wnaeth Rhian a'i gusanu'n frwd yn ôl.

Wrth fwyta, ystyriodd Gio yr hyn oedd wedi ei weld. Oedd yna rywbeth o'i le ar hyn, ystyriodd? Doedden nhw ddim yn edrych fel pâr priod. Siglodd ei ben ac arllwys gwydred o win. Blydi ymwelwyr. Gwenodd wrth i Lucia gyrraedd gyda basned anferth o *minestrone* yn llawn llysiau o'r *orto*. Eisteddodd y ddau i fwyta'n hapus.

Roedd Twm wedi cyrraedd y landing nesa nawr. Edrychai'r set olaf o risiau yn dywyll a gwyddai y byddai'n rhaid iddo fod yn grwtyn dewr iawn. A chododd ei galon wrth feddwl cymaint y byddai hynny'n plesio'i dad.

'O, god, Rhian, alla i ddim dala'n ôl, sai'n credu,' sibrydodd Meic. Trodd perfedd Rhian yn fenyn a gorweddodd y ddau yn ôl ar y gwely haul ym mhen pella'r teras. Gwyddai Rhian ei bod yn feddw a bod cusanu Meic fel *teenager* awchus yn hollol boncers ond doedd dim ots ganddi.

Roedd Twm yn dal ar y landing. Roedd y garreg yn oer a chaled o dan ei draed a thwll y grisiau nesa'n dywyll a bygythiol. Teimlai yn fwy ofnus nawr.

'Aw!'

Daeth y boen eto.

'BE FFWC Y'CH CHI'N GWNEUD!' Huw oedd yn gweiddi ar Rhian a Meic. Safai ar ymyl y teras yn rhythu arnynt. Drws nesa iddo roedd Awen wedi dechrau chwerthin. Rhedodd Huw draw at Meic a dechrau ei fwrw. Ond rhyw ymladd plentynnaidd, di-ddim oedd e gan nad oedd y naill na'r llall yn gwybod shwd i wneud yn iawn. Slapio yn hytrach na phwno oedden nhw, y ddau yn edrych yn ddoniol ac aneffeithiol. Llifodd ddagrau lawr gruddiau Awen, roedd hi'n chwerthin gymaint.

'Bastad,' gwaeddodd Huw.

'O fi yw'r bastad, ife?' atebodd Meic rhwng ergydiau

pathetig. 'Beth am yr holl fflyrtio rhyngddot ti a fy ngwraig i, 'te? Ddim yn lico bod yr esgid ar y droed arall ife, Huw?'

Aeth y cwffio plentynnaidd ymlaen. Yn y gornel roedd Awen yn rhuo chwerthin nawr tra fod Rhian yn erfyn arnyn nhw i stopio.

'Huw, Meic, plis!'

Torrodd llais arall ar draws y dyrnu.

'STOPIWCH, Y DIAWLED. Chi'n bihafio fel plant. Rhag ych cwilydd chi!'

Trodd pawb i weld pwy oedd yn gweiddi. Tudur oedd yno. A drws nesa iddo safai Elinor yn dal llaw Twm.

'Dadi!' Rhedodd Twm draw at ei dad oedd â'i ddyrnau i fyny o hyd. Suddodd Meic lawr i'w gwrcwd, ei ben yn ei ddwylo, yn trio dal ei anadl ac mewn embaras llwyr. Beth yn y byd ddaeth drosto yn cusanu Rhian fel'na? Fel rhyw *teenager*? Methai hyd yn oed edrych i gyfeiriad Rhian.

Aeth Twm ymlaen yn hapus. 'Fe ddes i lawr y grisie ar ben fy hun, Dadi. Er bod hi'n dywyll! O'dd poen yn fy mola ond wi wedi bod yn sic a fi'n teimlo'n well nawr. Ond, sori ma fe wedi tasgu dros bag rhywun.'

'Ffeindies i fe ar lawr y landing ganol. Awen, dw i'n meddwl taw mewn i dy fag di fuodd e'n sâl.' Triodd Elinor ei gorau glas i beidio â gwenu wrth i Awen ruthro heibio iddi yn gweiddi rhywbeth am Hermes â golwg wyllt yn ei llygaid

'HELÔ, BAWB!' Suddodd calon Rhian i'w pherfedd – ar ben pob dim arall, roedd ei rhieni yn ôl. Safai Dylan a Meriel yn nrws y fila yn wên o glust i glust.

'Jyw, geson ni amser ffab yn y *retreat*,' cyhoeddodd Dylan.

'Do,' ategodd Meriel, ry'n ni wedi darganfod shwd i wneud *tantric sex*!

Ystyriodd Meriel yr olygfa o'i blaen, Rhian yn hanner noeth

ar y gwely haul, Meic a Huw yn edrych yn fygythiol ar ei gilydd a Tudur ac Elinor yn edrych fel athrawon blin yn rhoi stŵr i blant drwg ar drip ysgol. Drwy'r ffenestri agored roedd sŵn Awen yn sgrechen am y chŵd yn ei bag i'w glywed yn glir.

'Sori, oes rhywbeth yn bod?' Roedd Meriel wedi deall o'r diwedd bod yna densiwn yn yr awyr.

'Gofynnwch i'ch merch,' atebodd Huw. 'Hi sy 'di bod yn snogian fel *teenager*!'

'Beth yw snogian, Dadi?' Roedd Twm yn glustiau i gyd.

'Dere mla'n, cariad, af i â ti i gael bath. Ma ishe newid y pyjamas 'na,' brysiodd Elinor ag e i ffwrdd rhag i Twm glywed rhagor, gan daro golwg dywyll iawn i gyfeiriad Huw cyn iddi fynd.

'Am beth wyt ti'n sôn, Huw?' holodd Dylan.

'Gofyn i Rhian. Wi'n mynd i nôl drinc.'

Cododd Rhian o'r gwely ac esmwytho'i dillad, 'Wel, Dadi, fel hyn mae pethe. Mae Huw yn gweud y gwir. Wi 'di bod yn snogio gyda Meic. Oedd yn briliant, gyda llaw, Meic. A do, wi 'di bod yn bihafio mewn ffordd embarasing a hunanol. Ond wedyn fe ddysges i bopeth am hynny wrthot ti, Dadi.'

Meddyliodd Rhian y byddai ei thad yn ffrwydro. Safai yno'n rhythu arni ac am unwaith teimlai Rhian ei fod e'n yn ei gweld yn iawn, yn canolbwyntio arni. Llamodd ei chalon. Ond pharodd y foment ddim yn hir. Troi ar ei sawdl wnaeth Dylan gan sôn rhywbeth o dan ei anadl am wneud *mantra* cyn cysgu. A doedd dim cysur i'w gael gan ei mam chwaith. Wrth iddi fynd clywodd Rhian hi'n hisian, ''Se hi 'di cael *au pair* fel awgrymes i fyse hyn ddim wedi digwydd. Wedes i ddigon wrthi am yr holl golli pwyse 'na mae Huw 'di gwneud. God, ma ishe bach o *pranayama* arna i. Am groeso nôl...'

Typical! Mi ddylai fod Rhian wedi deall na fyddai ei rhieni'n gwneud dim i'w helpu. Doedd ganddi ddim dewis – hi fyddai'n gorfod ysgwyddo'r baich fel arfer.

'Sori, Meic, gwell i fynd i helpu Elinor. A, sori, am wel... bopeth. Ti'n foi lyfli. Ha!' Roedd 'na dinc o hysteria yn llais Rhian nawr. 'Ha ha ha! Ni GYD yn haeddu bod yn hapus, ond y'n ni? Nawr wi'n deall 'ny. So... diolch. Jyst... diolch,' a diflannodd drwy ddrws y fila.

'Dere mla'n – ma ishe brandi arnat ti. Wel arnon ni gyd, falle.' Tecs oedd wedi dod o rywle ac fe aeth ef a Tudur a Meic i eistedd ar y teras. Am funud roedd yna dawelwch. Roedd Awen wedi stopio sgrechen a doedd dim i'w glywed ond y *cicala* yn yr awyr felfedaidd yn y caeau o gwmpas y fila.

'GWD GOD, BE WNES I?' Roedd Meic yn crynu fel deilen. Arllwysodd Tecs wydred o frandi a pharatoi i wrando.

Yn yr *orto* lle bu'n cael un smôc ola cyn gwely roedd Gio ar ben ei ddigon. Pwy ishe Netflix pan fo sioe fel'na ar stepen y drws? Roedd e wedi amau bod 'na rywbeth o'i le pan welodd e Meic a Rhian cyn swper. A nawr roedd e wedi cael pleser rhyfeddol o weld bod pawb yn y Girasole yn wyllt am rywbeth. Aeth yn ôl i'r tŷ yn chwerthin yn braf.

Yn y gegin yn y Girasole roedd Awen yn wyllt iawn.

'Bag Birkin yw hwn, Huw. Dales i ugen mil amdano fe. O'dd 'yn enw i ar y rhestr aros am fisoedd a nawr ma'r blydi crwt 'na wedi hwdu mewn i bob twll a chornel. A smo hwnna'n mynd i ddod mas yn rhwydd. Huw, wyt ti'n clywed fi?'

'Ddim nawr, Awen, wi'n whilo am ddrinc.'

'Ie, nawr, Huw – bydd ishe *specialist cleaner*. Os alliff y bag gael 'i safio o gwbwl.'

'Blydi hel, Awen – cau hi, ocê?'

'Wel, os na ddaw'r bag 'ma'n lân Huw, bydd llythyr cyfreithiwr ar ei ffordd atat ti. Wi'n mynd i'r bathrwm nawr i weld os o's UNRHYW BETH ynddo fe heb ei sbwylo gan dy blydi plentyn di!'

Lan llofft roedd Elinor a Rhian wedi newid dillad Twm ac fe ddiflannodd Elinor i osod y cwbwl yn y peiriant golchi. Doedd Rhian ddim yn gwybod lle i edrych ac yn falch pan adawodd ei mam yng nghyfraith y stafell.

'Wi'n mofyn bwyd, Mami, gai fowlen o *choco crackies*?'

'Na, pwdin, gwell i ti beidio, ti newydd fod yn dost. Dere mla'n, mewn i'r gwely nawr a dim gormod o sŵn, smo ni ishe deffro Osian, odyn ni?'

Roedd Rhian yn falch i weld bod Twm fel y boi, y lliw wedi dod yn ôl i'w ruddiau, ond ddim efallai'n barod i fyta powlen o *cereal* siwgraidd. O'r diwedd llwyddodd i'w setlo ac aeth i eistedd yn ddiolchgar yn y lolfa fach. Roedd hi eisiau meddwl. Ond pan aeth hi i gynnau'r golau fe welodd fod Huw yno'n barod, yn eistedd yn y tywyllwch. Edrychodd y ddau ar ei gilydd.

Mae e wedi cael sioc, meddyliodd Rhian mewn syndod. Mae e'n edrych yn wirioneddol ypsét.

'Ocê, te, Huw,' dywedodd hi. '*Go ahead.*'

Drws nesa roedd Elinor a Tudur yn gorwedd heb fatryd eu dillad ar ben y gwely.

'Beth yn y byd gododd arnyn nhw?'

'Dim clem, Tuds. Mae Meic a Rhian wedi godde lot ar y gwylie 'ma, on'd y'n nhw? O'dd rhywbeth bownd o ddigwydd am wn i. A ti'n gwybod beth sy waetha?'

'Be?'

'Sdim tamed o ots 'da Dylan na Meriel. Weles i nhw nawr yn y lolfa ucha yn gwneud blydi ioga.' Siglodd Elinor ei phen yn drist.

Yn ei stafell fe gollodd Llinos y ddrama, gan ei bod hi wedi bod ar Facetime gydag Îfs am orie ac yn gwisgo clustffonau.

Ma Îfs yn ffab. Yn deall yn iawn pam fi heb weud wrth Mam. Fydd rhaid i fi wynebu hi fory *though*. Cwpwl o benodau o *Friends* nawr a wedyn cysgu. #gettingmesomezzz #teamphoebe #realfriendsaregold

Roedd Meic yn dal i dorri ei galon. Gwrandawai Tecs arno yn llawn consýrn.

'Mae ishe i ti benderfynu beth wyt ti ishe, Meic.'

'O, Tecs. O'dd hi'n poeni mwy am y bag na'r ffaith 'mod i'n cusanu Rhian. Doedd dim tamed o ots ganddi. O'n i wastod yn meddwl taw fi oedd ei chraig hi. Ond dyw hi jyst ddim yn meddwl amdana i, odi ddi? Smo ni 'di siarad yn iawn ers blynyddoedd. Falle taw fi sy ar fai am hwnna, Tecs – ddim ishe *confrontation*. Gormod o gachgi, heb daclo hi erioed am yr holl *holiday romances* 'ma. Ddylen i fod wedi dweud rhywbeth oesoedd yn ôl.'

'Sdim pwynt difaru'r gorffennol. Alli di ddim newid hwnna.'

'Wi mor blydi embarased am un peth, Tecs. Alla i ddim credu 'mod i wedi bod yn gymaint o ffŵl. Dere â rhagor o'r brandi 'na i fi.'

'Co fe. Paid â bod yn rhy galed ar dy hunan, Meic. Wir.'

'Fe dria i. Ond beth ddiawl weda i wrth Awen nawr?'

Doedd gan Tecs ddim ateb. Cymerodd lymaid arall o frandi

ac fe eisteddodd y ddau yn dawel ar goll yn eu meddyliau. Tecs yn edrych ymlaen at ddechrau bywyd priodasol a Meic wedi deall bod ei briodas yntau yn dirwyn i ben.

Yn ei hystafell wely llyncodd Awen gwpwl o dabledi cysgu. Roedd Meic yn hollol iawn – doedd hi ddim yn meddwl am yr olygfa ger y pwll o gwbwl. Yn hytrach, dal i boeni am ei bag Birkin oedd hi. Roedd hi'n wyllt am y peth – doedd pobol ddim fel tasen nhw'n deall mor anodd oedd hi i gael gafael ar drysor fel y bag yna. Gwyddai y byddai angen help arni i gysgu heno. Y blydi crwt 'na. A beth ddiawl oedd e wedi bwyta i wneud y fath lanast? Diolch byth, roedd ei sgarff Hermes wedi achub cyfran helaeth o'r leinin (er, bydde ishe *specialist cleaning* ar hwnna hefyd), roedd y més gwaetha ar y lledr o gwmpas ceg y bag. Hy! Eniwê o'dd ishe noson deidi o gwsg arni er mwyn gallu wynebu Meic a Llinos yn y bore a thorri'r newyddion mawr iddyn nhw. Roedd hi'n edrych ymlaen i weld eu hwynebau.

Minestrone Lucia

3 llond llwy fwrdd olew olewydd a thamaid ychwanegol i weini

1 winwnsyn cymhedrol wedi ei dorri'n fân

1 darn seleri wedi ei dorri'n fân

1 *zucchini* wedi ei dorri'n fân

1 foronen wedi ei thorri'n fân

70g *pancetta* wedi ei dorri'n fân

1 darn garlleg wedi ei dorri'n fân

½ llwy de oregano

1 tun 400g tomatos wedi eu malu

1 tun 400g ffa *cannellini*

2 lond llwy fwrdd piwrî tomatos

500ml stoc llysiau (neu fwy os oes angen)

Halen a phupur

70g pasta bach fel *ditalini*

100g *cavolo nero* (neu fresych tebyg)

Llond llaw dail *basilico* i weini

Parmigiano wedi gratio i weini

Mewn caserol mawr cynheswch yr olew a ffriwch y winwns, y seleri, y *zucchini*, y moron a'r *pancetta* am 10 munud nes fod pob dim wedi brownio.

Ychwanegwch y garlleg a'r oregano a ffriwch am funud arall. Yna ychwanegwch y tomatos, y ffa, y piwrî, y stoc a digon o halen a phupur.

Rhowch y pasta i fewn a choginio'r cwbwl am 10 munud.

Rhowch y bresych (wedi ei dorri'n stribedi) i fewn am 3 munud cyn y diwedd.

Gweinwch gyda mymryn o'r dail *basilico* a *Parmigiano* wedi gratio.

9

'**W**EL, DIOLCH I'R nefoedd am hynny!' Awen oedd yn siarad wedi clywed o'r diwedd bod Llinos ddim yn disgwyl. 'Alli di fynd i Durham nawr ac anghofio am y nonsens 'ma. Dechre newydd. Ac yn hynny o beth mae e'n gyfle i ni gyd.'

Roedd Awen, Meic a Huw yn eistedd yng nghysgod y winwydden yn bwyta brecwast. Cyn i Awen ymuno â nhw, roedd Meic wedi cyfadde wrth Llinos am antics y noson flaenorol.

'Sai ishe i ti glywed wrth rywun arall. Camgymeriad o'dd e – o'n ni gyd yn gaib.'

O weld yr olwg ddifrifol ar wyneb ei thad allai Llinos wneud dim ond gwenu a dweud, 'mond snog o'dd e, Dad, ac mae Rhian mor lyfli. Fetia i fod Mam yn hollol *pissed off*. Ha! #boomernothappy'

Ond ymddangosai Awen yn hollol ddedwydd. Yn ei barn hi roedd y darnau'n dechrau disgyn i'w lle. Yn gyntaf, wedi gweld y bag Birkin yng ngolau dydd, teimlai'n ffyddiog y gallai glanhäwr da ei achub. Yn ail, roedd hi wedi cael noson dda o gwsg diolch i'r tabledi. A nawr dyma'r newyddion gwych am Llinos. Estynnodd Awen am wy brown a darn o'r bara ffres a ddaethai'r bore hwnnw o'r pobty ar waelod y rhiw. Paned o goffi a darn o ffrwyth – y brecwast perffaith. Daeth dŵr i'w dannedd.

Drws nesa iddi roedd golwg bell ar Meic oedd wedi methu cysgu o gwbwl – yn dal i fod mewn embaras llwyr am ddigwyddiadau'r noson flaenorol. A diawch erioed, oedd ei wraig heb sôn yr un gair am yr hyn welodd hi neithiwr. Doedd dim tamed o ots gyda hi, roedd hynny'n amlwg. A nawr roedd hi'n siarad am y blydi bag dwl 'na eto a rhyw nonsens am ddechre newydd.

'Awen, hold on. Sdim clem 'da fi am beth wyt ti'n siarad. Estyn y coffi 'na, wnei di?' Roedd ishe hit mawr o gaffîn ar Meic.

Torrodd Awen dop yr wy gyda chyllell a phlymio llwy de i'r canol oren. Llyncodd yn hapus, cyn dweud, 'Wel, mae'n bryd i ni gyd symud mla'n, on'd yw hi? Ac mae 'da fi'r ateb – drychwch!' Chwifiodd Awen yr iPad i gyfeiriad Meic a Llinos. Yno ar y sgrin roedd manylion tŷ yn Llundain. Tŷ crand iawn.

'Beth yw hwn?' Doedd Meic ddim yn deall.

'*Surprise* bach. Wi 'di prynu fe!'

'Beth?'

'Wedi prynu tŷ i ni yn Maida Vale – jyst ar bwys y canal.'

'*Sorry*? Beth? Yn Llundain?'

'Ie, wel, fan'na oedd Maida Vale tro diwetha edryches i.' Roedd Awen ar ben ei digon. Dechreuodd sgrolio drwy'r manylion. 'Edrychwch – teras haul, stydi yr un i ni a, Llin, drych, mae fflat ar y llawr top. O'n i'n meddwl y gallet ti gael hwnna pan ddoi di adre o *Uni*.'

'Ond?'

'Ond beth, Meic?'

'Ail gartre yn Llunden?'

'Na. O, god, na. Fi 'di gwerthu Caerdydd. *Cash buyer* – ges i glywed ddoe. Twll o le. Hen bryd i ni wneud *start* newydd yn y mwg mawr.'

'Sori, dw i ddim yn deall. Ti' di gwerthu'n cartre ni?'

'Ie, Mam, *WTF*?'

'Cym on, Meic. Mae hi ar ben arnat ti gydag S4C, on'd yw e? Ni gyd yn gwybod pam mae Medwen ishe gweld ti wythnos nesa! Mae hwn yn gyfle i ni wneud dechrau newydd. A Llinos, ti'n mynd i Durham, so...'

'So beth, Mam? Alla i ddim credu hyn!'

'Wnest di ddim meddwl gofyn i ni, Awen?'

'O'n i ishe iddo fe fod yn syrpréis! Llundain!! Am gyfle i ni gyd! Wi 'di cael *advance* anferth ar y llyfr nesa, felly, fe fyddwn ni *in the money*! Sori, oes rhywbeth yn bod?' Allai Awen ddim deall pam nad oedd Meic a Llinos ar ben y byd.

'Wel, Mam – credu bod e'n deg gweud bod hwnna'n uffern o syrpréis.'

'Na.'

'Meic?'

'Na.'

'Ti'm yn gwneud sens, Meic!'

'Awen, na. Mae'n rhaid i'r nonsens 'ma stopio. Ti'n fflyrtio gyda pob dyn sy'n dod yn agos atat ti ac yn trin fi a Llinos fel baw. A wi 'di ca'l digon!'

'Meic, cym on, ti'n gwybod taw bach o hwyl yw'r fflyrtan. Wastod wedi bod. Einiwê, galle hwn fod yn ddechre newydd i ni gyd. Hala mwy o amser 'da'n gilydd yn Llunden – *restaurants*, y theatr. Allwn ni wneud frindie newydd, a pan fyddi di adre, Llinos, allwn ni siopa – Bond St, Harrods? Bydd e'n ffab!' Roedd Awen yn mynd i hwyl nawr.

'Na. Awen.' Siaradai Meic yn dawel ond roedd y cadernid yn ei lais yn adrodd cyfrolau. Gwelodd Awen ryw gryfder anghyfarwydd yn llygaid ei gŵr.

'O, wi'n gweld.' Roedd llais Awen wedi caledu nawr. Cymerodd lymaid mawr o goffi a phwyso'n ôl yn ei chadair.

202

'Ti 'di gweld y golau ar ôl snogan honna neithiwr. Fetia i ei bod hi mor ddiolchgar i ti, Meic. O't ti'n hoffi hynny, on'd o't ti?'

'Blydi hel, Awen. Does gan Rhian ddim byd i wneud â hyn. Fi jyst 'di cael digon. Fi ishe difórs. Wna i ddim gofyn am geiniog o dy blydi arian di. Jyst hanner y tŷ brynon ni gyda'n gilydd.'

'Ocê – ond ti'n gwybod beth? Fe gei di *settlement* teg. Sai'n mofyn ti'n rhedeg at y wasg yn conan.'

Canodd ei ffôn yn sydyn ac edrychodd Awen ar y sgrin fach.

'Gwell i fi ateb hwn, mae'n bwysig.'

Diflannodd o'r stafell. Gan orffen y briodas yn ogystal â'r sgwrs, meddyliodd Meic. Jyst fel tase hi'n gadel cyfarfod mewn swyddfa. Teimlodd eiliad o banic a bu bron iddo alw Awen yn ôl a begian arni i ailystyried. Ond wedyn gwelodd Meic fod Llinos yn crio a phwyllodd. Doedd Awen ddim yn poeni amdanyn nhw, roedd hi'n bryd iddo dderbyn hynny. Llinos oedd yn bwysig nawr.

'Dere di, bach.' Tynnodd ei ferch tuag ato a gadael iddi grio.

Dechreuodd Llinos ddweud ei dweud rhwng y pyliau o ddagrau. 'Sai'n gwbod pam wi'n llefen, Dadi, smo Mam a finne wedi bod yn iawn erioed. Ond fi'n teimlo mor drist!'

'Wi'n gwybod, bach. A finne.'

'Mae Meic yn rhoi cwtsh i Llinos. Wi'n ffaelu gweld Awen yn unman.' Elinor oedd yn disgrifio'r olygfa drwy'r ffenestr i Tudur. 'O jyw, Tuds, gobeithio y byddan nhw'n iawn.'

'Elinor, mae 'da ni ddigon o bethe i boeni amdanyn nhw, 'da Huw a Rhian. Does 'da fi ddim amser i ddelio gyda nonsens Awen a Meic hefyd. ' Edrychodd Tudur yn ddiflas i'w baned.

'Ocê. Ti'n iawn. Y peth gore allwn ni wneud i helpu Huw a Rhian yw mynd â'r bois mas o'r ffordd bore 'ma. Wedodd Rhian y buon nhw'n siarad tan yn hwyr neithiwr. Ond sai'n meddwl bo nhw wedi penderfynu dim.'

'Awn ni â'r bois mewn i Citta 'te i'r parc bach, ac wedyn *pizza* ar y sgwâr.'

'Ie, bryniff hynny gwpwl o orie iddyn nhw.' Trodd Elinor yn ôl wrth y ffenestr. 'Ond cyn hynny wi'n mynd i gael gair 'da Awen. 'Mond pum munud fydda i.'

Martsiodd Elinor i fewn i'r gegin lle'r oedd Awen yn gorffen sgwrs ffôn gyda'i hasiant.

'Yes, I'd like to be in London tomorrow, Geoff. Could you get get me a flight from Perugia this afternoon? Thanks. Got a lot to sort out – I'm going to need to talk to my lawyer too if that could be arranged. Thanks. Can you text me the flight details? *Ciao.*'

Diffoddodd Awen ei ffôn a throi at Elinor. 'Haia, Elinor. *Change of plan* mae arna i ofn. Dwi'n gadael prynhawn 'ma. Diolch am y croeso. It's been… *interesting* a dweud y lleia.'

'Ydy Llinos a Meic yn mynd hefyd?' Roedd Elinor ar ei mwyaf oeraidd.

'Nag y'n, yn anffodus. Ry'n ni'n… gwahanu. Mae Llinos yn dychwelyd i Gaerdydd gyda Meic.'

'Ddrwg gen i glywed. Ond dwi ddim yn synnu.'

'Sori?'

'Ar ôl gweld eich ymddygiad chi dros y bythefnos diwethaf. Gyda fy llysfab. Rhag eich cywilydd chi, Awen.'

'O. Dw i'n gweld. *Well, it takes two to tango*, Elinor. O'dd e fel ci bach â'i dafod yn hongian mas, on'd oedd e?'

'Ry'ch chi'ch dau yn briod, Awen – beth am Rhian a Meic? A Llinos druan?'

' Wyt ti rili ishe cweryla 'da fi, Elinor?'

'Jyst yn gweud y gwir, Awen.'

'Wel, gad i fi ddweud cwpwl o wirioneddau wrthot ti, 'te, Elinor. Sori mod i wedi dy siomi di a tharfu ar dy ffantasi fach neis yma yn y Girasole. Ond nid fy mai i yw e fod Huw ishe whare oddi cartre. Cofia, o weld Rhian wi'n deall pam. A *man baby* yw Huw rili, ti'n gwybod. Ond wedyn ti fagodd e, ontyfe, Elinor. Sdim ryfedd ei fod e fel'na. Fe gafodd ei fabanu gan Elinor, y *super stepmum*, Elinor yr ustus, Elinor y cogydd perffaith yn dy dŷ perffaith gyda dy ffrindiau perffaith. Elinor sy'n lico bod *in charge* ac yn trio rheoli pob munud o'r dydd. Beth ddiawl oedd y pamffled 'na ar bwys y gwely? Gweud 'tho ni shwd i ddewis ein bwyd? Atgoffa ni i wisgo eli haul ac Autan? A dweud y gwir, fi'n synnu nad oedd angen i ni ofyn yn ffurfiol am gael mynd i'r tŷ bach tra bo'n ni yma, Elinor. A wedyn rhoi manylion ein *bowel movements* i ti!'

''Na ddigon, Awen. Jyst cer o 'ma. A rhwydd hynt ar dy ôl di.'

'A twll dy din dithe hefyd, Elinor.' Chwarddodd Awen a gadael y gegin yn teimlo ei bod hi am unwaith wedi cael y gair olaf. Pwysodd Elinor yn erbyn y bwrdd i sadio'i hunan. Roedd ei dwylo'n crynu. Am brofiad annymunol. A doedd Awen ddim wedi gwrando na dangos parch. Ond o leiaf roedd hi wedi cael dweud ei dweud wrthi ac roedd hwnna'n rhywbeth i fod yn falch ohono, sbo. Trodd o'r diwedd a mynd i chwilio am Tudur.

Ar y teras roedd Llinos wedi stopio llefain.

'Be wnawn ni, Dad?'

'Byddwn ni'n iawn, bach. Symudwn ni i fflat fach neis yn y

Bae. Ac fe gei di fynd i Durham a cael uffern o lot o hwyl a dod nôl i Gaerdydd yn y gwylie.'

'Ie, licwn i hwnna. Dad?'

'Ie, bach?'

'Ti'n ocê?

'Odw, bach. Ti'n gwybod beth, wi fel y boi. Am y tro cynta ers oesoedd.'

'Maen nhw wedi mynd.' Rhian oedd yn edrych allan o ffenestr y lolfa fach awr yn ddiweddararch. Trodd at Huw a dweud, 'Fi'n meddwl bod Osian wedi geso bod rhywbeth o'i le. O'dd e'n glynu ata i cyn i Elinor fynd ag e mas i'r car.'

'Wel, mae e'n boenwr, on'd yw e?' Siaradai Huw yn bwyllog ac roedd yr arlliw o resymeg nawddogol yn ei lais fel halen ar friwiau Rhian. Collodd ei thymer yn syth.

'Ti'n dweud taw fy mai i yw hyn, wrth gwrs, 'na beth wyt ti'n ensynio, ife?'

'Paid â rhoi geiriau yn fy ngheg i. Ti wedodd, Rhian, nid fi.'

Roedd Rhian ar fin gweiddi arno eto ond gwyddai taw cyfnod byr oedd ganddyn nhw i wneud rhyw fath o benderfyniad, tra bod y bois gyda Tudur ac Elinor. Felly aeth i eistedd ac osgoi edrych ar wyneb smyg ei gŵr. Oedd wastod yn gwybod yn well ac yn ei chyhuddo hi byth a beunydd o fod yn niwrotig. Llyncodd ei dicter a gofyn, 'Be wnawn ni, Huw? Oes gobeth o gwbwl y down ni drwy hyn?'

Doedd Huw ddim yn siŵr iawn sut i ateb. Do, fe'i sobrwyd o weld ei wraig ym mreichau dyn arall. Ond roedd darn ohono yn dal i feddwl rhywsut y gallai droedio rhyw fath o lwybr canol, cadw ei wraig a'i deulu ar un ochr tra oedd e'n codi i'r uchelderau gyda Juliette. Onid oedd hi'n bosibl iddo gael y gorau o'r ddau fyd?

Aeth Rhian ymlaen, 'Pan gyfaddefaist di wrtha i neithiwr am Juliette, ro'n i'n teimlo fel taset ti wedi cico fi yn fy stumog. Fe loriodd e fi, Huw. Fel ergyd ffiaidd yn fy mherfedd. O'n i'n gweld smotiau porffor o flaen fy llyged ac o'n i bron â llewygu. 'Na shwd o'dd e'n teimlo, Huw.'

'Rhi,' dechreuodd Huw, ond roedd ei lais yn crynu yn sydyn.

'Na, gad i fi orffen, Huw. O'n i wedi ame, man y man i fi gyfadde. Y colli pwyse. Gweithio'n hwyr, penwythnose i ffwrdd 'da'r gwaith. Ro'dd e'n gwbwl blaen. Weles i ddigon ohono fe yn byw 'da 'nhad yr holl flynyddoedd.'

'Falle bod peth bai arna i. Yr iselder, yr ofne – wi'n gwybod nad yw hynny'n rhwydd i fyw 'dag e. Ond... ' Daeth ton o emosiwn drosti'n sydyn. 'Ond, Huw, pam oedd rhaid it ti GYSGU 'da hi? 'Da menyw arall? Pam na siaradest di gyda fi? A pam nad o't ti'n cysgu 'da fi? Huw? Ydw i'n troi arnat ti nawr?'

'Na, nid 'na beth o'dd e,' ymbalfalodd Huw am y geiriau, 'o'n i jyst...'

'A shwd ddiawl allwn ni esbonio i'r bois bo ti'n caru menyw arall? Shwd, Huw? GWED WRTHA I!!' Dechreuodd Rhian feichio crio eto, y dagrau'n powlio i lawr ei gruddiau.

'Paid, Rhian...'

'Ti 'di torri 'nghalon i'n DEILCHION, Huw. Yn deilchion.' Roedd Rhian yn siarad yn herciog rhwng pyliau o lefain nawr, wedi ei dinoethi gan ei galar. Artaith oedd y dweud yma.

Syllodd Huw arni mewn braw.

Aeth Rhian ymlaen. 'Fi yw dy wraig di, mam dy blant di, y fenyw dyngest di lw iddi pan briodon ni. Ti 'di bradychu fi a'r plant. Gyda'r fenyw arall 'ma. Achos pan o't ti gyda hi doeddet ti ddim yn meddwl amdanon ni.'

Doedd gan Huw ddim geiriau ar ôl. Roedd e wedi deall na allai guddio bellach tu ôl i'r esgusodion tila y bu'n rhaffu am ei wraig. Yn beio Rhian am beidio â gwneud ymdrech ac o'i wthio i freichiau Juliette. Doedd hynny ddim yn cyfiawnhau'r boen a'r tristwch o'i flaen.

Yn yr archfarchnad roedd Elinor a Tudur wrthi'n prynu Lego i'r bois.

'Gallwn ni ddewis unrhyw beth, Mam-gu? Rili?'

Roedd Twm ar ben ei ddigon. Ond doedd Osian ddim mor siŵr.

'Pam, Mam-gu? Dyw hi ddim yn ben-blwydd arnon ni?' gofynnodd yn betrusgar, ei lygaid glas yn llawn consýrn. 'Ac fe brynoch chi beth i ni wythnos diwetha hefyd.'

'Ym... Tad-cu a fi sy'n dathlu, Osi. Ontyfe, Tad-cu?'

'Ie, wir.... Ry'n ni wedi ennill arian ar... y *premium bonds*.'

'Beth yw *premium bonds*?'

'Ym... cystadleuaeth sy'n digwydd bob mis.' Roedd Tudur yn trio cofio beth ddiawl oedd *premium bonds*. 'A'n tro ni oedd ennill fis yma. *So*, ni'n dathlu!'

'Odych chi'n mynd i brynu Lego hefyd?' Twm oedd yn gofyn wrth estyn am becyn anferth ar y silff uwch ei ben.

'Gad i fi estyn hwnna i ti, Twm. Na, dim Lego, mae Mam-gu a finne'n mynd i brynu presant arall yn lle hynny,'

'Beth?'

'Sori, Osian?'

Beth fydd y presant?' Doedd Osian ddim wedi ei argyhoeddi o gwbwl gan stori ei Dad-cu.

'Ym...' Roedd Tudur yn chwilio am ysbrydoliaeth. 'Brandi, ie, brandi. Un drud iawn.'

'Ie, 'na ti, Tuds, cer di draw i ddewis.' Gwenodd Elinor. 'A dewch nawr, bois – penderfynwch chi beth y'ch chi ishe, er mwyn i ni gael mynd i ga'l cinio.'

'Fi mofyn Grogu a'r Mandalorian, Mam-gu!' gwaeddodd Twm.

'Osian?'

'Ym, ocê... mae Millennium Falcon cŵl iawn 'ma. Ond odi e'n rhy ddrud?' Gwasgodd calon Elinor o weld bod Osian yn dal i fod yn bryderus.

'Mae e'n iawn, bach,' atebodd Elinor, 'a drych, mae Tad-cu wedi dewis y brandi, felly beth am dalu ac awn ni i gael *pizza*. Iawn?'

'Yay, *pizza, pizza, pizza*,' Rhedodd Twm draw at Tudur yn gweiddi nerth ei ben.

Ond dalai Osian i boeni wrth gerdded i'r til gyda'i fam-gu.

Yn y Girasole roedd Rhian wedi sadio o'r diwedd ac wedi golchi ei hwyneb a chwythu'i thrwyn. Estynnodd Huw baned iddi ac fe eisteddodd yn ddau'n dawel am dipyn ac yfed. Sylwodd Rhian yn ddiflas fod golwg grasboeth arni tu fas i'r ffenestr o hyd er fod cymylau yn dechrau cronni yn y pellter.

'Storom arall ar y ffordd,' meddai wrth Huw, yn awtomatig.

'Ie,' atebodd hwnnw, er fod ei feddwl yntau hefyd yn bell.

Gosododd Rhian ei phaned i lawr a gweld ei bod bellach yn hanner awr wedi dau.

'Fyddan nhw ddim yn hir nawr, Huw. Mae'n rhaid i ni benderfynu.'

'Oes.'

'Wel?'

Roedd Huw wedi cael ofn. Ac wedi deall o'r diwedd beth oedd yn y fantol. Bod perygl iddo golli popeth. Colli *custody*. Gweld y bois unwaith yr wythnos falle. Neu, yn waeth, colli pob cyswllt. Fe gafodd yr affêr wedi'r cyfan – fe oedd ar fai. Oedd posibilrwydd y byddai Rhian yn gwrthod caniatáu iddo weld y bois o gwbwl? Na, na, na – allai hynny ddim digwydd.

'Wel, Huw?' Roedd Rhian yn gofyn eto.

'Beth... am drio cwnsela? Weithiodd e i Manon a Siôn Wyn.' Dechreuodd Huw grio, dagrau hunandosturiol yn gyfuniad o ofn ac euogrwydd.

Aeth Rhian ddim ato. Doedd ganddi ddim awydd i'w gysuro. Ond dywedodd, 'Ocê. Wi'n fodlon trio. Mynd at Relate neu beth bynnag. Er mwyn y bois. Ond, Huw?'

'Beth?'

'Ar un amod.'

'Beth?'

'Dy fod di'n ymddiswyddo a whilo am swydd arall yn bell oddi wrthi hi.'

'Ond, Rhian, wi'n bartner! Dyw e ddim yn rhwydd...'

Torrodd Rhian ar ei draws. 'Doed dim byd am hyn yn rhwydd, Huw. Ond dyna'r amodau. Ffona'r swyddfa nawr. Neu mae'n ddiwedd arnon ni.'

Seibiant arall. Eisteddai Huw â'i law dros ei lygaid yn trio cuddio'r ffaith fod ei feddwl yn chwyrlïo'n wyllt. Dim Juliette? Ond wedyn beth am y bois? Roedd y dewis yn amhosibl.

'So?' Edrychodd Rhian ar ei ei gŵr. 'Fi'n disgwyl ateb, Huw.'

Edrychodd hwnnw i fyny o'r diwedd a chodi'r ffôn.

Roedd Llinos a Meic yn y gegin yn gorffen eu cinio pan ddaeth Elinor, Tudur a'r bois drwy ddrws y fila.

'Llinos. Shgwlwch ar hwn!' Daeth Twm yn syth ati yn chwifio'i barsel. Daliai Osian yn ôl.

'Lle mae Mami?' holodd yn bryderus.

Cyn i Meic orfod dechre palu celwyddau, daeth Rhian drwy'r drws. Roedd hi wedi gwisgo colur er mwyn cuddio ôl y dagrau ac roedd hi'n gwenu'n llachar ar ei meibion. 'Fi fan hyn, Osi,' meddai. 'Waw! Odych chi wedi diolch i Mam-gu a Tad-cu?'

Dilynodd Huw yn syth ar ei hôl, 'Ie, wir. Diolch Dad ac Elinor. Am bopeth.' Gwenodd yn wan arnynt cyn dweud, 'Reit, 'te, bois, awn ni mas i'r teras i ddechre adeiladu?'

'Yay! Rasa i ti, Dadi!' a diflannodd Twm a Huw trwy'r drws.

Ond aros wnaeth Osian cyn gafael yn llaw ei fam. Gwenodd Rhian i'w gysuro ac fe aeth y ddau allan i'r teras gyda'i gilydd.

Eisteddodd Elinor i lawr yn drwm wrth fwrdd y gegin.

'Diolch i'r nefoedd,' meddai wrth neb yn arbennig.

'Gad i fi estyn paned,' meddai Meic gan weld bod Elinor a Tudur dan deimlad.

'Diolch, Meic,' atebodd Tudur. 'Byddai hynny'n grêt. Coffi cryf os gweli di'n dda. Fel mae'n digwydd mae 'da fi frandi eitha neis i roi miwn ynddo fe.'

Yn ddiweddarach, wrth lwytho'r peiriant golchi llestri, gofynnodd Tudur, 'Odi Huw o ddifri, ti'n meddwl, Elinor?'

'Pam ti'n gweud hynny?'

'Sai'n gwybod a alla i gredu fe.'

'Bydd rhaid i ni drio.'

'Bydd, sbo.' Ond parhau i edrych yn bryderus wrth lwytho wnâi Tudur.

Roedd Rhian hithau yn llawn amheuon. Wrth bacio cesys y bechgyn (o'r diwedd roedd y gwyliau erchyll yn dirwyn i ben) roedd hi'n pwyso a mesur y datblygiadau diweddara.

'Sai'n gwybod faint o werth o'dd yr holl siarad 'na. Odw i wir yn gallu credu Huw? O'dd e'n tyngu 'i fod e wedi'i siglo o 'ngweld i gyda Meic. Ond sai'n gwybod. Ai mofyn fi nawr ma fe achos bo rhywun arall yn mofyn fi? Er mwyn y bois wi'n meddwl bod e'n werth trio *family therapy*. Sai'n gwybod o ble ddath hwnna. O'dd Huw fel tase fe'n yn argyhoeddedig taw hwnna o'dd y peth iawn i ni wneud.

'O'dd 'na rywbeth *satisfying* iawn am weud wrth Dadi neithiwr taw dilyn ei esiampl e o'n i. Am eiliad o'n i'n meddwl bod e'n actiwali'n mynd i sylwi arna i. Ond, na. Osgoi trwbwl. 'Na beth mae e'n gwneud drwy'r amser a dyw Mam ddim lot yn well. OK, mae hi'n busnesa, ond dyw hi byth yn meddwl beth fyswn i ishe. Jyst yn cynnig y math o gyngor mae hi'n mofyn clywed 'i hunan. Sy'n hollol wahanol.

'Yr unig beth sy 'di codi 'nghalon i yw taw miwn i handbag drud Awen yr hwdodd Twm. Ha!'

A chyda clep, llwyddodd i gau cês Twm. Diolch i'r nefoedd, 'mond un noson arall oedd ar ôl. Nôl i Gymru fory. Dim pryfed, na nadredd, na gwres. Haleliwia! Ac roedd pethe'n mynd i fod yn wahanol gyda Huw o hyn ymlaen. Gobeithio.

Yn y pwll roedd Huw yn nofio, ei gorff yn trywanu trwy'r dŵr a'r ymdrech yn sadio'i nerfau. Roedd ei feddwl yn chwyrlïo'n wyllt.

'Ocê, ocê. Wi'n meddwl bod pethe'n ocê. *Family Therapy*. Ie. Gwerth ei drio... Alla i jyst ddim meddwl am ddyn arall yn magu'r bois. A dw i'n credu y bydde Meic yn rhy barod o lawer i gymryd fy lle i 'sen i'n gadel iddo fe. A, Juliette? Falle fod 'na ffordd...?'

Stopiodd ac anadlu'n ddwfn, gan edrych allan ar yr olygfa dros ymyl y pwll. Sylweddolodd gyda phwl sydyn o euogwydd nad oedd e wedi edrych yn iawn ar y prydferthwch o gwmpas y fila hyd yn hyn. Roedd wedi bod yn rhy brysur rhwng popeth. Edrychodd Huw ar y coed pinwydd uwch ei ben yn siglo'n araf yn y gwyntoedd cynnes. Parhaodd i edrych ar y coed a'r awyr las uwch ei ben cyn symud o'r diwedd lan yr ysgol fach i chwilio am ei wraig a'i blant.

'Darling?'

'Tecs, is everything ok?'

'Yes, absolutely, I just had to tell you. It all kicked off here last night!'

'What? I want all the gory details. The Dame's having an acupuncture break so I'm all ears.'

'Well... Huw, Elinor's bumptious son-in-law caught his wife snogging Meic the TV presenter on a sunbed! Hardly surprising that something snapped, he's been flirting with Awen, Meic's botoxed wife all week.'

'O, M and bloody G!'

'Quite. Anyway, there was some slappy fighting. Then Elinor found her grandson puking in Awen's Birkin bag.'

'Oooh, bet that went down well?'

'There was a lot of screaming about waiting lists. And then to cap it all Dylan and Meriel arrived back from a tantric sex retreat.'

'I'm not going to ask.'

'No, don't. It was all a bit sad if I'm honest. Meic and Rhian are nice people. Been treated pretty badly. I love this place and

Tuds and Elinor but I will be very glad to get back tomorrow.'

'And I'm going to bore you rigid with wedding talk.'

'Bore away.'

'I'm thinking big, Tecs. '

'Good. I can't wait. Love you.'

'Love you too.'

Drws nesa i'r Capel roedd Sal yn edrych ar gynllun Gio ar gyfer yr *orto*.

'Plannu yn yr hen ddull yw hwn, Sal. Y cnydau yn gefn i'w gilydd.'

'A codi'r tir?'

'Mae'r bocsys yn creu cronfa ddŵr i'r planhigion.'

'Waw. Cer mlaen...'

Aeth Meic at y cwpwrdd dillad gan wybod cyn ei agor y byddai'n wag. Gwyddai pan glywodd y car yn rhuthro i lawr yr heol wen awr yn ôl bod Awen yn gadael. Gwelodd fod amlen ar y dresel. Doedd hi ddim wedi ysgrifennu rhyw lawer, jyst nodyn ffurfiol gydag enw ei chyfreithiwr a manylion yn cadarnhau y byddai'n rhaid i Meic a Llinos fod allan o'r tŷ yng Nghaerdydd erbyn diwedd y mis.

Gwd, meddyliodd Meic. Fydd Llinos a finne'n iawn. Ac o leia ma 'da ni fis i anadlu a meddwl beth y'n ni ishe. A pan wela i Medwen wythnos nesa o leia bydd *timeline* 'da fi. Pryd yn union y bydda i ar y blydi *scrapheap*. Ond, na – mae ishe bod yn bositif. Wi'n mynd i hala'r dyddiau nesa 'ma'n meddwl am syniade am raglenni newydd. Fi a rhywun ifancach falle? Rhaglen sgwrs? Fel Des O'Connor a Melanie Sykes flynyddoedd yn ôl. Y deinosor a'r *millennial*! Ie. 'Na ni. Wel, mae e'n ddechre sbo...

Yn ei stafell wely oedd Llinos yn siarad gydag Îfs ar Facetime.

'So, maen nhw'n cael difôrs, Llin? Wi'n sori.'

'Paid â bod. Fi'n *fine*. Ond blydi hel… Mam. Mynd heb weud gair wrth Dad na finne a gadel rhyw lythyr pathetic ar ei hôl.'

'Mae hwnna'n *well out of order*.'

'Mae e'n fel, mor *selfish*. Mae Dad *in bits*, Îfs. Mae e'n trio gweud bod e ddim ond fi'n fel gweld y poen yn ei lygaid?'

'Mor sori, Llin.'

'Diolch, Îfs. Fi'n mynd i fyw gyda fe ar ôl y difôrs. Mae e'n ocê. Ond god, ni'n gorfod bod mas o'r tŷ mewn mis – y bitsh 'na wedi gwerthu'r lle heb weud gair wrthon ni. *I mean WTF?*'

'God, Llin. *So bad*.'

'Fi nôl fory – awn ni mas? Byse fe mor lyfli dy weld di…'

Roedd Rhian wedi gorffen pacio ac yn dal i bendroni. Gwelodd hithau gar Awen yn rhuthro i lawr y rhiw. Meddyliodd am y sgwrs sydyn gafodd hi gyda Meic oedd yn dal i arteithio'i hunan am ddigwyddiadau'r noson flaenorol.

'O'dd Meic mor annwyl yn ymddiheuro am "wthio'i hunan arna i". Wedes i wrtho fe am beidio â siarad dwli. 'Mod i wedi mwynhau. Falle gawn ni baned yng Nghaerdydd rhywdro.'

Wrth iddi agor y drws i ddechrau lawr am y gegin clywodd Rhian sŵn sgrechen uchel a sylweddoli gyda braw taw ei mam oedd yn gweiddi. Rhuthrodd am y llofft i weld beth oedd yn bod cyn stopio'n stond tu fas i'r drws lle'r oedd Elinor yn sefyll. Yn chwerthin. A rhwng pyliau o chwerthin dywedodd, 'Dere o'ma, Rhi. Wir i ti, dwyt ti ddim am wrando ar hyn.'

'Aros, beth? Sori? Elinor?'

'Y gweithdy? Yn Todi?

'Y gweithdy?' Siglodd Rhian ei phen, roedd hi ar goll yn

llwyr. Yna ar ôl clywed gwaedd anifeilaidd arall, y tro yma wrth ei thad, gwridodd at waelod ei sodlau.

'O… y gweithdy. Wrth gwrs.'

Cofiodd yn sydyn bod ei rhieni wedi meistroli technegau *tantric sex*. Blydi hel. 'Nage hwnna oedd y dechneg oedd yn caniatáu i chi fynd mla'n am orie?'

Edrychodd ar ei mam yng nghyfraith yn morio chwerthin eto. Doedd gan Rhian ddim dewis ond ymuno â hi. A stopion nhw ddim nes i Elinor arllwys gwydred anferth o Prosecco i'r ddwy ohonyn nhw lawr ar y teras.

Yn y caffi bach, eisteddai Gio, Alfredo a Massimo yn llowcian *espresso*.

'Maen nhw'n mynd, 'te?'

'Odyn.'

'Bydd hi'n dawel sha'r topiau na 'to felly, Gio?'

'Bydd. Diolch byth. Dim ffylied yn rhedeg lan a lawr y llwybr bob whip-stitsh. Dim Mercs a Range Rovers yn rhuo heibio ganol nos. A dim ffylied yn sgrechen wherthin rownd y pwll bob awr o'r dydd a'r nos.'

'Ond diawch, bydd hi'n dawel.'

'Bydd.' Gadawodd Gio seibiant cyn datgelu ei newydd mawr. 'Hyd nes i Sal a'r teulu symud nôl wrth gwrs.'

'Beth? Gadwest di hwnna dan dy het!'

'Ti'n mynd i fod yn da'cu? Yr hen gadno – ers faint wyt ti'n gwybod ni, 'te?

'Wel, sdim ishe gweud fy musnes i gyd wrthoch chi, o's e?'

'Lle fyddan nhw'n byw, 'te, Gio?'

'Maen nhw'n addasu'r hen gapel. Wel, y festri mewn gwirionedd, bydd y capel yn dal i weithredu fel capel, ond maen nhw'n adeiladu tu cefen iddo.'

'Go dda.'

'Ond diawch… lle fyddan nhw'n adeiladu'r *orto*?'

'Y llecyn bach ar y chwith.'

'O jyw, weden i fod y tir tu ôl i'r capel yn well.'

'Neu beth am drws nesa i'r ffynnon? Mwy o olau fan'na hefyd…'

'Na, na, na. Mae Sal a finne 'di edrych yn fanwl ar y tir. Y llecyn ar y chwith sy orau.'

'Gio, ti 'di colli'r plot… mae'r tir tu ôl i'r capel yn berffeth.'

Aeth y tri ymlaen i gweryla'n hapus.

Roedd yr awyr yn llwyd wrth i'r awyren Ryan Air o Perugia i Lundain lanio ganol y prynhawn. Diolchodd Rhian am y glaw mân oedd yn syrthio ar ei hwyneb wrth iddi dywys y bois i'r bws bach oedd yn mynd i'r maes parcio. Diolch byth iddi nodi'r manylion a chadw'r tocyn yn saff, o leiaf roedden nhw'n gwybod yn union lle i fynd. Doedd gan Meic druan ddim syniad lle'r oedd ei gar ef – ac roedd wedi methu cael gafael ar Awen i weld oedd hi wedi ei gasglu'n barod.

'Jyst gobeithio bydd yr awdurdodau yn y meysydd parcio yn gallu helpu.' Gwenodd Meic yn wan ar Rhian a throi am y swyddfa. Roedd hi wedi ffarwelio gyda Llinos yn barod ac wedi addo cadw mewn cysylltiad – wedi trefnu sesiwn yn John Lewis i chwilio am ddillad coleg newydd iddi.

'Dere mla'n, Huw.'

Allai Rhian ddim peidio â theimlo tamaid yn fuddugoliaethus wrth weld Huw yn ei dilyn yn ffyddlon, law yn llaw gyda'r bois. Gwenodd yntau arni'n wan. Ai fel hyn y byddai hi o hyn ymlaen? pendronodd Rhian, wrth wthio'r troli tuag at y bws. A fyddai modd ailgynnau'r tân? Neu oedd yr aelwyd wedi oeri yn ormodol? Amser a ddengys. Ond yn y cyfamser roedd hi'n mynd i drio mwynhau bywyd tamed bach yn fwy a chadw Huw at yr addewidion lu a wnaethpwyd ganddo am gefnogaeth a rhannu'r baich.

Roedd ei mam wedi awgrymu dosbarth ioga iddi yng Nghaerdydd. Falle y byddai'n rhoi tro arni. Ond dim ond ioga. Roedd hi wedi gwahardd unrhyw sôn am *tantric sex...*

Mynd am yr Heathrow Express wnaeth Tudur ac Elinor, yn ddiolchgar i gael dianc wrth eu gwesteion a chael siwrne dawel i Gaerdydd ar y trên. Roedden nhw'n dychwelyd i Perugia ymhen pythefnos ond nawr roedd Elinor yn edrych ymlaen at ddiwrnodau tawel heb orfod ordro bwyd i neb, na phoeni am gliwten, alergeddau ac oedolion yn bihafio fel *teenagers.*

'Allwn ni fyta'r Tartufo 'na heno Elinor. Gyda tamed o basta? A glased bach?'

Edrychodd ei wraig arno'n ddifrifol.

'Gallwn, sbo. Ond ti'n gwybod beth?

'Beth?'

'Wi'n ffansïo rhywbeth arall.'

'Beth?'

'Cyrri.'

Ac fe fuodd y ddau'n chwerthin yr holl ffordd i Paddington.

Cyrri Elinor a Tudur

Dim olew olewydd *extra vergine*

Dim tomatos wedi eu potelu'n lleol

Dim llysiau gwyrdd o'r *orto*

Dim cig wedi ei fagu ar lethrau dyffryn y Tiberio

Têc-awe o'r Purple Poppadom a chwpwl o Cobras plis.

Rhai misoedd yn ddiweddarach

DAILY MAIL
COUGAR MAN BUTLER WEDS!

Tecwyn Williams, better known as Jameson the Butler in the smash hit *Cougar Man* franchise today wed his long time partner Steve Adams in a civil ceremony at Marylebone Registery Office. Adams is the Oscar winning star of the 2010 film *Better the Devil*. Speaking after the ceremony Williams said, 'I have waited a long time for this, Steve and I are soulmates and we wanted the world to know.' Both grooms wore white suits with brightly coloured ties and waistcoats and a corsage of red roses and baby's breath. The best man was Tecwyn's brother, dairy farmer Derfel Williams who also expressed his delight at the wedding, saying, 'They are very good together and I'm really proud of everything Tecwyn has achieved.' Sadly their mother Mary was not well enough to attend the wedding. Among the guests were *Lord of the Rings* star Sir Ian Mckellen, Sir Bryn Terfel and Siân Lloyd who flaunted her amazing legs in a stunning one piece by Armani.

WalesOnline
Tantric Sex Takes Years Off You!

Formerly disgraced TV director Dylan Morgan (65) today made the news again, this time by having sex with his wife! The couple became interested in tantric sex rituals whilst on holiday in Italy and have been speaking in public about their many benefits. 'We feel like teenagers again,' he said as he sat on the terrace of his flat in Roath Park, looking bronzed and slim. 'We've been given a new lease of life by this amazing technique and we want everyone to know about it! Dylan and wife Meriel (65) hope to lead Wales's first Tantric Sex retreat at the Wellness Spa in the Vale of Glamorgan. 'We really want to share our joy with others and the retreat will teach basic skills in beautiful surroundings,' says Dylan. Meriel ads, 'we'll also be practising clean eating on the retreat and launching our own brand of probiotic Keffir. Candles by Gwyneth Paltrow will also be available to buy.' The weekend will cost £500 per person and tickets are apparently selling well, according to Morgan. I asked if there would be practical demonstrations but the couple refused to disclose too many details in advance adding, 'You'll just have to buy a ticket to find out!'

SCREEN INTERNATIONAL
SOOT FOR TEARS **OPTIONED**

The bestselling novel based on a 1930's Welsh childhood by writer Awen Humphries, has been snapped up by Leonardo DiCaprio's indie, Appian Way Productions. DiCaprio says he was moved to tears by the book's account of poverty and injustice in the Welsh Valleys. He will play unemployed miner Ianto Evans himself but the search is on for the casting of the beautiful Blodwen with whom he falls in love. Names in the frame include Jodie Comer, Lady Gaga and Keira Knightley. The film rights were acquired for an undisclosed sum but assumed to be north of 3 million. Recently divorced Humphries says she is thrilled. 'After a rather challenging period in my life this is just the tonic I needed.' It has been reported that Humphries will be working as a consultant on the film which is scheduled to begin pre-production next year in New Zealand.

@GOLWG 360
MEIC YN DWEUD HELÔ!

Mae Meic Humphries (58) cyn-gyflwynydd *Heddiw'r Bore* ar S4C wedi cael swydd newydd ar un o sianelau mwyaf Lloegr. Yn gweithio gyda Trudie Spinks (18) o Gaerdydd bydd yn cyd-gyflwyno'r sioe foreol *Hello Again*. Dywedodd y cynhyrchydd Trent Marrows, 'Mike and Trudie came in to audition and the sparks flew. They've both got that lovely Welsh lilt which tested brilliantly with our audiences and the combination of his years of experience with Trudie's amazing energy is fantastic. We're really excited about this show.' Bydd y gyfres yn dechrau ar Channel 5 ym mis Ionawr.

@NATION CYMRU
CRUSADING LAWYER WINS LANDMARK CASE

Huw Ifans (38) has done it again. Not content with seeing off wind turbine developers a few years ago at a Swansea Valley allotment, he's just won a case against a fracking company who were hoping to overturn the Welsh ban and begin digging under Bannau Brycheiniog. 'This is a win for the planet,' said Ifans proudly outside court, where he was joined by proud wife Rhian (34). Ifans recently started a new legal practice in Cardiff, 'to fight on behalf of the underdog'. He tells me to 'watch this space. I have my eye on some big names trying to make inroads into Wales's most beautiful places. This practice is a new start for me and for Wales.'

UMBRIAN PASSIONS
IN VENDITE LA GIRASOLE

Splendida villa con otto camere da letto con piscina, terrazza e vista panoramica ora sul mercato. Tutte le camere sono dotate di bagno privato e vi è una cucina ben attrezzata e due sale di ricevimento. Dettagli sotto. Prezzo su richiesta. Incoraggiati gli acquirenti locali.

Gorgeous eight bedroomed villa with pool, terrace and panoramic views now on the market. All bedrooms are en-suite and there is a well appointed kitchen and two reception rooms. Details below. Price on request. Local buyers encouraged.